EL JUEGO DE LA NOCHE

PLAINFIELD PUBLIC LIBRARY
15025 S. Illinois Street
Plainfield, IL 60544

CHRISTINE FEEHAN

EL JUEGO

DE LA NOCHE

PLAINFIELD PUBLIC LIBRARY
15025 S. Illinois Street
Plainfield, IL 60544

Titania Editores
ARGENTINA - CHILE - COLOMBIA - ESPAÑA
ESTADOS UNIDOS - MÉXICO - PERÚ - URUGUAY - VENEZUELA

Título original: *Night Game*
Editor original: The Berkley Publishing Group, published by the Penguin
   Group New York
Traducción: Diego Castillo Morales

1.ª edición Marzo 2013

Reservados todos los derechos. Queda rigurosamente prohibida, sin la autorización escrita de los titulares del copyright, bajo las sanciones establecidas en las leyes, la reproducción parcial o total de esta obra por cualquier medio o procedimiento, incluidos la reprografía y el tratamiento informático, así como la distribución de ejemplares mediante alquiler o préstamo público.

Todos los nombres, personajes, lugares y acontecimientos de esta novela son producto de la imaginación de la autora, o empleados como entes de ficción. Cualquier semejanza con personas vivas o fallecidas, o con empresas y organizaciones, es mera coincidencia.

Copyright © 2005 by Christine Feehan
All Rights Reserved

Copyright © 2013 de la traducción *by* Diego Castillo Morales
Copyright © 2013 *by* Ediciones Urano, S. A.
   Aribau, 142, pral. – 08036 Barcelona
   www.titania.org
   atencion@titania.org

ISBN: 978-84-92916-40-5
E-ISBN: 978-84-9944-515-1
Depósito legal: B. 2.749-2013

Fotocomposición: Moelmo, SCP
Impreso por: Romanyà-Valls – Verdaguer, 1 – 08786 Capellades (Barcelona)

Impreso en España – *Printed in Spain*

3 1907 00323 9968

Para una de mis más queridas amigas, Cheryl Lynn Wilson,
pues Gator lleva tatuado su nombre en cierta parte de su
anatomía, ¡y muy claramente dice: «propiedad de...»!

Agradecimientos

*H*ay muchas personas a las que tengo que dar las gracias. Primero que nada a Jennifer Lasseter y a Brian Feehan por su constante ayuda en tantos aspectos de este libro. También quiero agradecer a Wilson y Rose Maeux por su ayuda con el idioma cajún. Y especialmente a Paula y Mike Hardin, quien muy generosamente de nuevo encontró libros e información muchas veces e incluso hizo un par de viajes al *bayou* por mí. Gracias a Damon Weed de la Friendly City Tattoo Shop por dar vida al escudo de los Soldados Fantasma.

SIGNIFICA
sombra

SIGNIFICA
protección contra
las fuerzas malignas

SIGNIFICA
la letra griega *Psi*, que los investigadores
parapsicológicos utilizan para referirse
a la percepción extrasensorial
u otras habilidades psíquicas

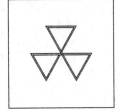

SIGNIFICA
cualidades de un caballero:
lealtad, generosidad,
valor y honor

SIGNIFICA
caballeros en la sombra que protegen
de las fuerzas malignas
mediante los poderes psíquicos,
el valor y el honor

Nox noctis est nostri
La noche es nuestra

El credo de los Soldados Fantasma

Somos Soldados Fantasma, vivimos entre las sombras.
El mar, la tierra y el aire son nuestro entorno.
No dejaremos atrás a ningún compañero caído.
Nos regimos por la lealtad y el honor.
Somos invisibles para nuestros enemigos
y los destruimos allá donde los encontramos.
Creemos en la justicia y protegemos a nuestro país
y a aquellos que no pueden hacerlo.
Lo que nadie ve, oye ni sabe
son los Soldados Fantasma.
Entre las sombras existe el honor, nosotros.
Nos movemos en absoluto silencio,
ya sea por la jungla o por el desierto.
Caminamos sin ser vistos ni oídos entre nuestro enemigo.
Atacamos en silencio y desaparecemos
antes de que descubran nuestra existencia.
Recopilamos información y esperamos con paciencia infinita
el momento idóneo para impartir justicia rápida.
Somos compasivos y despiadados.
Somos crueles e implacables en nuestra ejecución.
Somos los Soldados Fantasma y la noche es nuestra.

Capítulo 1

*R*aoul «Gator» Fontenot estaba metiendo una camisa en su petate y se detuvo un instante cuando alguien llamó a su puerta. Los hombres de las Fuerzas Especiales paranormales no eran así de educados; solían irrumpir sin más, no importaba la hora del día o de la noche. En todo el tiempo que había estado con ellos, jamás habían llamado a su puerta y menos aún con un golpecito tan tímido.

Intentaba doblar unos descoloridos vaqueros que sujetaba bajo la barbilla y se dirigió a abrir la puerta. La doctora Lily Whitney-Miller era la última persona que esperaba encontrar ahí. Su escuadrón, los Soldados Fantasmas, como se denominaba a menudo a la unidad psíquica en la que él estaba, le debía la vida a la doctora. Ella los había rescatado de sus jaulas de laboratorio y evitado que los mataran. Lily poseía una mansión de ochenta y cuatro habitaciones donde los hombres solían quedarse, pero ella nunca se aventuraba a ir al ala de ellos. Prefería dirigirse al grupo como unidad en las salas de conferencias.

—Lily, ¡qué sorpresa! —dijo Gator echando un vistazo por encima del hombro al desorden de su habitación—. ¿Me he perdido una reunión?

Ella sacudió la cabeza. Parecía tranquila y serena. Tan reservada como siempre, pero su postura era tensa, demasiado tensa. Algo le ocurría. Peor aún, le había evitado la mirada, y Lily siempre miraba a los hombres directamente a los ojos.

—Gator, necesito hablarte en privado.

Raoul estaba entrenado para escuchar el más leve matiz en una voz, y en la de Lily había vacilación. Nunca la había escuchado así antes. Miró hacia detrás de ella, esperando ver a su marido, el capitán Ryland Miller. Sus oscuras cejas se arquearon al ver que estaba sola.

—¿Dónde está Rye?

El doctor Peter Whitney, el padre de Lily, había convencido a los hombres de varias ramas de las Fuerzas Especiales de que se ofrecieran voluntarios para un experimento psíquico. El doctor les había extirpado sus filtros naturales, dejándolos extremadamente vulnerables a las emociones, sonidos y pensamientos del mundo que los rodeaba. Fue Lily quien los había ayudado a construir escudos para funcionar mejor en el mundo real cuando les faltaban sus anclas. En todos esos meses, Gator nunca la había visto sin Ryland. Sabía que Lily se sentía culpable por las cosas que su padre había hecho y le inquietaba estar en presencia de los Soldados Fantasma, pero finalmente, incluso sin haberse ofrecido voluntaria, era tan víctima como ellos.

Él se apartó con cierta reticencia para dejarla entrar.

—Siento el desorden, *ma soeur*.

Dejó la puerta abierta de par en par.

Lily lo miró desde el centro de la habitación agarrándose las manos.

—Veo que estás casi listo para partir.

—Le dije a *grand-mére* que iría lo antes posible.

—¿Todavía está perdida tu amiga? Qué tremendo.

—Sí, Ian ha aceptado venir conmigo para ayudar en la búsqueda. No sé si lo vamos a lograr, pero haremos todo lo posible.

—¿En serio piensas que esa chica no se ha escapado? Porque eso es lo que cree la policía —le recordó Lily, quien había usado sus contactos para conseguir toda la información que Gator necesitaba—. He investigado personalmente cada informe que tenían de ella. Joy Chiasson. Veintidós años, una chica bonita que cantaba en clubes de blues de la zona. La policía cree que quería marcharse de Luisiana y así lo hizo. Quizá con un nuevo hombre.

Él sacudió la cabeza.

—Conozco a su familia, Lily. *Grand-mère* también. No creo ni por un momento que se escapara. Hace dos años desapareció otra mujer. Diferente barrio, ninguna conexión conocida, y la policía también pensó que se había ido por su propia voluntad.

—Pero ¿tú no?

—No. Yo creo que hay una conexión. Sus voces. Ambas cantaban. Una en clubes y la otra en la iglesia y el teatro, pero pienso que la conexión está en sus voces.

Lily frunció el ceño.

—Si necesitas algo, te ayudaremos desde aquí. No tienes más que llamar y cualquier cosa que tengamos estará a tu disposición.

Ella continuaba evitando su mirada y tenía los nudillos blancos de cerrar los puños con tanta fuerza. Gator esperó en silencio para que ella hablara primero. Fuera lo que fuese, presintió que no le iba a gustar mucho lo que iba a decirle.

Lily se despejó la garganta.

—Mientras estás en el *bayou* ¿Te importaría estar atento por si ves a una de las chicas con las que experimentó mi padre? He estado siguiendo probabilidades informáticas y la posibilidad de que Iris «Llama» Johnson se encuentre en la zona es muy alta. Esta puede ser una de las pocas oportunidades que tengamos de localizarla.

—El pantano es un lugar muy grande, Lily. Dudo que me la encuentre así como así. ¿Qué te hace pensar que ella fuera a aterrizar en mi patio?

—Bueno, puede que no sea tan grande el *bayou* si estás buscando pistas sobre la desaparición de Joy en los clubes de blues. Curiosamente, Llama también canta. Trabaja en los clubes de las ciudades por las que pasa.

—¿Y por qué estaría en Nueva Orleáns?

—El incendio del sanatorio en el *bayou* ha tenido mucho eco y pienso que eso la llevará a tu ciudad. Creo que está buscando a las otras chicas con las que mi padre experimentó, igual que nosotros.

Gator se tomó su tiempo para contestar y le estudió la cara al hacerlo. Escuchó de nuevo el sonido de la voz de ella en su mente, aquellas minúsculas vibraciones que sólo él percibía y que ahora le decían que estaba nerviosa y que la información que le transmitía era fragmentada, o que le estaba mintiendo. Lily no tenía razón para mentirle.

—¿Qué te hace pensar que está buscando a las otras chicas?

Hubo un pequeño silencio. Lily soltó el aire lentamente.

—Mi padre creó un programa de ordenador donde aparecía todo lo que sabía de su personalidad y de su toma de decisiones. El programa calculó que había un ochenta y tres por ciento de posibilidades de que buscara a las chicas. Y cuando introduje la noticia del incendio en el programa también dio una probabilidad extremadamente alta de que ella sospechase que el fuego tenía algo que ver con Dahlia y la Fundación Whitney.

—Leí varios de los testimonios —admitió él—. Los asesinatos se denunciaron y obviamente se supo que se trataba de algún tipo de ataque o de una escuadrilla de asesinos. Así que, como dices, puede ser que venga a buscar más información.

—Estoy segura de ello.

—¿Cuál de las chicas perdidas es Iris?

Raoul ya sabía la respuesta. Mucho antes de que el doctor Whitney hubiese experimentado con hombres adultos, había adquirido chicas de orfanatos extranjeros y experimentado con ellas, mejorándolas psíquicamente. Cuando las cosas empezaron a ir mal, las había abandonado a todas, excepto a Lily, a la que había criado y educado como a su propia hija. Iris había sido una pequeña pelirroja con ojos desafiantes y un carácter del tamaño de Texas. Las enfermeras la habían apodado «Llama», y en el momento en que comprendió que Whitney no aprobaba ese nombre, ella comenzó a usarlo en represalia. Tenía cuatro años de edad.

Raoul había estudiado las cintas de la pequeña más detalladamente que el resto. Tenía habilidades que los otros no conocían, excepto él, quien compartía algunas de ellas. Incluso de niña, había sido lo bastante lista, o estado lo suficientemente indignada, como para esconder sus talentos a Whitney. Su apodo era apropiado: Llama, una pequeña cerilla que podía encenderse y ser tan destructiva como el infierno en las circunstancias apropiadas. Whitney no se daba cuenta de la suerte que había tenido.

—Iris tenía el cabello rojo oscuro, casi del color del vino y una audición aguda. Es capaz de manejar el sonido de manera extraordinaria.

—Y es un ancla.

Eso podría significar que no era tan vulnerable como otras chicas. Podía existir en el mundo sin un escudo.

Lily asintió.

—Creo que lo es. Sé que sería como buscar una aguja en un pajar, pero nunca se sabe. Tiene ahora entre veintidós y veinticinco años. Mi padre conservaba meticulosos expedientes, pero no se molestó en registrar nuestras fechas de nacimiento, lo que me parece absurdo. Hice una simulación de su edad en el ordenador. Aquí tienes cómo sería ahora —dijo pasándole la fotografía.

Su corazón estuvo a punto de detenerse para luego acelerarse salvajemente. Llama era preciosa. No sólo llamativa, sino exquisitamente hermosa, diferente de cualquier otra mujer que él hubiera visto. Incluso en la fotografía su piel parecía tan suave que sin darse cuenta pasó la yema del pulgar sobre su cara. Pero simultáneamente mantuvo la expresión relajada, encantadora, despreocupada, la máscara que llevaba habitualmente.

—Sabes, Lily, las posibilidades de encontrarla son realmente pequeñas.

Ella asintió con la cabeza y alejó la mirada. Esta no era la verdadera razón por la que había venido. Gator esperó. Ella movió los pies nerviosa pero no habló.

—Suéltalo, Lily. Nunca me han gustado los juegos. Di lo que hayas venido a decirme.

Ella pasó por su lado para alcanzar la puerta y mirando hacia el vestíbulo la cerró cuidadosamente.

—Esto es confidencial.

—Sabes que somos una unidad. No tengo secretos con Ryland o mis hombres, no si les afecta a ellos lo que hacemos.

—Precisamente, Gator, no sé si lo hará. He descubierto un par de cosas y las estoy comprobando. Tienes que entender que estos experimentos se han extendido por más de veinte años. Hay docenas de ordenadores, discos duros, disquetes y archivos zip que todavía no he indagado y eso no incluye las notas manuscritas. Empecé con las chicas porque queríamos encontrarlas, pero las observaciones de mi padre están casi todas en papel o viejos discos de archivos. Él clasificaba casi todo con números. Tengo que averiguar a qué se refiere cada número antes de continuar con mi investigación sobre lo que hizo. Es un trabajo que consume mucho tiempo y no es fácil.

Lily no se estaba excusando, ese no era su estilo. ¿Había descubierto la verdad acerca de él? Había visto el vídeo de Iris «Llama» Johnson tantas veces que podría haber despertado las sospechas de Lily. Podía ser que le hubiera visto detener el vídeo y estudiar la imagen, aquella que mostraba las paredes expandiéndose y contrayéndose levemente. Aquella donde el suelo se movía levemente mientras la pequeña Llama miraba al doctor furiosa. Ella detestaba al doctor Whitney, y su temperamento apenas había sido manipulado.

—¿Qué has descubierto, Lily?

—Creo que mi padre también reforzó genéticamente a las niñas, como a algunos de los hombres.

Sus palabras salieron precipitadamente. Esta vez fue ella quien lo miró a los ojos como intentando leer su reacción.

Gator contó hasta diez en silencio antes de hablar.

—¿Por qué piensas eso?

—Los números de referencia llevan dos letras al lado y no conseguía descifrarlo. G. R. Estudié un millón de posibilidades hasta que encontré un pequeño archivador escondido en el laboratorio. Estaba cerrado y codificado. Había varios cuadernos acerca de Iris. No me cabe duda de que los reforzó genéticamente. G. R. Estas letras aparecen en todos los archivos y las he visto en muchos de ellos. En casi todos, de hecho. Creo que se refieren al refuerzo genético.

—Las chicas. Has dicho «las chicas» en vez de «nosotras», como si no te incluyeras.

Lily sacudió la cabeza.

—No aparecen las letras G. R. en ninguna parte de mis archivos. Créeme, lo he mirado.

—¿Por qué crees que podría ser, Lily?.

Su tono de voz era estable y calmado.

—Él utilizó un virus para introducir la terapia a las células. —Su voz vaciló por un breve momento, pero continuó, alzando el mentón—. Creo que no quiso arriesgarse conmigo para así poder usarme como objeto de control.

—¿Qué decía en ese archivo que yo debiera saber?

—Llama tenía cáncer. Los síntomas que presentaba se parecían a los de la leucemia. Contusiones, fatiga, sangrado anormal, huesos y tendones adoloridos. Todo eso. Él la puso en remisión pero...

Su voz se apagó.

—Pero no se detuvo. Continuó reforzando sus células.

Lily asintió con aire triste.

—Sí, continuó experimentando con ella. Uno de los problemas existentes cuando se usa un virus para infectar las células es que el cuerpo produce anticuerpos para luchar contra él. Para la segunda o tercera vuelta, ese virus ya no sirve.

—Por eso creó otro.

—Varios de ellos. Obviamente quería perfeccionar su técnica para usos posteriores. Creo que todas nuestras chicas fueron sus primeros intentos.

—Quieres decir sus ratas de laboratorio. —Gator la interrumpió ásperamente cerrando los puños—. Todas erais prescindibles. Nadie os quería. Y a él no le gustaba ella, ¿verdad? Le causaba problemas porque tenía una personalidad fuerte, igual que Dahlia. Dahlia, quien de hecho creció en un sanatorio y no en un hogar.

—Eso es cierto, Gator, pero afortunadamente, aunque Dahlia fue reforzada, nunca tuvo cáncer. Tampoco pude encontrar referencias de cáncer en los archivos de ninguna de las otras chicas con las que experimentó. —Lily se presionó los dedos justo encima de los ojos—. No he leído todos los informes de Llama, pero el cáncer retornó varias veces y cada vez él le ajustaba el virus y continuó dopándola después de que el cáncer remitiese. Está muy reforzada.

—Y sospechas que yo también.

Se mordió el labio, pero asintió otra vez:

—¿Así lo crees, Gator? ¿Puedes correr más rápido, saltar más alto? Ninguno de vosotros me lo habéis mencionado, ni siquiera Ryland.

Él evitó la pregunta.

—¿Estás advirtiéndonos de que quien ha sido reforzado es vulnerable de desarrollar cáncer?

—No tengo ni idea —dijo sinceramente—. Creo que él estaba trabajando en una forma de prevenir que la droga estimulase las células erróneas. Parece que usó a Llama para perfeccionar su técnica y así asegurarse de que tú y los otros tuvierais menos problemas.

—Menudo hijo de puta. —Gator metió los pantalones en la bolsa con un movimiento violento—. La usó como una maldita rata de laboratorio.

—Es peor que eso, Gator. Espero por Dios estar equivocada. Apenas puedo concebir la idea de que el hombre que conocí como mi padre pudiera haber sido tal monstruo, pero creo que no quiso curar a Llama. Creo que sabía que enfermaría, y se imaginaba que sus padres adoptivos se la devolverían a él.

—Pero no lo hicieron.

—No, por lo que yo sé. Pero la posibilidad de que el cáncer volviera es probable. Los tratamientos habituales para la leucemia ayudarían, pero no la curarían. El cáncer está causado por una célula especialmente salvaje.

—Y él lo sabía.

Lily asintió de mala gana.

—Sin duda lo sabía. La primera vez que experimentó para remitir el cáncer, usó un virus para introducir ADN que causa la autodestrucción de las células de cáncer produciendo una proteína que era mortal para sí misma. La segunda vez usó un método que forzaba a las células del cáncer a producir una proteína que identificase a su sistema inmunológico, de tal modo que este la atacara directamente destruyendo con éxito el cáncer. Era algo realmente brillante y muy adelantado a su tiempo.

Había una huella de admiración en la voz de Lily que no pudo esconderle.

Le invadió una furia horrible y peligrosa, como un demonio que le incitaba a responder con agresividad. Gator se dio la vuelta e inspiró con fuerza. Notó la forma en que las paredes se expandieron y se contrajeron, el movimiento casi imperceptible.

—Si era tan malditamente brillante y exitoso para destruir el cáncer, Lily, ¿por qué no divulgó sus descubrimientos al mundo?¿Por qué resguardó sus datos en el laboratorio, escondidos?

—Cualquier hospital, universidad o estudio privado que incluya experimentos humanos como los de la Fundación Whitney requieren tener Comités Institucionales de Control para asegurarse de que la investigación cumpla con las normas del Departamento de Salud y Servicios Humanos para la protección de los sujetos. Y cualquier experimento que incluya la inserción genética debe ser aprobada por adelantado por el Comité Institucional de Bioseguridad.

Se dio la vuelta y la miró a la cara.

—¿Así es que traer huérfanas abandonadas al país, virtualmente comprándolas y usándolas como ratas de laboratorio para experimentar con el refuerzo genético, psíquico y el cáncer no entra dentro de las regulaciones aceptadas? Lo habrían etiquetado como el monstruo que era y lo habrían encerrado. Él torturó a la chica. Y ahora ella anda por ahí, en algún lugar, ¿verdad, Lily? Está suelta y quieres encontrarla porque tú y yo sabemos que es muy, muy peligrosa, y que está tremendamente cabreada con la Fundación Whitney, ¿no?

—Quiero encontrarla porque necesita ayuda y es una de nosotros —la corrigió Lily, con la barbilla en alto.

Él continuó mirándola fijamente y ella bajó la mirada hacia sus manos.

—Escúpelo, Lily.

—También encontró una manera de estimular el crecimiento de los tumores con terapia genética haciendo que las células cancerígenas cortasen su propio flujo de sangre, lo que causaba que el tumor se marchitase y muriese. Este tipo de investigación es inestimable.

—¿En ella?, ¿en Llama? ¿Le provocó el cáncer deliberadamente? Era un auténtico hijo de puta, ¿verdad, Lily? Un monstruo patético que sentía algún tipo de placer torturando niños. ¿Cuántos años tenía ella cuando le hizo todo eso? ¿Cuánto tiempo la tuvo?¿Por qué no nos dijiste nada de esto?

—No me estás ayudando al hablarme de esa manera, Gator. Esto pasó hace mucho tiempo. Estoy descubriendo todo esto sobre mi padre. Mi padre. Un hombre al que amaba y respetaba. Y eso no evita apreciar lo brillante que era. Y sí, era monstruoso que realizara experimentos con niños, cualquier humano, pero lo hizo y eso no cambia el hecho de que podía realizar milagros médicos. Estaba a años luz de cualquiera en su campo. Quiero encontrarla, Gator, porque nos necesita. Y necesita ayuda médica. Su cuerpo es una bomba de relojería y explotará antes o después. Debe volver aquí y dejar que la ayude.

Su mirada se mostró suspicaz por un momento, pero la enmascaró rápidamente.

—Es un sujeto perfecto para experimentar, ¿verdad? Debe ser un milagro médico andante.

—No es por eso, Gator. Necesita estar donde podamos ayudarla.

—¿No se te ha pasado por la cabeza que ella piense que la quieres aquí para hacer más experimentos? Detesto ser el primero que te diga esto, Lily, pero tienes el mismo amor por la ciencia. La pones por delante de la moralidad y admiras a un monstruo que torturó a niños. Si yo puedo verlo en ti, ella también lo hará.

—Puedes decir lo que quieras de mí, Gator. Creo que necesitamos investigar y, sí, admiro su genio, incluso condenando las cosas que hizo. No lo antepongo a la moralidad, pero¿tienes alguna idea de lo adelantado que estaba?

—Lo has dicho más de una vez. ¿A quién estás tratando de convencer, Lily?

—El ADN fue secuenciado por primera vez en 1977. No fue hasta 1997 que se hizo lo mismo con el primer genoma. ¿Ves lo que eso significa? Tuvo que haber estado adelantado años en el tema. Con las cosas que hizo, ahora somos capaces de comprender mejor la terapia genética y posiblemente qué virus usar como vector sin la posibilidad de desencadenar cáncer en células inestables.

—Lily... —Gator, agitado, pasó una mano por su cabello—. No me vas a hacer que lo considere como un salvador del mundo. Provocó cáncer en una niña deliberadamente, no una sino repetidas veces.

—No me estás escuchando, Gator. ¿No ves cómo la investigación que hizo, monstruosa o no, podría ser beneficiosa? Todo eso pasó hace años. No podemos cambiar lo que hizo, pero podemos reconocer su genialidad y sacar provecho de lo que descubrió. Es la única manera de extraer algo bueno de todo el horror que nos infligió.

Respiró profundamente para calmar su mal genio, que estaba a punto de estallar. Lily no sabía lo que era capaz de hacer. Nadie lo sabía. Ni siquiera Whitney. Y sospechaba que Llama era capaz del mismo tipo de destrucción masiva que él.

—Maldito sea, Lily, por lo que le hizo. Y por lo que os hizo a todas vosotras, a todos nosotros. Intentaré encontrarla, pero dudo que ella se muestre cooperadora. Dadas las circunstancias, yo tampoco lo sería. Deberías explicarme exactamente qué significa refuerzo genético y droga genética. Y hacerlo de forma que pueda entenderlo.

No podía mirarla. No se atrevía a mirarla. No quería tener que matar a Llama Johnson. No quería tener que mirar su cara, sabiendo lo que un monstruo le había hecho y poner un arma en su cabeza, pero no parecía tener elección. Lily no le estaba dando ninguna elección, y en ese momento estaba casi tan enfadado con ella como con su padre. Ella no tenía derecho a pedirle eso. Ambos sabían que no iba a ser fácil traer a Llama de vuelta. Malditos fueran los dos Whitney por esto.

—En principio, la terapia genética usa genes para tratar o prevenir enfermedades. Un gen puede ser insertado en una célula dañada para repararla. Hasta ahora, los investigadores están probando diferentes enfoques para la terapia genética. Pueden remplazar un gen dañado que causa la enfermedad por uno sano. Pueden eliminar un gen mutado que no está funcionando bien e introducir un nuevo gen en el cuerpo para luchar contra la enfermedad.

Gator metió dos camisas más en la bolsa de lona.

—En teoría, la terapia genética es una cosa buena.

—En cualquier experimento, Gator, habrán fallos; así es como aprenden los científicos.

—Cuéntaselo a Llama.

—No tengo por qué. ¿Crees que no sé por lo que pasó? Soy yo la que está leyendo sus archivos de primera mano. A ti te he dado la versión suave. —Por primera vez Lily parecía enfadada, tenía los ojos oscurecidos por el mal genio—. Creí que eras la persona más indicada para investigar sobre el tema. Eres tranquilo y piensas antes de actuar. Lanzarme piedras no va ayudar a Llama.

—¿Crees que es eso lo que estoy haciendo? Me acabo de enterar de todo esto. Estoy luchando por comprender no sólo lo que le hizo a Llama, sino el impacto que tuvo en nuestras vidas. ¿Cómo reaccionaste, Lily, cuando te diste cuenta de lo que había hecho? ¿Pensaste inmediatamente en lo brillante que era como científico, o te preguntaste cómo te afectaría a ti, a Ryland y a vuestros hijos? Porque maldita sea, a mí sí que me hace pensarlo. ¿Te imaginaste a Llama como una niña tan enferma y triste que no podía ni caminar, sin nadie que la consolase? Porque yo sí. Lo siento. No estoy llevando esto como te gustaría, pero alguien tenía que matar a ese hijo de puta.

Lily hizo una mueca de dolor.

—Alguien lo hizo, Gator.

Él frotó su frente sintiendo un repentino dolor de cabeza palpitando en sus sienes.

—Lo siento, Lily, lo que he dicho estaba fuera de lugar. Cuéntame algo más acerca del refuerzo y por qué la terapia genética es una gran cosa. Juro que intentaré escucharlo con la mente abierta —le mostró una pequeña sonrisa—, y trata de hablar de manera que te entienda. Tengo que comprender qué es lo que me estás diciendo.

Agradecida de que al menos lo estuviera intentando, Lily le devolvió la pequeña sonrisa.

—Haré lo que pueda. La terapia genética se amplió para incluir no sólo la capacidad de corregir genes defectuosos, sino también para realzar los normales. Aquí es donde se complica.

—Te sigo —dijo Gator.

—Se utiliza una molécula transportadora o vector para introducir el gen o genes deseados en las células elegidas del paciente. Un virus se usa como vector porque los virus han desarrollado la forma de encapsular y transportar sus genes en las células humanas de una manera patógena. ¿Me sigues?

—Hasta aquí sí. Parece que de tanto estar a tu lado estoy empezando a entender toda tu jerga científica.

—Además del sistema de transporte mediante los genes virales, hay varias opciones no virales para la entrega de genes. El método más simple es la introducción directa del ADN terapéutico en las células diana. Pero esto tiene sus límites en su aplicación, porque sólo puede ser usada con ciertos tejidos y requiere grandes cantidades de ADN. Otro método no viral implica la creación de una célula lipídica artificial con una base acuosa. Este liposoma, que transporta el ADN terapéutico, tiene la capacidad de pasar el ADN a través de la membrana de las células diana.

—Maldita sea, Lily, te has ido a la estratosfera con esa explicación.

—Lo siento. Esto no realzaría, por ejemplo, tus piernas. Necesitarías alcanzar un enorme número de células para conseguirlo. Pero...

—Lily frunció el ceño, y la manera en que su cara se calmó y su voz bajó hizo a Gator poner más atención—. Hay cuarenta y seis cromosomas en el cuerpo humano. Mi padre parece haber trabajado en el cromosoma cuarenta y siete. Uno que existiría como autónomo junto a los cuarenta y seis estándar, que no afecta a su funcionamiento ni causa mutación. Por lo visto se trata de un gran vector capaz de llevar un número sustancial de código genético. Si funcionara, el sistema inmune del cuerpo no lo atacaría. La dificultad, por supuesto, es cómo llevar una molécula tan grande al núcleo de una célula diana. Si es que realmente consiguió hacerlo, esto resolvería un montón de problemas con la terapia genética, pero crearía otros terribles. —Se llevó una mano al estómago—. Con los datos que disponemos hasta ahora el refuerzo genético no parece afectar a la siguiente generación, pero si insertó un nuevo cromosoma, estamos perdidos.

—Tienes que discutir esto con Ryland.

Gator se dio cuenta de que a Lily le temblaban las manos.

—Aún no sé nada con certeza. Hubiese esperado un poco, pero como te ibas a marchar a Nueva Orleáns pensé que esta sería nuestra mejor oportunidad para encontrar a Iris Johnson. —Inclinó la cabeza y lo miró directamente a los ojos—. Cuando supe que Llama podría estar en Nueva Orleáns, estudié los datos que tenemos de ella. Muchos son acerca de su salud y los refuerzos genéticos, no de sus habilidades psíquicas. Puede manipular el sonido, Gator. Puede hacer cosas extraordinarias desde su refuerzo, pero poco se sabe de su potencial como arma. Puede usar su voz para una amplia gama de sonidos incluyendo las bajas frecuencias, que ahora sabemos que son excelentes armas. Hemos encontrado años de investigación acerca de ella y sabemos que puede estar enferma y ser peligrosa, por no mencionar que es valiosísima para la investigación médica. Hay que encontrarla.

Gator mantuvo la expresión de su cara. Estaba empezando a sentirse como una rata de laboratorio otra vez. Se sentía apenado por Llama. Su vida debía haber sido horrible, usada sólo como un experimento enjaulado. No soportaba que Lily se comportase a veces como su padre. Desconectada. Impersonal. Más científica que humana.

—¿Cómo sabes que puede manejar el sonido?

—Presto atención a los detalles, igual que tú. No te hagas el tonto conmigo. —Presionó las yemas de los dedos fuertemente sobre sus cejas intentando aliviar el dolor de cabeza—. Estoy enfadada. Y tú también lo estás. Lo acepto, pero estamos en esto juntos. ¿Por qué estás tan difícil?

—¿Por qué no has hablado con nadie de esto? —le preguntó Gator—. Hemos hecho siempre las cosas de una determinada manera, Lily. Siempre hemos sido un equipo. Y ahora lo estás dividiendo deliberadamente. ¿Por qué?

—Porque acabo de experimentar una lección rápida de cómo el sonido puede ser usado como arma, y francamente me asusta. Dahlia, con los poderes que maneja, es una persona terrorífica, y si lo que sospecho acerca de Llama es verdad, con la personalidad que tiene lo es aún más. Llama podría ser la mayor amenaza para todos nosotros.

Gator estudió la expresión de Lily.

—Sabes lo cabreada que está, ¿verdad? Sabes más de lo que me estás contando. No me gustan los juegos. Nunca me han gustado. Puedes decirme todo lo que sepas y dejarme decidir si me gusta o no, o puedes olvidarte de recibir ninguna ayuda por mi parte.

—No tengo nada claro, Gator, sólo sospechas. Es algo muy diferente. Si me preguntas qué pienso sobre Llama, te diré que no creo que haya habido una casa o unos padres adoptivos. Nunca. Me parece que la historia del ordenador es una completa ficción. —Se hundió en la cama como si sus piernas no la sostuvieran—. Creo que la retuvieron en alguna parte y que los experimentos continuaron hasta mucho después de su niñez; podría ser hasta el final de su adolescencia. Y que finalmente se escapó.

Gator dio un agresivo paso hacia delante y miró a Lily desde arriba.

—¿Y todavía sigues defendiendo a ese bastardo? ¿Qué demonios te pasa?

—Nunca lo he defendido. Nunca. —Levantó la cara hacia él con los ojos llenos de lágrimas—. Ya ni confío en lo que estoy leyendo, pero tengo el horrible presentimiento de que la historia de las chicas son falsas. O al menos la de Llama.

Gator intentó controlar su mal genio. De pronto Lily le pareció tan frágil que podría romperse.

—¿Por qué no has hablado con Ryland sobre esto?

—Estamos tratando de tener un bebé. —Lily se echó a llorar y se tapó la cara con las manos—. Lo hemos intentado durante meses. Estaba feliz con la idea, pero ahora estoy aterrorizada. No estoy reforzada, pero él sí. Sé que él sí. ¿Y cuánto tiempo tardará en mirarme como lo has hecho tú hace unos minutos?

—Lily...

—Soy como él, como mi padre. Tengo la misma mente, la misma compulsión por conseguir respuestas. La misma necesidad de llevar las cosas al límite. Si al final se confirma que mis sospechas son ciertas, si todo sale a la luz, Ryland me abandonará. No será capaz de mirarme a la cara.

—Eso no es verdad.

—Sí, lo es. Detesto a mi padre. Cada vez que me miro en el espejo, siento como si le estuviera mirando a él. Cuando leo acerca de las cosas que hizo, en vez de pensar en el monstruo que era, ni siquiera evitó que mi primera reacción sea sobrecogerme ante el hecho de que su mente fuese capaz de ver tanto más lejos que nuestros investigadores más dotados. ¿Qué dice eso de mí, Gator?¿Cómo puedo mirar a Ryland a los ojos sabiendo que tengo esa clase de reacción? Acabo de discutir contigo sobre lo brillante que era mi padre después de haber admitido que deliberadamente le provocó cáncer a una niña. Si es un monstruo, ¿en qué me convierte eso a mí?

—¿Estás embarazada, Lily? —conjeturó Gator sagazmente, viendo la manera en que ella apretaba las manos contra su vientre.

Un nuevo flujo de lágrimas contestaron su pregunta. Sintió una punzada en el estómago, con una mezcla de empatía y comprensión. Y de miedo por ella y su compañero.

—Necesitas hablar con Ryland. —Su voz era mucho más suave.

Ella sacudió la cabeza firmemente.

—Todavía no tengo todos los hechos, Gator. Hay muchos datos aún por estudiar. Cuando finalmente me di cuenta de la magnitud de lo que me había encontrado, empecé a trabajar tantas horas como pude para compilar información y conseguir un cuadro más claro.

—Se secó las lágrimas otra vez—. El cuadro se vuelve peor y peor. No sé si todo es verdad. Estoy cansada, desanimada y abrumada. ¿Cómo puedo deciros lo que mi padre hizo si no lo sé ni yo misma?

—Necesitas decirle todo esto a Ryland —repitió, sentándose a su lado y tomándole las manos—. Lo entenderá.

Suspiró.

—No lo entiendo ni yo. ¿Cómo voy a esperar entonces que lo entienda él? ¿Y si la historia y la carta de mi padre pidiéndome que encuentre a las chicas y las ayude es todo una mentira? ¿Qué está pasando? ¿Por qué se molestaría en escribirme una carta? He gastado una fortuna tratando de encontrar a las chicas con las que experimentó.

—Se inclinó hacia Gator, visiblemente intentando controlar sus emociones y ponerse en su papel de científica, con el que se encontraba mucho más cómoda—. ¿Sabes que el ordenador está programado para dar una señal cada vez que alguien con el nombre «babyblues» se conecta en un sitio de blues en particular? ¿Quién podría ser, Gator?

—Tienes una idea.

—No me gusta mucho la idea que tengo. Creo que babyblues es Llama. A ella le encantan los blues, y después de escaparse alguien lo suficientemente inteligente dedujo su nombre de usuaria. Están procurando encontrar su localización cuando está en línea para conseguir una actualización de la comunidad de músicos de blues. Y esto me preocupa muchísimo. ¿Quién programó el ordenador para hacer eso? Si fue mi padre, ¿por qué me escribió la carta diciendo que todas las muchachas fueron entregadas en adopción y que quería que las encontrase? ¿Y cómo puede ser que con todos mis recursos no haya sido capaz de encontrarlas?

—¿Dónde crees que están? No puede tener sanatorios para estas mujeres por todas partes en Estados Unidos, ¿o sí?

—Estoy empezando a pensar que pudo hacer cualquier cosa. Y que tenía la aprobación del gobierno. No abiertamente, por supuesto, pero tuvo que haber recibido ayuda. Tenía dinero, Gator, mucho más dinero del que puedo concebir. Y tenía autorización de alta seguridad. Cuánto sabían, no tengo ni idea, pero querían las armas que él podía proveerles. Si Llama puede hacer las cosas que pienso que puede, su valor es inestimable. Incluso como experimento. Es posible que dejaran que se escapase con la idea de que enfermaría y volvería.

—Como Dahlia y el sanatorio. Tuvo que volver porque no consiguió estar fuera. Era su único refugio. —Gator estaba empezando a sentirse muy protector sobre la ausente Llama—. Por eso si Llama sale al mundo saben que haga lo que haga tendrá que volver a casa más pronto o más tarde porque su cuerpo va a traicionarla.

Lily asintió:

—Esa es mi conjetura. Y siendo estrictamente honesta, Gator, soy científica y no hago conjeturas. Prefiero basarme en hechos reales, algo que pueda probar. Y en este momento no tengo suficiente información para probar nada. Es puro instinto. A veces sé cosas. Y sé que anda por ahí, que tiene problemas y que va a venir tras nosotros si no lo está haciendo ya, sobre todo si piensa que va a morir.

—¿Lo ves tan mal?

—Peor. Las cosas que puede hacer con su voz son increíbles. Y si estuviese aquí, abajo en la calle, podría, en las circunstancias apropiadas, escuchar nuestra conversación. Debería filtrar los múltiples sonidos a su alrededor y conseguir que no la inundaran.

Gator no parpadeó, ni siquiera mientras ella mantuvo su astuta mirada fija en su cara.

—Bueno —continuó, ignorando el hecho de que él no había contestado—. Quizá no en esta casa. Las paredes están insonorizadas. Y quizá fue por eso que mi padre la construyese así. Para su protección, no la mía. —Se limpió las lágrimas de la cara, se puso de pie y comenzó a pasearse muy agitada por la habitación—. ¿Estás al tanto de las últimas investigaciones sobre el sonido como arma?

Así era, pero no lo iba a admitir. Los Soldados Fantasma raramente compartían información, especialmente cuando concernía a sus propios talentos. Permaneció en silencio.

Lily lo miró unos segundos, claramente esperando que hablase. Al ver que no lo hacía, suspiró.

—Llama puede usar el sonido como un radar. Literalmente ve en la oscuridad como un murciélago o un delfín. Los infrasonidos, como arma, pueden debilitar al enemigo causando náuseas, espasmos intestinales, cambios del ritmo cardíaco, interferencias en la capacidad pulmonar, vértigo, etcétera.

—En otras palabras, puede matar a un ser humano —dijo sin mirarla.

Sabía de primera mano lo que los sonidos de baja frecuencia podían hacer y eso lo enfermaba.

—Desde luego, podría matar a un ser humano. Además, el infrasonido no es direccional en su propagación, por lo tanto puede envolver a alguien sin una fuente discernible localizada. Ella podría producir el arma sin que se detecte su dirección. —Lily encontró de nuevo su mirada—. Otra cosa interesante que puede hacer usando sus frecuencias más altas, aparte de hablar con los animales, es provocar un éxodo en masa de, por ejemplo, murciélagos en una cueva o ratas en un complejo abandonado. Puede incluso atraer o repeler insectos como los mosquitos.

Lily era muy consciente de que estaba hablando de cosas que él podía hacer y esperaba una reacción por su parte. El seguía inmutable. Lo miró con el mentón en alto.

—¿Puedes usar el ultrasonido para detectar problemas en la gente, Gator? ¿Puedes ver órganos usando la alta frecuencia?

—Creo que la idea era poder ayudar si alguien de mi unidad era herido. Tendríamos una máquina de ultrasonido andante.

—Lo que no es en absoluto una respuesta. Si la encuentras, Llama podría estar muy enferma. Puede que no deje que se le acerque un médico, pero tú sí. ¿Serías capaz de detectar el cáncer?

—Nunca lo he intentado.

—Si intenta matarte, Gator, ¿podrías defenderte, o permitirías que se interpusieran los sentimientos?

—¿No crees que es un poco tarde para preguntarme esto?

Tuvo la gracia de sonrojarse.

—Lo siento. No sabía a quién se lo podía pedir. Estás volviendo al pantano y creo que hay muchas posibilidades de que esté por ahí. Mira en los clubes de blues. Ella no será capaz de resistirse a entrar en ellos. Tiene dinamita en la voz, como tú. Y de todas formas, estarás buscando información sobre Joy.

—Nunca me has oído cantar.

—No tengo que oírte. Sé que puedes. No tengo ni idea de cómo será Llama, y siento cargar esto sobre tus hombros, pero estoy haciendo lo posible para solucionar el lío en el que estamos. Algo está mal, pero aún no sé el qué.

—Habla con Ryland, Lily. Ese ha sido tu primer error, no confiar en él para que te ayude.

Ella agachó la cabeza.

—Odio la manera en que todos vosotros me miráis.

—La culpabilidad está en tu mente, Lily. No te culpo por lo que hizo Whitney. Nosotros nos ofrecimos voluntarios. Tú no lo hiciste.

—Créeme que no te habría pedido hacer esto si no fuera porque me parece imperativo encontrar a Llama. Debe estar muy enferma.

—La buscaré, Lily.

—Gracias y, por favor, Gator, ten cuidado.

Capítulo 2

Cuatro semanas después

Gator empujó la manguera de la gasolina dentro del depósito del Jeep y estiró sus músculos cansados mientras esperaba a que se llenase el tanque. Otra larga noche y, si uno consideraba escuchar música de blues toda la noche un fracaso, habría sido otra búsqueda fallida. Había hecho muchas preguntas pero no había recibido absolutamente ninguna respuesta en su caza de Joy Chiasson. Nadie parecía saber nada. Todos recordaban su bonita voz, pero nadie sabía nada de su desaparición. Joy había desaparecido completamente y nadie parecía saber nada al respecto.

En cuanto a Iris Johnson, no había visto ni por asomo a nadie que se le pareciera. Había explorado cada club en ocho kilómetros cuadrados para obtener información sobre la desaparición de Joy y sin embargo no había encontrado ni rastro de las dos mujeres.

Se lo había tomado como algo personal y por eso tenía a Ian. Habían estado en el pantano cerca de cuatro semanas y no podían quedarse ahí para siempre. Si no averiguaban algo sobre Joy pronto, tendrían que abandonar, y eso le rompería el corazón a su abuela. Ella estaba segura de que resolvería el misterio de Joy y la devolvería a salvo a casa. Empezaba a temer que eso no iba a pasar.

Su mirada inquieta recorrió en un barrido todo el área. Vigilancia. Siempre la vigilancia. Nunca se libraría de la necesidad de estar en guardia. Había escogido, de manera inconsciente, el surtidor de gasolina que estaba en la oscuridad de las sombras y tenía una salida fácil a la calle. Con un pequeño suspiro, miró hacia las estrellas. Amaba la noche. Era el único momento en que se sentía verdaderamente cómodo y esa noche necesitaba un poco de confort.

No había pensado mucho en la posibilidad de tener una mujer, o una familia. No era el tipo de hombre que sentase la cabeza, pero la revelación de Lily acerca del refuerzo genético lo había golpeado inesperadamente fuerte. Por alguna razón no podía apartarlo de su mente. Al principio, cuando se dio cuenta de que podía llegar a una azotea de un salto con un mínimo esfuerzo, pensó que era genial, que se trataba de un extraordinario beneficio colateral de su experimento psíquico. La palabra virus nunca había pasado por su mente, tampoco el cáncer. Nunca había cuestionado sus habilidades físicas reforzadas y, aparte de aquellas aplicadas como armas, no había hablado al respecto con los Soldados Fantasma. Tal vez ninguno quería saber del tema, pero ahora parecía importante.

No había firmado para el refuerzo genético. Para el psíquico sí. Había notado algunos talentos psíquicos al crecer. Los animales le respondían. Algunas veces sentía impresiones de lo que ellos estaban sintiendo. Tenía una memoria extraordinaria y su mente comprendía patrones en el momento en el que los veía. También tenía un extraordinario oído. Eran pequeñas cosas, nada descomunal, pero sabía que podía hacer cosas que otros no. Como no quería ser diferente lo había mantenido oculto, como el resto de los Soldados Fantasma habían hecho.

Fue entrenado en el ejército y estaba dotado para los explosivos. Construía y desmontaba bombas de manera rápida y eficiente. Lo habían reclutado para operaciones especiales y cuando supo sobre los experimentos psíquicos del doctor Whitney y su unidad especial quiso formar parte de ella.

La idea de ser parte de un grupo único de soldados, capaces de usar habilidades psíquicas para deslizarse dentro y fuera del territorio enemigo, usando la táctica del ataque relámpago, realmente lo atraía. Había visto demasiada gente morir, muchos de ellos buenos amigos, y pensó que sería una forma de parar muertes innecesarias.

¿Significaba que el refuerzo genético de los Soldados Fantasma les deparaba un futuro incierto? ¿Serían capaces de tener familias y, si era así, pasarían los rasgos a sus hijos? ¿Cómo podía haber hecho algo tan estúpido? Gimió en voz alta. Debía habérsele ocurrido que Whitney los usaría como ratas de laboratorio. Cuando firmó para reclutarse, él no conocía los experimentos anteriores que Whitney había hecho con las niñas, pero aun así, no tenía excusa. Debería haber sido más inteligente. Tal vez había echado por la borda todo su futuro.

Gator se apoyó en el Jeep y se pasó una mano por su grueso cabello negro. Crecer en el pantano había sido una experiencia que le enseñó que lo diferente no siempre era bueno.

Sus padres habían muerto durante una inundación, un accidente inconcebible, y su abuela había adquirido la tarea de criar a los cuatro chicos. Raoul, salvaje, fieramente leal y orgulloso, era el hermano mayor y tomó a los demás a su cuidado. Esa responsabilidad se había transferido a su vida militar. Y ahora, estaba ahí, buscando a una mujer que estaba probablemente muerta y a otra que no quería ser encontrada.

Vio un destello de movimiento por el rabillo del ojo e inmediatamente se puso alerta. Una mujer se deslizaba en las sombras. Debía haber estado en la tienda. La forma en que se movía fue lo que captó su atención. Se movía en silencio, sus pantalones negros ajustados moldeaban sus caderas y piernas. Llevaba guantes y una chaqueta de piel. Su cabello abundante y liso le llegaba por encima de los hombros. Se deslizó hasta su motocicleta, un cohete, un relámpago brillante si no se equivocaba, construida especialmente para la velocidad y la destreza.

Como la mujer. De pronto lo asaltó ese pensamiento que se alojó en algún lugar cercano a su entrepierna.

Mientras se inclinaba sobre la moto un coche entró en la gasolinera iluminándola momentáneamente. Ella mantuvo la cabeza gacha, buscando algo que no podía ver al otro lado de la moto. Su chaqueta y camisa se levantaron exponiendo su estrecha cintura y más abajo, a la altura de su cadera, un tatuaje.

La respiración de Raoul se atascó en su garganta. Era un arco en llamas, que se extendía sobre el hueso de su cadera y emergía por el otro lado de sus pantalones bajos de motera. Su corazón se aceleró. ¿Podría ser tan simple? ¿Podría haber pasado noches visitando clubes ante la posibilidad de que ella estuviera cantando, para al final encontrarla en la gasolinera? ¿Qué extraño sería eso? Casi no podía creérselo, pero algo en la manera en que se movía, un sigilo, una facilidad, un silencio depredador le dio la impresión de que era una Soldado Fantasma. Y la forma en que había emergido de las sombras...

Raoul, agitado, pasó sus dedos a través de su cabello. Estaba dejando que su imaginación lo llevase demasiado lejos. Las mujeres tenían todo tipo de tatuajes. El que tuviese un arco de llamas en la cadera no significaba nada. Estaba enloqueciendo, pero no podía quitar los ojos de ella. Sus pantalones tenían compartimentos por todas partes, perfectos para herramientas. De acuerdo, era un estilo que mucha gente llevaba, pero le sentaban tan bien que parecían hechos especialmente para ella.

Se irguió lentamente y se puso las gafas y el casco. Se dio la vuelta con un movimiento casual que era apenas discernible entre las sombras que la rodeaban, pero sintió que lo miraba y detuvo el flujo de gasolina poniendo gran interés en colocar la manguera de vuelta en el surtidor. Sintió que lo estaba sondeando con la mirada. Se le erizó la piel de la nuca. Contuvo la respiración hasta que ella puso en marcha la motocicleta.

Gator se giró de la misma manera en que lo había hecho ella. Al moverse hacia adelante, la luz de las farolas iluminaron su cara un instante. Unos mechones de cabello color rojo vino se asomaban bajo el casco. Raoul soltó el aire lentamente. Estaba seguro de que estaba mirando a Iris «Llama» Johnson.

La luz trasera de su motocicleta lo puso en acción. Cerró de golpe la tapa del depósito de la gasolina antes de lanzarse al asiento del conductor. La moto ya había hecho un giro, pero pudo divisar la calle.

Mantuvo una buena distancia de ella, recorriendo un par de calles paralelas para que no captase al Jeep. No llevaba las luces encendidas, confiando en el sonido y el sonar para evitar un accidente. Era obvio que Raoul tenía la ventaja de conocer el terreno. Ella sabía adonde iba, pero no conocía los callejones y atajos como él. Cuando disminuía la velocidad, él giraba hacia una calle lateral inmediatamente. La siguió a través del distrito de negocios y de áreas residenciales hasta llegar a las fincas de lujo, muchas con vallas altas y puertas eléctricas.

La mujer aparcó su motocicleta en las profundas sombras de un parque, y los arbustos y los árboles le impedían que la viera. Estuvo cerca de perderla. No había nada, ningún susurro de movimiento, ni ladridos de perros, ni una pisada. Gator no la vio, pero la sintió. Permitió que sus instintos de Soldado Fantasma asumieran el control, confiando en sus sentidos altamente desarrollados para dirigirlo cuando todo lo que tenía era un presentimiento al cual seguir.

Se movió en silencio pasando más allá del primer edificio con un muro de ladrillos y una puerta de metal. Dos grandes mastines estaban cerca de la valla mirando fijamente la calle. Les susurró sin darse cuenta, calmándolos para que no alertaran a nadie de su presencia. Avanzó dos pasos antes de darse cuenta de que ella debía haber hecho lo mismo. Era obvio que los perros estaban en guardia, pero ninguno de ellos había dado la alarma y ambos gimoteaban suavemente, mirando con interés en la dirección que ella había tomado.

Sabía en qué sombras buscar a un Soldado Fantasma, pero aún con ese conocimiento, le tomó varios largos minutos perforar la oscuridad que la cubría. Ella se movía con sigilo, revoloteando de sombra en sombra, de arbustos a árboles, evitando los haces de luz que vertían las farolas desde arriba. Avanzaba agachada, con los brazos y las manos cerca del cuerpo, con sus ropas ajustadas para no hacer ruido. Llevaba un gorro para impedir que alguno de sus cabellos quedara como rastro. Sabía lo que estaba haciendo mientras examinaba el muro que rodeaba la finca.

Al avanzar a lo largo de la fachada norte, un perro le gruñó desafiante. Ella quedó quieta y giró la cabeza hacia el sonido. De pronto el gruñido se volvió un gimoteo suave y amistoso. Raoul sonrió. Sin duda alguna era un Soldado Fantasma. Él permaneció detrás, evitando mirarla y esperando que sus instintos no detectaran su presencia. Se encontraba completamente fascinado por ella.

La mujer miró la parte alta de la valla, echó un vistazo a izquierda y derecha y retrocedió unos pasos. Para estar seguro, él se agachó con un movimiento lento para no atraer su mirada. Soltó el aire de golpe al verla saltar sobre el muro. No le cabía duda: era una Soldado Fantasma. El doctor Whitney había usado refuerzo genético en ella. Era imposible salvar la altura de la pared de un salto hacia arriba. Sus propias capacidades físicas estaban reforzadas y ni siquiera él estaba seguro de poder saltar la pared con la facilidad con que ella lo había hecho.

Gator cruzó veloz la calle y esperó en la oscuridad, sintiéndola con su mente. Estaba recelosa, probablemente detectándolo, pero incapaz de determinar qué era exactamente lo que disparaba sus alarmas. Esperó pacientemente, inmóvil. Estaba muy entrenado, por lo que algunas veces había permanecido en la misma posición durante horas esperando un objetivo. Podía esperar a que saliese si era necesario. Cuanto más tiempo estuviera dentro de las paredes de la finca, más peligroso sería para ella. Golpear, dispersarse y correr. Era algo que le habrían repetido desde niña.

En el momento en que sintió que ella se movía, saltó la valla en el punto exacto en el que ella lo hizo. No había estudiado el lugar, pero sabía que era el único punto seguro para pasar. Al aterrizar a ciegas al otro lado, lo hizo agachado, y a la sombra de los setos. Automáticamente calmó a los perros guardianes con su mente y echó un cauteloso vistazo a su alrededor.

El césped estaba bien cortado, había flores y plantas agrupadas en una pequeña área completada con una fuente y estatuas, que daban la apariencia de un pequeño parque privado. La casa era enorme, tenía dos pisos con numerosos balcones, mucho ladrillo y superposiciones de piezas de hierro forjado. Incluso disponía de una torre que sobresalía.

—Llama, ¿en qué te has metido? —susurró para sí mismo, pensando en ella como en Llama más que en Iris.

No parecía tratarse de una cita con un rico hombre de negocios. Ignoró la sensación posesiva que le retorció el estómago mientras perforaba la noche con su mirada para encontrarla.

Captó un atisbo de ella cerca de las gruesas enredaderas que crecían a un lado de la casa. Se movía con sigilo, doblaba las rodillas y apoyaba cuidadosamente los pies mientras bordeaba los grandes ventanales. De repente volvió la cabeza y miró en su dirección.

Alguien la estaba siguiendo y lo hacía tremendamente bien. Llama no podía localizarlo, pero su conciencia aumentada le decía que no estaba sola. Y eso significaba que era un profesional. Esperó, con la espalda apoyada contra la pared, respirando de manera lenta y regular y con el cuerpo perfectamente quieto. Estaba allí, cerca, en algún lado dentro del perímetro de la finca. Y el perro ni siquiera había gruñido.

Su corazón dio una sacudida. Había estudiado el área varias veces y si alguien se acercaba a la pared de ladrillo, el perro ladraba como un demonio. Estaba siempre alerta, bien entrenado e impaciente por echar a cualquier intruso. Tendría que abandonar, esperar a otra noche, pero no le quedaba tiempo. Tenía que hacer el trabajo esa noche para cumplir el plazo. ¿Quién podía controlar a un perro tan feroz? Ella lograba que no delatase su presencia sólo con un pequeño esfuerzo, pero si alguien más podía manipular al perro, eso significaba que tenía algún control sobre él.

Lanzó una palabrota por lo bajo. Whitney la había encontrado. Tenía que ser eso. Sabía que no podría huir siempre. La historia en el periódico acerca del sanatorio del pantano que se había quemado hasta los cimientos la había llevado hasta allí. Era exactamente el tipo de situación en que ella sabía que no debía meterse. Si Peter Whitney o cierta rama secreta del gobierno con la que estaba conectado la buscaban, debían saber que ella sería incapaz de resistirse a conseguir información. En el momento en que se dio cuenta de que el rastro conducía de nuevo a la finca de Whitney debía haber desistido. Se había implicado con algunos lugareños, como siempre hacía y se había quedado demasiado tiempo en la zona.

¿Habrían enviado a un asesino? El incendio del sanatorio había sido un golpe, claro y simple. La Fundación Whitney había querido encubrir el hecho de que se habían realizado experimentos físicos y psíquicos con bebés. El maldito Whitney y sus contactos gubernamentales. No era tan difícil crear accidentes y hacer desaparecer a la gente, especialmente si se trataba de niñas consideradas unas desequilibradas o diferentes.

La cólera la consumía y eso no era nada bueno. La tierra se movió ligeramente, una anomalía sísmica menor. Llama tomó una profunda bocanada de aire y la soltó lentamente para calmarse. La rabia no le sería de gran ayuda. El perro gimoteó a su izquierda detectando el pequeño temblor bajo la tierra. Ella calló al animal con una orden mental mientras sopesaba sus opciones. Enviarían a alguien bien entrenado detrás de ella, alguien con habilidades al menos iguales a las que asumían que ella poseía. Las probabilidades de que la hubieran subestimado eran muy altas. Y las probabilidades de que Whitney la quisiera viva, también.

Había pirateado los archivos secretos de Whitney y destruido lo que encontró acerca de su entrenamiento e incluso algunos de los archivos de las otras niñas después de copiarlos. Whitney tenía un imperio impresionante y sus lazos con el gobierno eran fuertes. No le cabía duda de que enviaría a una escuadrilla de asesinos para eliminar la evidencia si él no podía volver a atraparla, lo cual ella no lo permitiría ni muerta. El incendio en el sanatorio era la prueba de que tenía razón. Había leído sobre la muerte de Whitney, un asesinato sin un cuerpo, y ella dudaba de que fuera verdad. Era un monstruo, así de sencillo, y haría cualquier cosa para cubrir sus crímenes.

Llama daba golpecitos con el dedo contra su muslo mientras estudiaba su siguiente movimiento. Podría jugar al gato y al ratón con el cazador, pero no podía permitirse un fracaso. Usando cada uno de sus sentidos, intentó localizarlo de nuevo en las sombras. No percibió nada más que calma absoluta. Ni siquiera un olor. Quería dudar de las campanadas de alarma en su cabeza, pero ella sabía, *sabía*, que alguien estaba tras ella. Entonces lo vio claro: el perro. Alcanzó al animal, tratando de conectar lo suficiente con él para conseguir la impresión de dónde estaba el otro intruso. El perro lo sabría y si podía obtenerlo de la mente del animal, estaría en una posición mucho mejor.

En el momento en que lo tocó supo que estaba completamente bajo el control del otro intruso. Su corazón se aceleró abruptamente y tuvo que respirar profundo para contener el rápido flujo de adrenalina.

—¡Rata bastarda! —susurró para sí misma—, piensas que tienes ventaja.

Se deslizó, aun más, dentro de la oscuridad detrás de la valla y las enredaderas que trepaban por un lado de la gran casa. Sabía exactamente dónde estaba la caja fuerte y cómo llegar hasta ella. Era rápida y fuerte y podría entrar y salir en minutos. El cazador de Whitney no tenía ni idea de qué estaba haciendo o dónde iría. Subió por un lado de la casa, escalando como una araña, moviéndose con sigilo y rapidez para alcanzar el balcón del segundo piso. Saltó por encima de la reja de hierro forjado, aterrizó en cuclillas y permaneció quieta mientras escuchaba.

Llama echó un vistazo a su reloj. El guardia estaría patrullando ese lado de la casa. Había cronometrado sus movimientos varias veces y el idiota siempre tomaba la misma ruta. Era tan fiable como un reloj suizo. Se quedó muy quieta esperando que él diera la vuelta a la esquina antes de abrir su mochila para sacar su ballesta y su gancho. Ese balcón era el único acceso real al tejado de la torre y a la claraboya sobre la oficina donde Saunders guardaba la caja. Era un imbécil engreído, que creía estar a salvo con esa escalera estrecha, el único acceso para entrar y salir, con dos guardias situados en la base de las escaleras. La torre no tenía balcones ni otro acceso, sólo paredes escarpadas y unas estacas de hierro forjado abajo, para una posible caída en una tentativa de escalada.

Amateur, pensó. Saunders era de lo más sucio y codicioso. Ella no sentía ningún remordimiento demostrándole que era un aficionado en el área del crimen.

El ángulo para alcanzar el techo era difícil y sólo había un pequeño saliente donde podría engancharse, pero estaba segura de su puntería y lo lanzó sin vacilar. Controló el sonido, evitando que el ruido del metal al impactar con el techo reverberara en la noche. Esperó alguna posible reacción de cuclillas, deseando que la oscuridad cubriera la tensa cuerda desde el balcón hasta el techo. Saunders tenía guardias muy buenos pero también muy vagos. Ella no creía que esperasen muchos intrusos y los guardias debían estar aburridos. No obstante, Saunders tenía la reputación de ser malo como una culebra venenosa. Probablemente había echado varios cadáveres al pantano a lo largo de los años. Ella no planeaba ser uno de ellos.

Los guardias no habrían oído el gancho, pero existía la posibilidad de que el hombre que la perseguía lo hubiese hecho si es que era cierto que Whitney lo había enviado. Lo mejor que él podría hacer era matarla intentando entrar en la torre de Saunders, pero le sería imposible recoger su cuerpo y Whitney, sin duda alguna, lo querría. Llama sopesó sus probabilidades. Era evidente que su acosador estaba seguro de sí mismo y de poder atraparla al salir, por lo que lo más factible era que lo hubieran enviado para llevarla de vuelta. Whitney no querría que se destruyera su experimento multimillonario si todavía podía encontrarle una utilidad.

Se puso la mochila en la espalda y enganchó sus piernas alrededor de la cuerda, deslizando las manos por ella en dirección a la torre. No pudo evitar la pequeña punzada de miedo que sintió al esperar que le dispararan, pero se aferró al hecho de que para Whitney valía más viva que muerta.

Whitney era un hombre al que le gustaban las respuestas y su hija adoptada era muy parecida a él. Llama había hackeado el ordenador de Lily un par de veces y había reconocido su mente rápida y el mismo amor por la ciencia. *Traidora.* Así era como Llama veía a Lily. Había habido mucho favoritismo por parte de Whitney. Lily era todo lo que él quería; se había convertido en una marioneta dispuesta a complacerlo, en su cómplice y en su hija dotada para que él pudiese continuar con sus experimentos.

¿Qué pensaba Lily que había pasado con el resto de ellas? ¿Creía esas historias falsas de los ordenadores? ¿Cómo podía hacerlo, cuando Dahlia había estado encerrada en un sanatorio y una escuadrilla había destruido todo lo que le importaba en la vida? Lily pagaría por eso también. Llama encontraría la forma. El dinero de Whitney era un objetivo fácil y obvio, pero Lily tenía mucho más, y saquear unas pocas cuentas aquí o allá no iba a suponer ninguna diferencia.

Cuando empezó a escalar hacia el techo, se centró en encontrar al hombre que la acechaba. Estaba segura de que era el mismo que había visto en la gasolinera. Había estado poniendo gasolina al Jeep, entre las sombras, imposibilitando que lo viera, y algo acerca de él había puesto a funcionar su radar. Varias veces, en el camino hacia la mansión de Saunders, había tenido la misteriosa sensación de que la seguían, pero no había sentido nada. Debía de ser uno de los experimentos de Whitney. Sabía que no se equivocaba.

Alcanzó el techo a la izquierda de la claraboya sin ningún incidente y metió sus herramientas en la mochila. Ahora el mayor peligro era que el cazador quisiera seguirla también al techo de la torre. Trucó la cuerda para que se resbalase si intentaba usarla. Él debía pensar que ella iba a usar el mismo camino al salir. Llama caminó hasta la claraboya, teniendo cuidado de que sus pisadas no traicionaran su presencia a alguien dentro de la casa.

Saunders estaba inclinado sobre el escritorio, con un vaso de whisky en la mano. Parecía contento de sí mismo. *Pequeña comadreja asquerosa, sentada en tu torre de marfil pensando que nadie te puede alcanzar. Yo te voy a demostrar lo contrario.* Llama se agachó al lado de la claraboya y levantó la cara hacia las estrellas. Tenía que concentrarse en los detalles, en las cosas que podía hacer, la gente que se merecía justicia, no en su pasado.

No podía pensar acerca del riguroso entrenamiento, los largos días y noches encerrada en una jaula como un animal, sintiéndose privada de toda dignidad, de compañía, de cualquier cosa que le importase. Al final había aprendido a ser lo que ellos querían que fuese y había ido más lejos de lo que cualquiera de ellos hubiese imaginado. Logró escaparse. Sonrió, pensando en el falso fondo fiduciario encontrado en la computadora a su nombre. Lo había hecho real y le había venido bien para escapar. Se lo había robado al monstruo, igual como él robaba dinero de los demás, y lo había puesto en cuentas internacionales para que el muy bastardo no pudiera tocarlas. Si lograba encontrar a las chicas, al menos tendrían suficiente dinero para empezar algún tipo de vida. Su habilidad informática le había sido muy útil.

Debería haber abandonado Nueva Orleáns en el momento en que se dio cuenta de que no iba a encontrar a Dahlia, pero luego había oído algo acerca de una chica perdida, Joy Chiasson. Por alguna terrible razón se identificaba con ella y le preocupaba lo que alguien como Whitney pudiera hacerle. No tenía sentido, pero pensó que podía investigar un poco y asegurarse.

Le dolía la garganta de tanto cantar durante las últimas dos semanas. Había actuado en tres ocasiones en un club pequeño a casi un kilómetro de la estación de servicio donde había llenado el tanque de su motocicleta, y sus cuerdas vocales se resentían del esfuerzo. Lo había hecho para averiguar si alguien mostraba un interés anormal en ella por su voz, pero la ocurrencia se reveló una tontería. Muchas personas la habían seguido de club en club como para poder determinar si alguien estaba tan interesado en ella como podía estar interesado en Joy.

Prácticamente todo lo turbio de Nueva Orleáns la conducía a este lugar, a este hombre, Kurt Saunders. Vendía propiedades para luego robarlas. Estaba detrás de casi todo lo que fuera juego, putas y tráfico de drogas. Su casa estaba en la zona más prestigiosa del Garden District, y se codeaba con políticos y celebridades. Los hombres como Saunders no caían fácilmente, pero era posible que mientras ella ayudaba a un amigo esta noche, se tropezara con algo relacionado con la desaparición de Joy. No le sorprendería en absoluto.

Llama se centró en su acosador. Lo sentía presente. Sabía que estaba en algún lugar cerca de ella, pero no podía establecer su localización. No podía verla porque no era visible desde el suelo. Tenía que ser el hombre de la gasolinera. No había mostrado ningún interés en ella. Golpeó su muslo con el dedo índice, repasando el momento una y otra vez en su mente. No había conseguido verlo, parecía haberse fundido con la noche. ¿Qué podía recordar de él? *Nada. Absolutamente nada.* Suspiró y se frotó la sien. Tenía un dolor de cabeza asesino, algo que le sucedía a menudo cuando usaba sus poderes psíquicos durante largos periodos de tiempo.

El parpadeo de luces y un súbito flujo de actividad en el portón, acompañado del feroz ladrido del perro, la impulsó a arrastrarse a través del techo para asomarse por el borde. Habían llegado los guardias con las armas a la vista y la puerta se abrió dejando pasar una limusina negra que entraba en la rotonda.

Llama entornó los ojos y estudió el coche. Lo había visto antes. Su memoria fotográfica le ayudaba a conservar pequeños detalles hasta que los necesitase. Había visto el coche varias veces en la carretera frente a la casa barco donde se quedaba. También lo había visto alrededor de varios clubes donde había cantado. El coche siempre tenía el mismo conductor. Se mantenía fuera de la vista excepto para abrir y cerrar la puerta del pasajero, Emanuel Parsons. Parsons era un hombre mayor; según ella debía tener unos sesenta años. Llevaba un bastón con puño de plata, pero dudaba que lo necesitase. Parecía gustarle darse aires distinguidos y la deferencia que todo el mundo tenía con él.

Hizo una mueca al ver al conductor abriendo la puerta de la que Parsons emergió vistiendo un abrigo largo. Su cabello plateado destelló bajo las luces que inundaban el camino de entrada. No le sorprendió en lo mas mínimo que el hombre conociera a Saunders. Emanuel Parsons era el investigador principal de la DEA y mientras jugaba a ser amigos con Saunders, seguramente lo estaba investigando por blanqueo de dinero. En los clubes se comportaba de manera reservada y exigía una atención adicional. Lo vio con su hijo mayor un par de veces, pero por lo general se rodeaba de otros duros hombres de negocios que apenas se dignaban en reparar en la mayoría de los lugareños. Su hijo y él le habían enviado una copa un par de veces. *Y su hijo había estado saliendo con Joy Chiasson.* Ese único hecho los había puesto en el espectro de su radar.

Miró a Parsons hasta que desapareció bajo el techo del gran porche con columnas. Con un pequeño suspiro se arrastró de nuevo hasta la claraboya. ¿Por qué en cada ciudad había hombres que se creían por encima de la ley, y que se consideraban dignos de semejante derecho? No lo entendía; probablemente nunca lo haría. El doctor Whitney, al igual que esos hombres, era un profesional respetado. Era reputado entre los sectores más privilegiados. Tenían confianza en él y además contaba con acceso a información clasificada, pero sin embargo, era un depredador que destruía despiadadamente las vidas de otros para su conveniencia. Saunders también era ese tipo de hombre, y tras haber observado a Parsons en los clubes, se dio cuenta de que eran tal para cual aunque estuvieran en lados diferentes de la ley.

—Es como una maldita sociedad secreta —susurró por lo bajo—. Para conseguir entrar sólo tienes que joder a todo el mundo.

¿Y por qué creía la gente que tiburones como Whitney y Saunders acabarían siendo juzgados? Ella sabía por experiencia que eso no iba a ocurrir. Conspiraban, se entrometían y mataban mientras sus ganancias seguían en aumento y todos se hacían los ciegos. Era muy probable que a Parsons lo asesinaran algún día y que terminara sirviendo de cebo para los cocodrilos en el *bayou*, al tiempo que Saunders continuaría enriqueciéndose con sus negocios ilegales. El dolor de cabeza estaba empeorando y si no conseguía calmar su cólera, la casa iba a sufrir una sacudida. ¿Había terremotos en Luisiana? No se había molestado en comprobarlo.

La luz de la habitación de abajo se apagó repentinamente, alertándola del hecho de que Saunders estaba bajando las escaleras para saludar a su huésped. La puerta de la oficina se cerró y pudo oír el clic característico del cierre. Se acercó de inmediato a la claraboya y miró hacia abajo. Tal como había pensado, la habitación estaba vacía.

Llama sonrió. Un pequeño acto de justicia funcionaba de maravilla para curar el dolor de cabeza. Permaneciendo agachada para evitar que se viera el contorno de su cuerpo, examinó la claraboya, buscando evidencias de interruptores magnéticos o detectores de movimiento dentro de su marco. No parecía posible que Saunders pudiera ser tan arrogante como para no instalar un sistema de seguridad en la claraboya. ¿Era así de estúpido? Venía preparada para una tarea difícil, pero no tuvo que hacer nada más que usar su cortador láser para abrir la bóveda de cristal. Antes de levantar el cristal con la ventosa que había colocado encima de él, comprobó nuevamente si estaba segura, esta vez usando todos los sentidos, no sólo el visual.

El sonido era demasiado agudo para que el oído humano lo detectase. Llama se quedó quieta sin tirar del cristal. Saunders había colocado un obsoleto detector de movimiento de ultrasonidos en la claraboya. Raramente se tropezaba con ellos porque eran muy sensibles y producían muchas falsas alarmas. Y eso significaba que cuando levantase el cristal, la suave corriente de aire en el cuarto podría disparar la alarma.

Era un dispositivo bastante simple. Un transmisor enviaba una frecuencia demasiado aguda para el oído humano y el receptor captaba las ondas de sonido reflejadas en el área bajo su protección. El movimiento causaría un cambio en la frecuencia del sonido. Cuanto más grande era el objeto, mayor era el cambio en la frecuencia. Muchos detectores estaban configurados para ignorar los pequeños cambios que pudieran ser causados por los insectos, pero un cambio más grande dispararía el circuito y haría sonar la alarma.

—Tienes al viejo Doppler trabajando, ¿verdad, Saunders? —murmuró Llama—. Bien, sucede que el sonido es mi especialidad. Además de canalla eres un cutre. Tu pequeño detector está simplemente comparando la frecuencia emitida por el transmisor cuando no detecta ningún movimiento, con la que se produce cuando el movimiento ocurre. Y eso, para una persona como yo, no es ningún impedimento.

Giró la cabeza acercando el oído a la bóveda para escuchar y determinar las pautas del sonido de alta frecuencia. Sin movimiento alguno, el sonido que rebotaba tenía una configuración constante y uniforme. Simplemente tenía que encontrar la frecuencia y el patrón exacto y asegurarse de que nada lo interrumpiera cuando quitase el cristal para entrar en la habitación.

Llama estuvo a punto de soltar una risa. Ahí estaba ella con todo el equipo de última tecnología que un ladrón que escala paredes pudiera necesitar, y va y se encuentra con alguien que ha instalado un dispositivo pasado de moda.

—Tío, eres un rácano justo en lo que no debieras, Saunders. Te crees muy listo por haber robado a mucha gente buena. Y ahora la vas a pringar como esos a los que has robado.

Era gratificante ver que todos esos talentos que le había dado el gobierno le eran prácticos cuando estaba trabajando. El doctor Whitney y su pequeño equipo de científicos estarían muy satisfechos de saber que su trabajo se estaba destinando a una buena causa.

Mantuvo los patrones de alta frecuencia nivelados al retirar el círculo de cristal y luego lo puso a un lado de modo que el cambio repentino de aire no hiciera saltar la alarma. Soltó la cuerda lentamente y después se dejó caer hacia lo que Saunders creía ser su fortaleza impenetrable. Aterrizando suavemente comenzó una búsqueda cuidadosa en el cuarto mientras se aseguraba de que la señal de alta frecuencia seguía teniendo un patrón constante y de que todo iba bien. Saunders tenía dinero en el banco, pero todo lo que robaba iba a la habitación de la torre, en efectivo, oculto a los ojos de todo el mundo.

Encontró la caja fuerte detrás de una sección del panel de la pared que en principio parecía tan lisa como el resto de las paredes. Pero al golpear ligeramente sobre su superficie con el dedo índice captó la ligera diferencia de sonido. Le llevó pocos segundos localizar el mecanismo escondido para deslizar a un lado el panel.

La caja resplandecía ante ella de manera escandalosamente brillante para así proporcionar tantas huellas como fuera posible si se intentaba abrirla. Llama le sonrió.

—Hola, mi bebé, mamá ha venido para liberar tu alma. —La miró más de cerca—. Eres de última generación ¿verdad, bonita? Apostaría que tienes algunas capas de placa dura tras la puerta, ¿o no? Y que llevas rodamientos en ella para machacar cualquier broca. Eso no está bien, aunque no pensaba taladrarte. Te dolería, ¿verdad, preciosa?

La caja también tenía un dispositivo de cierre con control remoto. Si reventaba la combinación, el control remoto se conectaría, pero no tenía intención de cortar la cerradura. Lo haría todo por sonido. Cerró los ojos mientras hacía girar la cerradura, centrándose en el sonido. El primer número era el seis y encajó fácilmente en su lugar. Llama volvió a hacer girar la cerradura y oyó como caía en el nueve. El tercer número era el seis. Frunció el ceño, pero no se sorprendió cuando el nueve pasó otra vez. Cuatro veces más los números se repitieron.

—Menudo idiota, para ser un delincuente eres de lo peor —dijo mientras abría de golpe la caja fuerte.

Había cuatro maletines dentro de ella. Todos cerrados con combinaciones. No se molestó en averiguar si contenían el dinero. No tenía duda de que así fuera. Sacó los cuatro, los aseguró a su cinturón y cuidadosamente, sin apresurarse, lo dejó todo exactamente como estaba.

La escalada por la cuerda para volver al techo era fácil, y su monitor de alta frecuencia se mantuvo con un patrón regular todo el tiempo. Una vez afuera volvió a colocar la claraboya usando un pegamento de última generación para reparar el corte. Presionó hasta que quedó fija en su lugar. Se darían cuenta, pero le divertía la idea de hacerlos trabajar para llegar a alguna conclusión.

Metió los cuatro maletines en su bolsa y avanzó rápidamente hacia el gancho, recuperó el ancla, y la guardó junto con las otras herramientas. Dejó la cuerda, para proporcionar la ilusión de una ruta de escape, para quien quiera que hubiera enviado la Fundación Whitney a atraparla. Lo dejaría esperando. Con un poco de suerte, lo atraparían a él cuando el robo fuera descubierto.

Se puso la mochila y se deslizó por el tejado hasta la parte frontal. Era una caída grande hasta el suelo pero no tenía intención de bajar por ahí. Ya había calculado el salto entre el techo de la torre y la pequeña casa de huéspedes en la parte de atrás de la propiedad que Saunders usaba para su tiempo libre. Durante su vigilancia, había visto a sus hombres llevar ahí a varias mujeres. A Saunders le gustaba jugar duro. Las mujeres no se iban felices con lo que les pagaba, pues salían aporreadas y con los cuerpos amoratados.

La distancia entre la torre y la casa de huéspedes era demasiado grande para que cualquiera pensara que ella podría usarla como salida. Un amplio césped y varios arriates de flores separaban los dos edificios. Llama se irguió, arriesgándose por un instante a que la vieran, para coger carrerilla a lo largo del tejado de la torre y saltar hasta el techo de la casa de huéspedes. Aterrizó de cuclillas, mirando a su alrededor en la oscuridad para detectar cualquier peligro.

En el mejor escenario posible, el robo no sería descubierto hasta la mañana siguiente y podría escapar tranquilamente, enmascarando el sonido de su motocicleta y confiando en que uno de los guardas alertas de Saunders no la detectase. Esa era una de las principales razones por las que iba en moto.

Llama corrió a lo largo de la casa de huéspedes hacia la parte trasera de la propiedad. Los guardias ocasionalmente se juntaban para jugar a las cartas donde Saunders no se molestaría en buscarlos. Distinguió a dos hombres grandes sentados en la sala en la que estaba el jacuzzi. Saunders buscaba el factor de intimidación en sus hombres, los quería musculosos para intimidar a la gente sólo con su apariencia. Podía oír el murmullo de su conversación mientras charlaban sobre un club en el barrio francés que a ambos les gustaba.

Pasó de largo fácilmente, arrastrándose por el seto hasta encontrar una pequeña roca que ella misma había pintado de blanco para distinguirla en la oscuridad. Metiéndosela en el bolsillo, miró a derecha y a izquierda, agudizó el oído para escuchar un minuto, y saltó sobre la valla aterrizando en el otro lado. Había lanzado la piedra horas antes para marcar el único lugar a lo largo de la valla sobre el que podía cruzar y aterrizar dentro del espeso follaje que cubría la pared de ladrillo. Permaneció agachada y su corazón empezó a acelerarse de nuevo. El hombre de Whitney sabría que ella estaba metida en algo. No debía haberse quedado dentro de la finca tanto tiempo. Probablemente él la estaba acechando.

Envió cada sentido natural y psíquico que poseía hacia la noche, buscando información, alerta de cualquier sonido de pisadas o el susurro de la ropa rozándose con la vegetación. Incluso el silencio repentino de los insectos la avisaría de dónde se encontraba el otro, pero sólo escuchó los sonidos normales de la noche.

Llama no esperó a que la alarma sonase detrás de ella. Agachada en las sombras avanzó a lo largo del muro de ladrillos, manteniéndose entre el follaje tanto como era posible mientras escaneaba el área en busca de sonidos o movimientos. Calló a varios perros guardianes al pasar delante de más casas. Cuando estaba a tres manzanas de la finca de Saunders, se detuvo. Tenía que cruzar la calle para llegar donde había dejado su motocicleta. Las farolas brillantes alumbraban la calle pavimentada.

Esperó en la oscuridad. El sentimiento de que no estaba sola se cernía sobre ella. Los cuatro maletines pesaban sobre su hombro, pero podría utilizarlos como un arma si fuera necesario.

Una suave risa masculina llegó hasta ella desde la profundidad de los árboles del parque.

—Mejor que te acerques, *cher*. No te quedes ahí de pie toda acalorada preguntándote si tendré o no un arma.

Capítulo 3

Ese acento cajún grave y arrastrado era tan suave como la melaza y aceleró el corazón de Llama.

—Has sido una chica mala esta noche. No sé qué era tan importante para ti, *cher*, pero alguien debería haberte dicho que robar es una cosa mala, muy mala.

Siguió obstinadamente en silencio, tratando de fijar su voz. ¿Estaba lanzándola? ¿Proyectándola en una dirección falsa para engañarla? Ella era rápida, increíblemente rápida. Podría cruzar como un rayo la calle iluminada y poner en marcha su moto, pero él sabría exactamente localizarla. Maldito Whitney y sus experimentos. No tenía otra elección más que seguir avanzando calle abajo alejándose de su moto. Podía sentir cómo pasaban los minutos. Saunders no estaría fuera de su torre de marfil por mucho tiempo y el robo sería descubierto.

Cuando bajó varias manzanas y girado una esquina, Llama salió del follaje, cruzó corriendo la calle iluminada y subió tres manzanas más antes de ganar la relativa seguridad del parque. Redujo la velocidad inmediatamente, no queriendo dar su localización exacta pisando hojas o ramas secas. Se agachó en las sombras y controló su respiración. Los sonidos se transportaban en la noche, incluso la respiración. Más de una vez había burlado la vigilancia, sabiendo exactamente dónde se encontraban los guardias sólo por sus jadeos después de realizar un esfuerzo físico. Llama usó su habilidad psíquica para evitar que se escapase cualquier sonido suyo.

Se mantuvo agachada, moviéndose despacio y con precaución, teniendo cuidado de que su movimiento no llamase la atención mientras cruzaba el parque. Al acercase a su motocicleta vio con horror que había un hombre sentado en ella, esperándola y balanceando casualmente una pierna hacia delante y hacia atrás. No llevaba un arma en las manos; de hecho, al mirarlo de cerca notó que había estado intentando robar su moto. Había una pequeña pieza de mental incrustada en el encendido.

Su moto era su bebé, una de las pocas cosas que había comprado para sí misma y se había asegurado de que no fuera fácil de robar, bloqueando el encendido y los cables con una cerradura secundaria que necesitaba una contraseña. Evidentemente él había abierto la cerradura o encontrado la contraseña.

La cólera la inundó y avanzó hacia delante.

—Bájate de la moto, maldita sea.

Él silbó suavemente.

—Mujer, vaya genio que tienes.

La manera en que arrastró la palabra «mujer» le provocó un cosquilleo en la boca del estómago. Su cabello oscuro estaba lleno de rizos despeinados y su boca generosa se curvaba en una sonrisa. Tenía los hombros anchos y se veía la fuerza de sus brazos y su pecho. El hombre era musculoso y parecía que podía ser bueno en la lucha, o en la cama. Esa idea pasajera la enfureció aún más.

—Sal. De. Mi. Moto.

—Y eres obstinada también. Me gusta eso en una mujer. Nunca me han gustado las sumisas. —Le hizo un guiño—. Me gustan las tigresas en la cama.

—Oh, cállate. —Esto no era algo que hubiese pensado que pasaría y estaba despistándola con su obvio flirteo—. Me dan exactamente lo mismo tus preferencias sexuales. ¿Quién eres?

Él puso una mano sobre su corazón.

—Me ofendes, *cher*. Creo que nos habríamos llevado muy bien.

Llama apoyó una mano en la cadera y estudió su cara. Era una cara fuerte, tenía una boca intrigante que parecía reír a menudo, aunque ella no creía en las risas. Creía en los ojos, y sus ojos no se reían en absoluto. Miraban con dureza y se movían incesantemente, centrados en cada detalle sobre ella y el área circundante.

—¿Quién eres tú?

—Mis amigos me llaman Gator.

Ella arqueó una ceja.

—No me sorprende. Apostaría que te ganaste ese nombre luchando con cocodrilos cuando eras un niño como cualquier otro en el *bayou*.

—¡Ay! Eso me ha dolido. No seas así, *cher*. Soy *famille*, un Soldado Fantasma, igual que tú.

—No eres de mi familia. Y estás malgastando tu encanto conmigo. Sal de mi moto.

Dio un paso agresivo hacia delante, esperando que él hiciese lo mismo.

Él le sonrió, sentado y balanceando la pierna como si no tuviera ni un problema en el mundo.

—Así que te has dado cuenta de lo realmente encantador que soy.

—He notado que tienes un ego del tamaño de Texas. Y sigues sentado en mi moto. —Bajó su mochila al césped. Era un hombre sólido, con músculos pesados, pero tenía el presentimiento de que era rápido, puede que tanto como ella.

—Estoy cómodo, gracias.

—No vas a seguir estándolo por mucho tiempo. ¿Qué es esa cosa que hay en mi motocicleta?

Indicó la pequeña pieza de metal atascada en la llave de encendido.

—Has robado lo que sea que llevas en esa bolsa tuya. Quizá tengamos algo en común. A mí me gustan los vehículos.

Ella cambió de posición levemente, para protegerse y tener mayor movilidad.

—Eres un grandísimo mentiroso. Whitney te ha enviado por mí, ¿verdad?

Raoul sacudió la cabeza.

—Él no, ella. Lily. El viejo está muerto.

Sus ojos despidieron fuego.

—A pesar de tus tonterías, no te he tomado por un completo idiota, pero si crees que el doctor Whitney está muerto, te mereces cualquier cosa que te suceda.

Ella movió los pies de manera imperceptible, y sin advertencia previa dio un salto en el aire golpeando su amplio pecho con ambos pies. Se lanzó en ángulo, determinada a tirarlo de su moto, pero en menos de un segundo, él desvió el doble golpe, frenando sus piernas con un poderoso bloqueo con el antebrazo y lanzándola al suelo.

Llama se puso en pie de un salto, aterrizando con los puños en alto y preparada para luchar.

Raoul le sonrió con satisfacción.

—No te gusta jugar con otros, ¿verdad, *cher*?

—No juego con nadie, especialmente con las pequeñas marionetas de Whitney.

El perezoso balanceo de su pie se detuvo abruptamente y su sonrisa desapareció.

—Ahora si que me has insultado, *ma petite enflamme*. Eso no es nada bueno cuando tengo a tu moto de rehén.

Ella giró alrededor de él, estudiándolo desde todos los ángulos. Podía llamarla su pequeña llama todo lo que quisiera, pero sería el primero en quemarse. Estaba demasiado seguro de sí mismo, y como muchos de sus oponentes, la había subestimado.

—¿Por qué estás aquí?

—Para llevarte a casa, *cher*, donde perteneces.

—Y un infierno que me vas a llevar. Prefiero estar muerta.

Se lanzó al aire una segunda vez, pasando por encima de él y de la motocicleta, una bota apuntando hacia su cara.

Gator apartó su cabeza a un lado. Su bota apenas rozó su mandíbula, dejando una línea a través de su barba de un día. Cogió su pierna en una llave de tijera y ella cayó despatarrada en el suelo. Llama rodó, hizo una voltereta y con un giro de aikido volvió a la posición de lucha.

El hombre seguía sentado en la moto con una pequeña sonrisa irritante en su cara. Nada parecía alterarlo y Llama sintió el pequeño cambio bajo sus pies que indicaba que estaba alterada. Se lo había puesto fácil por ahora, más que nada para ver su reacción, pero mientras más tiempo pasaba él sentado todo engreído y satisfecho de sí mismo, más se exasperaba ella. Llama no podía permitirse perder su temperamento.

Antes de que pudiera lanzar otro ataque, vio el cambio en su mirada fija en la calle. La pequeña sonrisa que asomaba en su boca desapareció y levantó la mano en señal silenciosa de peligro. La mano se movió a lo largo de su garganta antes de mostrar cuatro dedos. Había pasado de macho divertido a comandante en cosa de un segundo. Parecía letal, peligroso y depredador.

Llama se alejó de él, sacudiendo la cabeza. No era su aliado. Cualquiera enviado por Whitney era su enemigo.

Se agachó y estudió la calle. No se trataba sólo de cuatro guardias armados hasta los dientes con armas automáticas dirigiéndose derechos al parque, sino también de varios todoterrenos que salían de la finca de Saunders hacia la calle para patrullar el área. Estaba segura de que estaban buscando lo que había sacado de la caja. Al primero que cogieran sería interrogado y cacheado.

Gator le hizo un gesto imperioso hacia la moto, claramente ordenándole que se montara en ella. Llama corrió agachada hacia su bolsa y se la colgó al hombro. No tenía mucho donde elegir. Tendría más opciones con los guardias de civil que con un soldado reforzado psíquica y físicamente. No se estaba haciendo ilusiones. No importaba cuan encantador pudiera ser el cajún: era un arma, al igual que ella.

Corrió al centro del parque donde las sombras eran más oscuras. Oyó a Gator maldecir y encender la motocicleta; el motor sonó fuerte en el silencio de la noche. La aceleró, atrayendo deliberadamente la atención sobre su presencia. Llama derrapó al detenerse y lo vio hacer varios círculos con la moto, atrayendo a los guardias más cerca de él. Hablaban frenéticamente por sus radios y los todoterreno que circulaban por el parque cambiaron de dirección para dirigirse hacia el lugar dónde estaba la moto.

Gator dejó de dar vueltas e indicó a Llama que corriera. Escuchó las notas pulsando en su cabeza, y se dio cuenta que usaba el sonido de la misma forma que ella. Podía interrumpir las comunicaciones entre los guardias en el momento en que quisiera. Llama encontró un árbol con grandes ramas y un pesado follaje y saltó para ocultarse entre ellas.

La motocicleta arrancó. Los todoterreno se lanzaron tras él, pero al final de la calle se apagó la luz de la moto. Una vez que saliera de las farolas, sabía que Gator podía conducir con el sonido. La motocicleta era suficientemente rápida para dejar atrás a los todoterreno. Se quedó ahí inmóvil, tratando de descifrar los motivos de Gator. Nada de lo que había hecho tenía sentido, y nunca entraba en una guerra sin líneas claras entre amigo y enemigo. Le había dicho que había venido para llevarla de vuelta, pero no había tratado de forzarla. Tampoco había preguntado qué había robado ni por qué.

El problema era que le gustaba. Se hacía una rápida idea de las personas, era capaz de leerlas, y a pesar de que sabía que no debía caer en su encanto cajún, y de las sombras tristes, oscuras y letales de sus ojos, le gustaba. Era suficientemente honesta para admitir que probablemente se habría fijado en él porque estaba reforzado y sentía los mismos torrentes de energía y el mismo temor por cometer errores que ella. Tenía que haber sufrido las mismas desventajas físicas y sentido el mismo aislamiento.

Le divertía y molestaba a la vez no poder descifrarlo. Era una solitaria, pero aún así deseaba tener amigos, familia y gente a su alrededor, aún cuando su particular lote de talentos genéticos lo hicieran imposible. Era muy sensible a los sonidos. Estar constantemente filtrando sonidos era difícil y agotador. Llama necesitaba una gran cantidad de tiempo muerto para estar en silencio. Cuando se sentía intrigada por algo tenía la tendencia a volverse obsesiva-compulsiva al respecto hasta satisfacer su curiosidad, otro de sus defectos. Estaba totalmente intrigada por Gator.

Los guardias se habían dispersado y estaban cubriendo el parque, prestando particular atención a la zona donde había estado su motocicleta. Ninguno de ellos pensó en mirar hacia arriba, pero todos parecían estar nerviosos. Y no tenía nada que ver con estar asustados por encontrar al ladrón. Al juntarse hablaban en voz baja y todos tenían miedo de su jefe. Quería sus maletines de vuelta y los quería inmediatamente.

Llama sonrió con aire de suficiencia. Dejaría a Saunders saber qué se siente. ¿A cuánta gente en el *bayou* había robado? Escuchó los susurros con atención, esperando oír algo sobre la desaparición de Joy Chiasson, pero no la mencionaron. Su sonrisa desapareció y frunció el ceño. Las autoridades negaban que le hubiese pasado algo a la chica, pero Llama estaba segura de que estaban fingiendo no saber nada. Al igual que cualquiera que tuviera autoridad sobre Whitney no querrían saber cómo su valiosa investigación se había llevado a cabo. Mientras tuvieran resultados, eso era todo lo que importaba.

Había hackeado los archivos de Whitney y aprendido todo sobre el dopaje de los genes y el refuerzo genético. Él había usado un virus para introducir los genes en sus células y su sistema inmune lo había tolerado. Podía correr dos veces más rápido y el doble que la mayoría de los humanos, y muchas otras cosas más, bastantes como para saber que había introducido conscientemente los genes a través de todo su cuerpo.

Tenía una mente rápida y había leído todo lo que pudo encontrar sobre la terapia genética, y sabía que Whitney iba por delante de los demás con sus experimentos. Por supuesto, había usado humanos y no ratas. Ella no pensaba que buscase el soldado perfecto y ni siquiera el niño perfecto: quería su propia creación. Era el producto final lo que importaba, la idea de que su cerebro había concebido y desarrollado algo superior. Y si había problemas, era por culpa de un defecto humano, no de su trabajo.

Siendo niña había desarrollado un tipo raro de cáncer, un desorden en la sangre que Whitney había tratado con el suficiente éxito como para ponerlo en remisión, pero no curarlo. Y ahora, cuando las contusiones no se le curaban o se sentía agotada, sabía que ahí estaba la enfermedad, esperando para destruirla. Pero saberlo no le impedía vivir su vida o hacer un poco de justicia con capullos como Saunders. Podría ser que nunca tuviera la oportunidad de darle a Whitney su merecido, pero al menos podría hacerlo con otros como él.

Saunders vendía propiedades a la gente mayor en el *bayou*, aquellos que no creían en los bancos. Cogía sus depósitos en arras y cuando llegaba el momento del pago final, justo antes de entregar el dinero, misteriosamente los asaltaban. Esta noche quizá se había hecho un poco de justicia.

Las voces de los guardias comenzaban a perder intensidad y Llama envió inmediatamente ondas de sonido a través del parque, usando su eco-ubicación para establecer la posición de cada guardia. Dos patrullaban en la zona más cercana a la finca de Saunders, mientras otros tres vagaban por el parque. Llama aprovechó la oportunidad para saltar del árbol, cayendo cerca de su base, con las manos enguantadas y listas para defenderse, pero pegadas al cuerpo, presentando así el blanco más pequeño posible.

¿Dónde habría aparcado Gator su Jeep? No lo aparcaría en la calle donde uno de los guardias pudiera verlo, y tampoco podría haberlo dejado en el parque. ¿Dónde? Avanzó hasta un cruce, bajando hacia la finca de Saunders pero paralela al parque, manteniéndose en el espeso follaje. Confió en el sonido para mantenerse informada, concentrada en la eco-ubicación a la vez que mantenía el control visual.

El Jeep estaba aparcado una manzana por encima de la casa de Saunders cerca del parque. El vehículo tenía puesta la capota pero no las puertas. Llama arrugó la nariz. Sabía que iba a llover y que se iba a mojar. En su motocicleta no le molestaba porque era parte de la experiencia, pero en el Jeep de Gator, teniendo en cuenta que ya estaba molesta, la lluvia sería una razón más para vengarse.

Esperó a que los guardas se concentraran al final del parque antes de hacer un puente al Jeep y partir. No puso las luces hasta doblar la esquina y estar fuera de peligro. No tenía la paciencia necesaria para encontrarse con los hombres de Saunders, después de que el hombre de Whitney se hubiera llevado su querida moto.

Condujo por Nueva Orleáns hasta encontrar una calle tranquila donde detenerse y, usando un puntero láser, buscó en la guantera una dirección. El documento del seguro y el registro del vehículo estaban metidos cuidadosamente en una bolsa de plástico.

—Gracias, señor Fontenot —dijo en voz alta.

Vivía a lo largo del río, justo al norte del canal, en el mismo barrio donde se encontraba ahora, aunque solía ir en barco para llegar hasta su residencia actual. Pero Fontenot tendría un viaje mucho más ventajoso. En su moto. El muy cabrón. Maldito cabrón.

Llama condujo con cuidado, no queriendo atraer la atención mientras localizaba la calle. Lo último que necesitaba era que un policía la parara. En cualquier caso, quería que Gator se sintiese muy satisfecho consigo mismo. Quería que sintiera un falso sentido de seguridad, cómodo y a gusto en su cama. Si había cuidado su moto correctamente, sería una chica buena y no lanzaría su Jeep al Mississippi, que es lo que se merecía.

Pensó en cada artículo que llevaba en las alforjas de la motocicleta. ¿Se había dejado algo que pudiera ser un rastro que condujera hasta ella? La dirección de su seguro y su registro eran de hacía mucho tiempo. ¿Qué más tenía? A menudo viajaba con pertenencias de emergencia por si tenía que escapar. Había dinero escondido en la moto, pero muy probablemente Gator nunca lo encontraría, no a menos que la desguazase, y nada podría salvarlo si se atrevía a hacerlo. Nada, ni nadie.

Llama cruzó el puente y condujo por las calles estrechas que bordeaban el agua hasta encontrar la calle que giraba hacia el río donde estaba la casa de Fontenot. Cuando estuvo segura de estar en la propiedad correcta, aparcó el Jeep bajo unos árboles y se encogió en el asiento para dormir.

Todas las chicas de la escuela de tortura de Whitney habían sido entrenadas para fijar y utilizar su reloj interno. Durmió dos horas, dando a Gator Fontenot suficiente tiempo para ponerse a salvo. Llama se estiró para desentumecerse, dejó el Jeep al final de la calle y continuó a pie para no alertarlo de su presencia. Caminó lentamente, tomándose el tiempo para orientarse en el lugar. Quería encontrar las rutas más rápidas para un posible escape. La propiedad tenía puertas de hierro y eran pocas las personas en el barrio que las tenían. Eran altas y estaban cerradas para aislarla de la calle.

Podía saltar el portón, pero ¿por qué Fontenot había vallado su hogar? Vio un viejo camión sin ruedas y una camioneta desmontada al otro lado de la valla, pero nada más. Ciertamente, nada para justificar tanta protección. A menos... extendió su pensamiento y encontró a los perros. Perros de caza si no estaba equivocada, que ya estaban al tanto de su presencia. Antes de que pudieran gatillar un coro de alarmas, los detuvo.

Por supuesto que tenía perros. Un error negligente.

—Y todo porque perdí el temperamento. ¿Ves Llama? Esto es lo que sucede cuando pierdes el control. No es personal. No te lo tomes como algo personal.

Y un demonio que no era personal. No había nada más personal que el hecho de que alguien le robase su moto. Le picaban los dedos de ganas de querer estrangularlo. Saltó la valla, aterrizó con ligereza, y esperó para asegurarse de que los perros estuvieran quietos y ningún sonido delatara su presencia.

Había dos edificios grandes. La casa principal parecía oscura y silenciosa. Los perros se movían agitados dentro de una perrera próxima. El segundo edificio, obviamente el garaje, estaba ligeramente detrás de la casa y tenía cerraduras en las puertas dobles y en otra entrada más pequeña. Llama se acercó bordeando el muro, recelosa de todo ese escenario.

Sabía que no debía apresurarse. Estudió el lugar, buscando al enemigo, determinando cuántas opciones tenía para escapar y cuánto tiempo le tomaría. Trazó un mapa mental de varias rutas por las que escaparía en caso de problemas.

Llama sabía que podía estar cayendo en una trampa, pero no podía abandonar su moto. *Primera regla: nunca atesores tanto algo que no puedas abandonarlo en caso de problemas.*

—Vete al diablo, Whitney. No pienso vivir así. No puedes gobernar mi vida.

Pero lo hacía. Gobernaría siempre su vida hasta que la mandara matar. Jugó con ella como una marioneta. Sabía que no tenía que entrar en el garaje. Whitney le había enseñado eso. Y la conocía por dentro y por fuera, sabía que detestaba su autoridad. Rechazaba su autoridad.

La tierra debajo de sus pies se movió y los árboles se sacudieron siniestramente. Los perros gimotearon en la perrera. Llama se apoyó contra el grueso tronco de un árbol y forzó al aire a entrar en sus pulmones. Su cabeza la estaba matando. Había usado demasiada energía psíquica esa noche y estaba pagando por ello. Era una mala señal. Y necesitaba estar absolutamente bajo control.

Apretando los dientes, se acercó al garaje. No fue difícil encargarse de las cerraduras y no había alarma en ninguna parte, por lo que entró fácilmente. Cero rastro de la motocicleta. Su precioso bebé estaba prisionero en otro lugar.

Sin vacilar, Llama se dirigió a la casa. Las escaleras crujieron bajo su peso y cambió de ruta inmediatamente, dando la vuelta por el largo porche para buscar el camino al tejado. Estaba más cómoda en lugares altos. Subió por el costado de la casa, usando el pasamanos del porche y el techo para llegar al segundo piso con facilidad. Se arrastró por el pequeño balcón y encontró que las puertas francesas estaban sin pestillo.

Abriendo una de ellas lo suficiente para deslizarse dentro, Llama entró agachada, pegada a la pared y cerró la puerta sin hacer un solo ruido. Permaneció inmóvil, esperando a que sus ojos se acostumbraran a la diferencia de iluminación. El cuarto olía a gardenias y a lavanda. Una sábana rosa cubría a una mujer de cabello gris que dormía en una cama con dosel. Parecía muy frágil. Llama frunció el ceño, preguntándose por qué el cazador de Whitney la había conducido a personas civiles, a menos que el Jeep fuese robado.

Llama se movió con cuidado, evitando que las tablas del suelo crujieran mientras cruzaba la habitación hacia la puerta. Había un tocador con un cepillo y un espejo antiguos y varias fotografías a la izquierda de la puerta. Llama las miró tratando de distinguir sus caras en la oscuridad. Esto era un hogar. Tenía el estilo del *bayou*, pero olía a dinero. En alguna parte de la línea familiar había entrado dinero. Se preguntaba si ese dinero había venido de Whitney, en forma de soborno para que Gator la cazara y la llevara de vuelta.

¿Estaba Gator detrás de Dahlia? Pobre Dahlia. Llama recordaba a todas las otras niñas, a cada una de ellas. Whitney no apreciaba a Dahlia más de lo que la había apreciado a ella. La encerró en un sanatorio y la mantuvo aislada del mundo, negándole una casa y una familia, igual que había hecho con la mayor parte de las chicas de alguna u otra manera. El doctor Whitney había experimentado con bebés, continuando los experimentos cuando ya eran niñas, luego adolescentes e incluso en sus vidas adultas. Nunca las iba a soltar y no había duda de que jamás permitiría que se descubriera lo que había hecho.

Miró a su alrededor, impresionada de que Whitney hubiera conseguido que alguien abandonara una casa tan hermosa para trabajar para él. La estructura probablemente había empezado como una casa de madera más tradicional y con la mitad de pisos, con un porche cubierto o *galerie* levantada sobre pilares para resguardar el suelo de la tierra mojada. La granja de Fontenot tenía una parte frontal que daba al pantano para transitar a través de los canales así como para recolectar las aguas. Tenían mucho bosque para cazar y cortar madera y campos para plantar lo que necesitaran para sobrevivir.

Por el aspecto de la casa, se notaba que les había ido bien.

Salió sigilosamente al pasillo y bajó por la larga escalera que conducía a la entrada, estudiando la distribución de la primera planta. ¿Cómo había atraído Whitney a alguien como Gator Fontenot para meterlo en su mundo de engaños y traiciones? Aquello era un hogar lleno de cariño. Se veía en las fotos de caras sonrientes. Alguien, muy probablemente la mujer que dormía en el piso superior, cosía telas de algodón para hacer colchas. Había bonitas cosas hechas a mano por toda la casa, artículos que cuidaban el detalle. Algo que ninguna de las niñas de Whitney había experimentado o tan siquiera conocido.

No le extrañaba que fueran todas tan disfuncionales; no habían crecido en un buen ambiente familiar con una dulce señora mayor que les preparara el desayuno cada mañana. ¿Qué había pasado con Gator? ¿Qué le hizo cambiar todo esto para trabajar con Whitney? Una ráfaga de cólera recorrió su cuerpo y sintió la casa moverse levemente. Inspiró profundamente y continuó moviéndose, intentando pensar en otras cosas.

Apuntó con el pequeño puntero láser a las fotografías sobre las escaleras. Unos niños pequeños le sonreían, alrededor de una señora mayor que parecía orgullosa y seria. A medida que bajaba las escaleras, los niños fueron creciendo y convirtiéndose en adolescentes descalzos al lado de cocodrilos y pescados, con las mismas sonrisas tontas en sus caras. Reconoció a Gator. Parecía el mayor de los hermanos con sus greñas de cabello negro, rizado y sus ojos brillantes.

Al final de las escaleras había una cómoda con una colcha de matrimonio sobre ella. Y tres cómodas más, cada una cubierta con una colcha de matrimonio. A pesar de la gravedad de la situación, Llama se sorprendió a sí misma sonriendo. Alguien estaba tratando de decir algo a los muchachos de forma poco sutil. Era asombroso pensar que familias como esta realmente existieran, y Gator había sido muy afortunado de crecer en una de ellas. Este factor le hizo enfadarse más aún con él. Parecía una traición que la tentaba con todo lo que ella había anhelado en su vida. Luchó contra su mal genio. Quienquiera que lo hubiera educado debería haberle dado una buena patada. Pero no era demasiado tarde para darle una y ella era la mujer adecuada para hacerlo.

Lo encontró en el segundo dormitorio, profundamente dormido y con su mano sobre el asiento de su motocicleta, que estaba aparcada a unas pulgadas de su cama. Sacando un cuchillo de la funda escondida en su bota, se colocó por encima de su cabeza y contra la pared, de forma que su respiración agitara unos mechones de su cabello mientras colocaba la cuchilla contra su garganta con exquisita delicadeza.

Él se despertó al instante, completamente alerta, sintiendo el peligro que flotaba en la habitación y se expandía por las paredes. Incluso las tablas del suelo crujieron como si protestaran, pero no movió ni un músculo.

—*Cher*, qué ilusión me hace verte de nuevo.

—Me has robado la moto.

—Salvé tu bonito culo, eso es lo que hice.

Sintió la ondulación de sus músculos aunque no le estuviera tocando la piel. La tensión era muy fuerte en la habitación. Él era mucho más peligroso de lo que había imaginado y sus sentidos aumentaron la alarma.

—No te muevas, Wyatt. No querría cortarte accidentalmente la garganta y este cuchillo está afilado.

—No te vayas a confundir, *cher*, soy Raoul, no Wyatt, y no estaría bien que te metieras con mi hermanito.

Su tono era suave, incluso divertido, pero ella sintió algo letal en él. Raoul Fontenot quería que la gente pensase que era Míster Encanto, pero su risa fácil escondía algo mortal, algo que de repente podría dispararse. Su corazón latió a toda velocidad, golpeando fuerte al darse cuenta de que tenía a un tigre cogido por la cola.

—Lo único que quiero es lo que me pertenece, Raoul. No me podría importar menos tu hermano o los Whitney. Solo quita la mano de mi moto, siéntate tranquilamente y no habrá problemas.

—Pero es que ya tenemos un problema, *cher*. Has puesto un cuchillo en mi garganta y eso no me lo tomo muy bien.

Llama chasqueó sus dientes.

—Para ya de ser irracional. No está en tu garganta sino sobre tu garganta. Y tampoco me creo la vieja rutina del buen hijo mayor, sabandija. Le dices a tu jefe que se aparte y me deje en paz. No volveré jamás.

Él arqueó una ceja.

—¿Quién piensas que es mi jefe?

—No estoy jugando contigo. Sé que eres peligroso. Sabes que yo también lo soy. No seamos tontos. Solo quiero mi moto y salir de aquí. Ni siquiera voy a empujar tu Jeep al Mississippi. Te dejaré la llave. Me parece un trato justo.

—El Jeep pertenece a Wyatt y no le gustaría perderlo; por otro lado, no puede resistirse a una cara bonita. —Una sonrisa lenta y derretida surgió en sus oscuras facciones—. Y la verdad, *cher*, es que tienes una cara endiabladamente bonita.

Su respiración abandonó sus pulmones en una inesperada ráfaga, y unas mariposas parecieron agitarse ligeramente dentro de su estómago. El hombre era letal.

—También tengo un cuchillo muy afilado y me estás irritando como no te imaginas.

Los blancos dientes de Raoul destellaron.

—Me cuesta creerlo. A casi todas las mujeres les parezco encantador. Pienso que nos estás mintiendo a ambos, Llama.

La voz de él fue tan baja, tan sensual y la arrastró con tanta melaza que derritió su interior. La reacción que provocaba en ella la asustaba. No tenía ese tipo de conexión con la gente, menos aún con traidores. Despreciaba a los hombres como Gator, que tiraban a la basura todo lo que ella habría dado su brazo derecho por tener, sólo por dinero o poder. Llama aspiró aire bruscamente, tratando de verlo como el enemigo, cuando por alguna extraña razón, su cuerpo quería verlo con una luz totalmente diferente.

—Te han reforzado —dijo en tono de acusación.

Tal vez Whitney hubiera resuelto cómo aumentar el magnetismo sexual y Gator fuera la última arma contra las mujeres. Apretó los dientes e interiormente juró resistir.

—Como a ti. —Cambió de posición, evitando la hoja afilada contra su piel, hasta que pudo mirarla a la cara—. Pareces cansada, *cher*.

Había preocupación en su voz, en las profundidades de sus ojos. Conocimiento. Su corazón estaba latiendo pesadamente de nuevo y algo cercano al miedo se le anudó en el estómago.

—No te preocupes por mí, Gator, no estoy tan cansada como para no poder rajar tu garganta. Acabemos con esto. Incorpórate lentamente.

—No sé si querrás que lo haga. —Había un tono jocoso evidente en su voz—. Estoy un poco desnudo, por decirlo de alguna forma. No me gusta llevar mucha ropa cuando duermo.

No pudo detener el rubor que cubrió sus mejillas. Maldito, parecía tener un control total, calmado y seguro de sí mismo a pesar del hecho de tener un cuchillo en su garganta. *¿Sería realmente tan bueno?* Por primera vez le asaltó la duda.

La puerta de la habitación se abrió con un golpe tan fuerte que rebotó contra la pared con tal fuerza que por poco vuelve a cerrarse. Un pie fuerte la volvió a abrir, astillando la madera, y una pequeña copia de Gator apareció enmarcada en el umbral con la mirada fija sobre el cuchillo en el cuello de su hermano.

—Parece que estás teniendo problemas de faldas, Gator —saludó, confirmando la creencia de Gator de no ser el único en la familia con talentos psíquicos naturales.

Llama tensó su presión sobre Raoul.

—Dile que no se meta —dijo bruscamente.

La tensión en la habitación aumentó al límite. Gator le cogió la muñeca inadvertidamente y clavó el pulgar en un punto de presión que hizo que los dedos de Llama se abrieran involuntariamente y dejaran caer el cuchillo. Al mismo tiempo, tiró de ella hacia abajo, aliviando la presión de su cuello y con su otra mano la cogió por el cuello lanzándola por encima de su cabeza a los pies de la cama.

Un segundo más tarde estaba encima de ella, atrapándola contra el colchón. Miró a su hermano con una enorme sonrisa en su cara.

—Nunca he tenido problemas con las mujeres, Wyatt. —Bajó la cabeza hasta que pudo oler el cuello de Llama—. Ah, *cher*, hueles tan bien.

La furia se apoderó de ella. Una burbuja brillante de cólera hizo que la habitación se estrechara, su visión se cerró, y todo se puso rojo al ver su sonrisa satisfecha. La casa se sacudió, las paredes vibraron y Wyatt se agarró el estómago, doblándose.

La sonrisa desapareció al instante. Los ojos negros de Gator la miraban peligrosamente mientras sus dedos se cerraban como una tenaza sobre su tráquea.

—Para ya.

—Mátame entonces —se atrevió a decir, con la voz ronca y los ojos desafiantes.

—Wyatt, sal de aquí —le ordenó Gator.

—Eso no lo salvará —jadeó para coger aire pero mantuvo la calma.

Si entraba en pánico toda la casa y todos sus ocupantes se irían con ella.

—Es inocente. Mantén esto entre nosotros. —Pronunció cada palabra entre sus blancos dientes, su mirada negra entornada y dura.

—No sé si puedo.

Llama trató de ser honesta.

Su mirada encontró la suya directamente, esperando que él viera que decía la verdad.

Él dejó escapar el aliento lentamente, soltando la presión sobre su tráquea.

—Respira, *cher*. Sácalo. Lo haces cada día de tu vida. Lo sé. Yo soy igual.

Miró hacia la puerta y a su hermano, y ambos escucharon unas suaves pisadas llegando de prisa hasta ellos.

Ella lo miraba fijamente mientras intentaba desesperada alcanzar la respiración de Raoul, el aire que entraba y salía de sus pulmones, regulando así su propia respiración, sacando la cólera de su cuerpo lo suficiente para recuperar el control.

—Eso es, *ma petite enflamme*. Muy bien.

Su mirada se suavizó un momento dejando asomar un brillo de gratitud y se endureció de nuevo.

—No estaré bien hasta que me devuelvas mi moto, ladrón.

—Mira quien fue a hablar... —le respondió.

—¡Raoul Fontenot! —Una voz de mujer cortó la tensión—. ¿Qué estás haciendo con una mujer en tu cama y desnudo como el día en que naciste?

Sobresaltada, Llama miró a la pequeña viejecita en bata que sostenía una escopeta casi tan grande como ella. Su cabello blanco plateado estaba trenzado y recogido en un pulcro moño en la parte de atrás de la cabeza. Su piel era blanca y fina como el papel, pero sus ojos eran claros y firmes y tenía los labios firmemente apretados en muestra de desaprobación.

Gator gateó para coger una sábana, levantándose a medias al hacerlo.

—*Grand-mère* Nonny...

Su abuela lo cortó con una sola mirada y sin decir una palabra. La mujer era magnífica. Llama habría dado cualquier cosa por tenerla como pariente. Se sentó lentamente, ignorando el rápido gateo de Gator para cubrirse. Sin embargo, le lanzó una ojeada furtiva.

—Lo siento mucho, señora. No debería haber venido. —Bajó la mirada para parecer joven y vulnerable e hizo que le temblara la voz—. Estaba cantando en un club y llego él con sus palabras dulces y sonriéndome. Yo sé que no estuvo bien. De veras que soy una buena chica. Y ahora hay un bebé en camino y yo... —Se apretó la mano contra el vientre mientras se ponía en pie temblorosa—. Pensé que si venía, él haría lo correcto, pero...

Trató de sonar patética.

Nonny bajó el cañón del arma al suelo, no pareciendo notar cuando Wyatt la cogió de la mano con una sonrisa amplia en su rostro.

—*Grand-mère* —protestó Gator—, no la escuches...

Levantó el brazo bruscamente, y le ordenó silencio con un gesto imperativo de la palma de su mano, callando su explicación de que no había pasado allí suficiente tiempo como para haber hecho lo que Llama le echaba en cara.

Su abuela dio un paso hacia delante y puso su brazo alrededor de Llama.

—Pobre niña. Te ves muy delgada. Déjame hacerte una taza de té.

—*Bien merci!* Es usted muy amable. —Llama lanzó una mirada triunfante sobre su hombro a Gator antes de bajar nuevamente la cabeza para seguir a su abuela—. Mi familia va a repudiarme. No sé que hacer pero lamento haber venido. No debí hacerlo. Fue un error. Ahora me odia más que antes.

—No te odia. Solo está aturdido. Los hombres nunca piensan que sus pollos van a volver al gallinero. No te preocupes, *cher*. Te ayudaré. Vamos a arreglar esto rápidamente. Gator se hace cargo de sus responsabilidades. Es un chico educado.

—Tengo que irme. No puedo enfrentarlo en este momento —dijo Llama, echando un vistazo rápido hacia la puerta.

Tendría que marcharse sin su moto, pero podría hacerlo en el Jeep antes de que él pudiera vestirse, pacificar a su abuela e ir tras ella.

—Pareces enferma, niña. Déjame ayudarte.

Llama le dio una palmadita en el brazo, tragándose el nudo repentino e inesperado que se había formado en su garganta. La preocupación de la abuela de Gator era genuina y no tenía duda de que hubiese hecho todo lo posible para ayudar a una embarazada soltera. Maldito Gator por sus elecciones egoístas. Debía atesorar a esta mujer y valorar a su familia. No tenía ningún derecho a venderse como marioneta de Whitney.

—*Merci. Bien merci* —balbuceó varias veces mientras se apresuraba hacia la puerta y al calor y la lluvia de la noche.

Tenía lágrimas en los ojos y no sabía por qué; se negaba a preguntárselo. Se las secó con la mano y corrió hacia el Jeep.

Capítulo 4

*E*l sol se hundió profundamente en el pantano, lloviendo fuego y vertiendo oro en las oscuras aguas. Varias garzas azules se perfilaron en el horizonte y parecían enormes figuras recortadas en papel negro que se movían lentamente por las orillas del canal. Largas cuerdas de musgo pendían de los cipreses y se extendían hasta el agua creando una selva roja y dorada de sutiles brazos que se sumergían bajo la superficie brillante. Con una humedad tan alta, incluso las criaturas de la noche se movían lentamente. Las serpientes se lanzaban al agua desde las ramas que colgaban bajas y las tortugas de agua se deslizaban mucho más silenciosas en las profundidades oscuras.

El empalagoso perfume de las gardenias y jazmín flotaba pesado en el aire añadiendo peso al opresivo calor. Una pequeña extensión de hierba y varios tocones de árboles cubrían el área entre la pequeña cabaña y un embarcadero desvencijado. Un cocodrilo se estiraba a lo largo del embarcadero. Parecía un perro guardián, tenía los ojos medio cerrados, y su boca muy abierta exponía sus dientes afilados mientras miraba hacia los botes y la cabaña con vago desinterés. Otros dos cocodrilos dormitaban en la hierba entre los troncos y las flores cerca de las escaleras que llevaban al porche. Ninguno levantó la mirada cuando un ruidoso grupo de personas ataron sus piraguas y pequeños botes y se subieron al embarcadero. El grupo esquivó el cocodrilo guardián haciendo una gran curva y lo saludaron. Las noches de los viernes atraían a las multitudes bulliciosas y la música rítmica a todo volumen.

—*Laissez le bon temps rouler!* —Wyatt le sonrió a su hermano mayor y señaló la nevera mientras empujaba el largo remo hacia el fondo del canal, conduciendo la piragua hacia el embarcadero—. Por supuesto, puede que *grand-mère* nunca te perdone si no te casas con esa chica y formas una familia con ella.

—*Oui, tais toi,* Wyatt —gruñó Gator—. Aunque no niego que la idea de llevarla a la cama hace que mi corazón cante.

Wyatt le dio un pisotón en broma.

—Y otras partes de tu cuerpo también. Era guapísima, incluso mientras te ponía un cuchillo en la garganta.

—Yo lo he visto en acción —anunció Ian MacGillicuddy, abriendo la tapa de la nevera—. Y le creo a ella. Gator se ha pasado el tiempo metido en los clubes y estaría dispuesto a apostar que la sedujo para meterla en su cama.

Gator le lanzó un tapón de cerveza a Ian.

—Sabes que no he estado aquí lo suficiente como para hacer un bebé, por mucho que la idea de intentarlo con ella me atraiga.

—No sé, hermano, ahora hay esos test que pueden decírtelo de un día para el otro. *Grand-mère* está mosqueada. Quiere un matrimonio y no va a ser el mío. —Wyatt sonrió a su hermano—. Y esa mujer sostenía el cuchillo como si supiera usarlo. Esa sí que es una gata salvaje.

Gator enseñó los dientes.

—Sí, la verdad es que lo es. Me lo demostró cuando me hizo incorporarme. —No había dejado de pensar en ella. Cuando se lanzó sobre su cuerpo, sintió que su piel había sido lo más suave que hubiese tocado jamás. La deseaba con cada célula de su cuerpo. La sangre corría caliente y ávida por sus venas hacia su entrepierna, dejándolo adolorido solo de pensar en ella. Le gustaban las mujeres, amaba a las mujeres, pero no deseaba a ninguna en particular, no de esta manera. Forzó una amplia sonrisa—. *Laisez le bon temps rouler!*

—¿Qué demonios significa eso exactamente? —inquirió Ian—. Eso y el comentario que le has hecho a tu hermano. Me da la sensación de que no era nada bueno.

—Él me dijo que me callara.

—Deja que los buenos tiempos rueden —explicó Gator para el gran irlandés, ignorando a Wyatt—. El Club Huracán pertenece a Delmar Thibodeaux y siempre está a tope.

—Es bueno tenerte en casa, Gator —dijo Wyatt—. *Grand-mère* está muy feliz. No la he visto sonreír así desde hace un par de años. Bueno, hasta que dejaste a esa mujer embarazada, pero si te casas con ella, seguro que *grand-mère* lo olvidará todo.

Desafortunadamente, su abuela le hacía caso omiso cuando le señalaba que llevaba sólo cuatro semanas en casa. Técnicamente cuatro semanas era más que suficiente para que un Fontenot dejara embarazada a una mujer. Nonny quería a sus nietos casados y asentados, no salvajes y corriendo por ahí. Quería que hubiera otra mujer cerca y pequeños bebés para cogerlos en brazos. Gator giró la cabeza para que su expresión no lo delatase ante su hermano e Ian. Tenía un deseo repentino de eso mismo, ahora que estaba fuera de su alcance. Curioso como lo había dado todo por sentado. La casa. La familia. Una esposa e hijos.

—*Grand-mère* dijo que ha habido gemelos en la familia, Gator. Estará esperando dos de ti en seguida. Será mejor que encuentres a esa mujer y la ates rápido, hermano.

—Sigue hablando y te ato a ti las orejas —dijo Gator, forzando una risa suave mientras se volvía hacia su hermano.

El sonido se propagó por el silencio del pantano, pero la sonrisa no alcanzó sus ojos inquietos. Miró el pantano, cada uno de sus canales, la tierra que lo rodeaba, los pájaros volando. Incluso aquí, en casa, con sus amigos y su familia, no dejaba que se le escapase ni un solo detalle.

Wyatt se apoyó en el remo un momento, y estudió los recortados planos y ángulos de la cara de su hermano.

—No has cambiado mucho. Igual de relajado que siempre, pero sigues siendo el más duro del *bayou* —le sonrió a Ian—. Los chicos querían pelear cada noche, pero nunca con Gator. Nunca se metieron con él.

Gator sonrió, pero mantuvo su mirada en la gente del muelle y en los botes. Era bueno estar en casa a pesar de las razones que habían forzado su vuelta. Su último viaje había sido muy rápido, una entrada y salida al *bayou* y lleno problemas. Esta vez podía saborear su estancia en casa. Solamente por la manera en que la cara de su abuela se había iluminado al verlo había merecido la pena el viaje.

Bueno... al menos hasta que se le había metido en la cabeza que debía responsabilizarse de sus acciones. Llama había contribuido bastante con su actuación de pobre mujer inocente seducida por los encantos de un seductor. Además, ya tenía cierta reputación con las damas y su abuela lo sabía. Siempre había sido despierta; de pequeños estaban seguros de que tenía ojos en la parte de atrás de la cabeza para vigilar sus fechorías. Y ahora quería que Llama fuera traída al redil de la familia. Había dejado de negar que había dormido con ella.

Y había dejado de negar que estuviera esperando a su hijo. ¿De qué serviría? Su abuela quería que fuera verdad y nada de lo que dijera iba a cambiar ese hecho.

—Me muero de sed —dijo Ian. Él presionó la helada botella de cerveza que Wyatt le lanzó contra la frente—. Solo estoy reponiendo lo que he sudado.

Wyatt se rió de él.

—Eres un blando, *mon ami*, no aguantas el calor ni con la vida fácil que estás llevando.

—¿Vida fácil? —Una lenta sonrisa se extendió por la cara de Ian y echó hacia atrás su cabello rojo ondulado—. Me gusta eso, Gator. Estamos viviendo muy bien en la gran casa de la señorita Lily. —Se tomó de un trago la mitad de la botella de cerveza—. Eres un buen hombre, Wyatt, pero no sabes ni la mitad.

Gator resopló desviando el tema.

—No dejes que el muchacho te engañe, Ian. Wyatt no se ha estado comportando bien. No ha estado más que de fiesta, peleando y metiéndose en problemas con mujeres. *Grand-mère* me escribió acerca de lo mal que te estabas portando, Wyatt, y he venido a casa para enderezarte.

Wyatt le guiñó un ojo a Ian.

—Bueno, parece que ya no tengo mucho por lo que preocuparme, hermano mayor. ¡*Grand-mère* ahora tiene otra preocupación y esta vez no soy yo el problema! Llamé a los chicos y les conté que estabas a punto de casarte con una reina del vudú. Se alegraron mucho por ti.

—Te divierte todo esto, ¿verdad, Wyatt? —preguntó Gator.

—Claro que sí. —Se inclinó sobre el remo de nuevo, empujando la piragua cerca del muelle—. Por una vez en mi vida, no soy al que *grand-mère Nonny*, va a dar una colleja y estoy encantado.

—Estoy seguro que tu abuela lo entenderá cuando le digas la verdad —le calmó Ian.

Wyatt y Gator sacudieron sus cabezas simultáneamente.

—Una vez que *grand-mère* se convence de algo, no lo suelta —explicó Wyatt—. Gator va a tener que encontrar una esposa, lo quiera o no.

Gator rememoró la sensación del suave cuerpo de Llama pegado al suyo. Ella era tan malditamente suave. Y sus ojos... vivos. Verdes. Un hombre podría ahogarse en ellos. Puede ser que estuviese más preparado de lo que pensó que estaba. Sacudió la cabeza como si así pudiera sacarse de encima un pensamiento tan idiota de encima.

Al final ella lo había mirado casi desesperadamente cuando estaba bajo su cuerpo, sus dedos apretando su tráquea, los dos cara a cara, peligrosos y enfadados el uno con el otro.

No sé si puedo. Escuchó de nuevo las palabras de Llama en su cabeza. Había una mezcla de miedo y honestidad en ellas. Había sonado tan jodidamente vulnerable que le dolía pensarlo. Cada sentimiento protector que tenía se había extremado y dirigido hacia ella. Había temido herir a su familia. No quería hacerlo, pero estaba asustada de que así pudiera ser.

Maldito Whitney. Malditos los dos Whitney. Había vuelto a casa a buscar a una amiga perdida. Pobre pequeña Joy. Sus padres no eran ricos y era fácil para la policía creer que se había marchado a la gran ciudad en vez de llevar a cabo una investigación a gran escala que podía costar dinero de los contribuyentes. Ella era su prioridad, no Iris Llama Johnson. Le daba igual lo que Lily dijera. No tenía que llevar a Llama de vuelta al lugar que debía haber sido un infierno para ella. Un lugar donde sólo había malos recuerdos y...

—¡Joder!

Wyatt se agachó agarrándose a los lados de la piragua que osciló inesperadamente.

Gator levantó la vista de pronto, vio el agua agitarse y se encontró con la mirada de Ian por encima de la cabeza de su hermano. Inspiró larga y lentamente y expulsó el aire para calmar su agitación. Ian frunció el ceño y Gator se encogió de hombros. Necesitaba encontrar su equilibrio y mantenerlo todo el tiempo. Estiró el brazo para coger otra botella de cerveza de la nevera y se tragó una tercera parte de ella sintiendo cómo el líquido refrescaba el calor que sentía.

—¿Alguna noticia de Joy, Wyatt? —preguntó de repente.

Wyatt suspiró.

—Nada, nadie parece haber visto absolutamente nada.

Gator lo miró inquisitivo, notando las sombras en los ojos de Wyatt y su cara sombría.

—Dijiste que habías tanteado el terreno con respecto al chico con el que salía y que habías hablado con algunos de tus amigos.

—James Parsons. Unos veinticuatro años, guapo, al menos es lo que dicen todas las chicas. Su padre se codea con políticos y conoce a cualquiera que sea alguien. Se rumorea que James llevó a Joy a casa a cenar, y papá y mamá se opusieron. Dijeron que no era suficientemente buena para su círculo de amigos y que él podía pasarlo bien si quería, pero que se olvidase de algo más duradero... Por lo que su hermana me contó, lo dijeron delante de ella y James no pronunció ni una palabra en contra.

—Menudo idiota —dijo Ian intercambiando una rápida mirada con Gator. Ambos conocían a Parsons padre. Era el investigador principal de la DEA y en ese momento estaba escudriñando a un empresario local por blanqueo de dinero. También conocían su reputación de ser un esnob de primera clase.

—Los hermanos de Joy expresaron su opinión en términos bastante más fuertes —dijo Wyatt.

—Después de una humillación así, puede ser que quisiera marcharse —aventuró Gator—. Apuesto a que no volvió a citarse con Parsons.

—No, pero él siguió tras ella —dijo Wyatt—. Su hermano mayor, Rene, le dio una tremenda paliza, pero no sirvió de nada.

—Lily dijo que la policía lo interrogó y que parecía genuinamente preocupado por la desaparición de Joy.

—Sus hermanos y tíos piensan que tuvo algo que ver con su desaparición. Yo no. Creo que tenía miedo de contrariar a su papito y que estaba reuniendo el valor para escaparse con ella. Joy no es del tipo de chica que se escapa. No estaba avergonzada ni de su familia ni del *bayou*. Es inteligente y tiene talento y cuando James Parsons no salió en su defensa le dijo que se fuera al infierno.

El filo de la voz de Wyatt se volvió más cortante.

—¿La conoces desde hace mucho? —le preguntó Ian a Wyatt.

—Fui al colegio con ella. Estaba totalmente fuera de mi liga. —Wyatt lanzó una mirada astuta a su hermano—. Un chica muy guapa y atrevida.

—No creo que ninguna chica esté fuera de tu liga Wyatt. —Gator hizo una breve pausa antes de tomar otro trago de cerveza para mirar a su hermano menor—. ¿Te gusta Joy?

Wyatt se encogió de hombros.

—Bueno, es guapa. Siempre estaba sonriente y era muy amistosa en el colegio. No la había visto en un par de años, excepto en la distancia, pero, sí, me gusta.

—¿Le pediste a *grand-mère Nonny* que yo viniera a casa? —preguntó Gator sagazmente.

Wyatt se encogió de nuevo de hombros y se ocupó de atar la piragua al muelle, saludando ausentemente a varias personas mientras lo hacía.

—Quizá mencioné que podías echar una mano. Siempre has sido como un sabueso. Sabes cosas que otras personas no saben. Y tienes conexiones con gente que podría involucrarse. Había más posibilidades de que la encontraran si volvías a casa.

—¿Conseguiste alguna información en los clubes?

—La verdad es que no. Nada que sirva. Pensé que tú podrías oír cosas que yo no puedo. —Era la primera vez que Wyatt reconocía saber que su hermano mayor era diferente. Como Gator continuó mirándolo fijamente, al final asintió—. Te he visto. No soy tan tonto como parezco.

Gator estiró las piernas, tocando las botas de vaquero de Ian.

—Creo que no vas a pasar muy desapercibido por aquí, irlandés.

—Nunca paso desapercibido —replicó Ian con orgullo y cogió otra cerveza—. Hace un calor del demonio. Siento añoranza del frío de Irlanda, toda alfombrada de color esmeralda y lluvia.

—Tenemos esmeraldas. —Wyatt señaló con su remo hacia las plantas—. Y llueve hora sí, hora no... Ya verás cómo caerá una ducha dentro de nada.

—Ah, muchacho, esto no tiene nada que ver con Irlanda —protestó Ian.

—No dejes que te engañe, Wyatt —dijo Gator—. No ha estado en Irlanda en su vida. Cree que va a atraer a las mujeres con ese acento que finge.

—Patético —sentenció Wyatt—. Todos saben que a las mujeres les encantan los cajún. Está en nuestra sangre, y nuestro idioma es la lengua del romance.

—Tu idioma es la lengua de las gilipolleces —corrigió Ian—. Vosotros no sois más que un par de chicos buenos con unas caras bonitas. Las mujeres deberían elegir mejor y buscar un hombre de verdad.

—Eres pelirrojo, Ian —dijo Wyatt con fingida tristeza, con la mano en su corazón—. Lo tienes difícil.

—Siempre se puede teñir —señaló Gator, mirando el salvaje cabello de Ian de manera juiciosa—. Podemos teñirlo de negro y ayudarle a aprender a hablar sin ese acentillo gracioso.

Ian, a pesar de su gran tamaño, lo alcanzó increíblemente rápido, puso su brazo alrededor de la garganta de Gator y le frotó la cabeza con sus nudillos.

—Te mostraré mi acentillo gracioso —amenazó—. Este es mi acento. Y se llama un buen acento irlandés ¿vale?

La piragua se inclinó peligrosamente y la nevera se deslizó hacia Wyatt, que soltó el remo en el fondo del bote y agarró lo más importante, la cerveza.

—Guarda la lucha para cuando estemos dentro, te va a hacer falta —le advirtió.

Ian le sonrió.

—Nadie pelea como un irlandés.

Wyatt amarró la piragua al muelle y se subió al embarcadero, sujetándolo firme mientras los Soldados Fantasma saltaban de la piragua. Una vez fuera Gator se estiró e hizo girar los hombros mientras miraba hacia el club. El Huracán era de los clubes más salvajes y populares del *bayou*. Como sólo era accesible por el canal, más que nada era frecuentado por gente local. De vez en cuando algunos astutos amantes de la música del distrito de negocios lo descubrían, pero la mayoría de las veces, el Huracán pertenecía a aquellos que vivían en el *bayou* y que bailaban, bebían y jugaban a lo bestia.

La música salía por las ventanas y a través de las finas paredes. La muchedumbre sonaba como un trueno y las conversaciones individuales se elevaban sobre la música. Ian se inclinó cerca de Gator.

—¿Serás capaz de oír lo que necesitas oír en este lugar?

Gator asintió.

—Puedo oír conversaciones a través de las paredes, Ian. Solo tengo que ordenarlas. Si alguien está hablando sobre Joy, lo escucharé.

—Debe doler, ¿verdad? —La voz de Ian era incluso más grave para evitar que Wyatt lo oyera—. He visto tu cara cuando estás trabajando con el sonido y parece que duele como el demonio.

—Es difícil filtrar todo. Puedo oír a una gran distancia, pero tengo que concentrarme en separar e identificar todos los sonidos. Es mucho trabajo, pero ya lo sabes, una vez que estás en esto aguanta lo que te venga. —Tomó aire mientras miraba el club—. Estoy entrenado para esto. Los ejercicios de Lily realmente me han ayudado. Noté una diferencia enseguida, pero aún así sé que saldré con un enorme dolor de cabeza.

—Los ejercicios de Lily son para levantar escudos, no para bajarlos como tienes que hacer en este caso —le señaló Ian—. El rastro de esta chica está frío. No sé si arriesgarte a sufrir así sea de lo más inteligente, Gator. Sé que quieres hacer esto por tu familia, pero...

—Quiero hacer esto porque no hay nadie más buscando a esa chica. No se fue a la gran ciudad así como así. Apreciaba mucho a su familia y no les causaría preocupación. Algo le ha pasado, algo malo, y alguien tiene que hacerse cargo.

Ian asintió.

—Entonces estoy contigo, Gator. Recoge la información, lo que sea, y nos ponemos a ello.

Unos matices azules arrojaban sombras misteriosas sobre las largas hebras de musgo que barrían el agua debajo de los árboles. La luna derramaba su luz a lo largo del *bayou* y los sonidos de la auténtica música cajún viajaban desde lejos. Llama salió a la cubierta de la casa barco y al ver al hombre mayor allí sentado le lanzó una sonrisa antes de hacer una pequeña pirueta.

—¿Qué le parece, *monsieur le capitaine*? —preguntó levantando sus brazos.

Los desvaídos ojos azules se fijaron en el ajustado vestido verde con un corte que exponía por un lado un esbelto muslo y escondía el otro con coquetería. El vestido se aferraba a cada una de sus curvas, enfatizando su exuberante figura. La ancha gargantilla negra de terciopelo que le cubría la garganta llamaba la atención sobre su cuello y la recta caída de su sedoso cabello pelirrojo. Sus enormes ojos eran de un verde intenso y estaban rodeados de largas pestañas. Por si fuera poco era imposible ignorar su boca sexi de carnosos labios.

El hombre mayor soltó su pipa y se quitó la gorra, haciéndole una reverencia.

—*Cher*, eres demasiado hermosa como para decirlo con palabras.

Ella hizo una pequeña reverencia.

—*Bien merci!* —Dio dos pasos por la cubierta para inclinarse y besarla en la sien—. Te he traído una sorpresa.

Le pasó una funda de almohada blanca.

Burrell Gaudet la miró a la cara y abrió la bolsa lentamente. Sus ojos se abrieron desmesuradamente al ver el dinero.

—¿Qué es esto?

—Sabes muy bien lo que es. Kurt Saunders robó tu dinero. Tenías un trato legítimo con ese capullo y él envió a sus hombres aquí para coger tu último pago y poder ejecutar una hipoteca sobre tu tierra.

Llama había vuelto a la casa barco la semana anterior, justo después del robo. Encontró al capitán sentado con la cabeza entre las manos, sus muebles rotos y el colchón rajado en dos. Entonces le contó toda la verdad. Que Kurt Saunders había enviado a sus hombres para robar el último de los pagos por su tierra. Saunders iba a ejecutar la hipoteca y lo perdería todo.

—Solo estoy devolviéndote lo tuyo.

—¿Dónde conseguiste esto? —repitió aturdido, mirando los paquetes de efectivo.

Ella se encogió de hombros.

—Te sugiero que vayas al banco y lo metas en una cuenta inmediatamente y consigas un cheque bancario para el señor Saunders. Si no, te robarán este dinero al igual que tu último pago.

El capitán contuvo la respiración y miró a su alrededor bajando la voz porque el sonido viajaba por los canales.

—Te advertí que te mantuvieras alejada de Saunders, Llama. Hace daño a la gente en el río. Y te dije que encontrarías una manera mejor de conseguir el dinero.

Ella le guiñó un ojo.

—No hay otra manera. Soy buena en lo que hago, *capitaine*. Os ha estado robando a ti y a tus amigos durante años. Era hora de que alguien le enseñase cómo te sientes cuando te roban. No te preocupes. Nadie me vio. —Eso no era exactamente verdad, pero no podía imaginarse a Gator delatándola. Independientemente de lo que estaba en su agenda, lo haría por su cuenta, sin involucrar a Saunders—. No me cogieron y nunca sospechará de mí aunque nos vea juntos algún día. Parezco demasiado dulce e inocente.

Burrell Gaudet sacudió la cabeza. Llama parecía cualquier cosa menos dulce e inocente. Parecía una seductora, sensual y pecaminosa, toda curvas y piel satinada. Solo su boca podía proporcionar un sin fin de fantasías. Más que su belleza o la manera en que se movía, era su voz lo que hacía girar las cabezas. Seductora y aterciopelada, se filtraba en el cuerpo de un hombre haciéndole olvidar todo menos su virilidad. Incluso a su edad Burrell no era totalmente inmune a su encanto.

Cerró los ojos brevemente al pensarlo. Aunque fuera un hombre mayor, ella tenía una forma de moverse, hablar, incluso sonreír que era pura provocación. Lo que le resultaba más raro, ahora que él la había conocido más, es que no era así para nada. Parecía tentadora, desatada y salvaje, hecha para las lentas noches en el *bayou*, pero no la había visto estar con nadie. No entendía qué les podía pasar a los chicos del barrio, pero si no se levantaban al verla, debían ser unos idiotas.

—Te dije que no te metieras en problemas por mí, Llama. No lo aceptaré.

—Lo hice por diversión, *monsieur le capitaine*, no por otra razón. Me gusta agitar la olla de vez en cuando y ver qué surge a la superficie.

—Algunas veces, *cher*, es mejor dejar el lodo en el fondo del río.

Burrell bajó la mirada a sus manos nudosas.

A esas alturas no había mucho que le proporcionara placer. Se sentaba en su casa barco y escuchaba la música del *bayou*, fumaba su pipa, y jugaba al *boure* con sus amigos mientras se contaban viejas historias. Los días de llevar el barco arriba y abajo por el Mississippi habían pasado hacía mucho tiempo.

Llama había devuelto la alegría a su vida. Su encuentro había sido accidental. Un chico le había robado la cartera y sus viejas rodillas no le daban como para seguir al ladrón calle abajo. De repente apareció ella, le dio una patada al carterista en el estómago con su bota, lo redujo en segundos y le devolvió la cartera a él. Habían ido al *Café du Monde* y mientras tomaban un café con leche y unos buñuelos él le ofreció un lugar donde quedarse en su casa barco. Poseía una pequeña isla, casi toda humedal e inutilizable, pero era suya e iba a seguir siéndolo. Desafortunadamente había comprado la tierra a Kurt Saunders y el hombre estaba determinado a recuperarla.

—Kurt Saunders se lo ha montado muy bien vendiendo propiedades para luego recuperarlas cuando los pagos finales desaparecen misteriosamente. Todos sabemos que roba el dinero, pero no sabemos cómo cogerlo. Me advirtieron que no le comprara a él, pero quería mi propia tierra, *cher*, y no pude resistirme. No le va a gustar nada que las cosas se vuelven en su contra.

—Vi el dinero, Burrell, tenías el pago entero. Y los seguí a la mansión privada de Saunders en el Garden District. No me extraña que viva como un rey. Roba a todo el mundo.

—Debería haber mantenido el dinero en un banco. Es por eso por lo que vende a las ratas del río. Sabe que no confiamos en los bancos. No soy el primero al que ha estafado. Pero, claro, ninguno de nosotros estaba seguro de que fuera él quien está detrás de los robos. Lo sospechamos, pero ninguno de nosotros puede probarlo.

—Ya te dije que no guardes tu dinero en el colchón con todo ese moho. —Llama le acarició la cabeza afectuosamente—. Un poco de tecnología moderna no va mal. A mí no me engañas, Burrell. Seguro que recibiste una buena educación para poder haber sido capitán de barco en el Mississippi todos esos años.

—Nací y crecí aquí, señorita, y elegí integrarme con los vecinos. Es la vida que amo, la única que quiero tener hasta el resto de mis días.

Ella le sonrió, y continuó insistiendo sobre el mismo punto.

—Si vas a guardar grandes cantidades de dinero en tu casa barco y tratar con canallas como Saunders, al menos deberías tener algún tipo de seguridad a bordo. Puedo pensar en algo si quieres.

—Ningún sistema de seguridad en mi casa barco va a impedir que tipos como Saunders y sus hombres se lleven lo que quieran aquí en el río. Tú lo sabes bien, mi niña.

Ella continuaba sonriendo, ahora con una sonrisa de satisfacción.

—Puede que no. Pero al menos le ha llegado una dosis de su propia medicina, ¿no te parece? Nunca sospecharía de ti, ni en un millón de años. Solo pensará que sus hombres perdieron uno de los alijos y se cabreará muchísimo con ellos, pero no será capaz de hacer nada al respecto.

Tomó una larga calada de su pipa, mirando su cara sonriente. La sonrisa nunca alcanzaba los ojos de Llama. Había algo allí, una alusión del dolor, un toque de cautela, lo que sea que fuera, pero hacía que su mirada fuera tan adictiva como el calor sensual de su voz.

—Kurt Saunders es un hombre malo, Llama. Si llega a sospechar que le has robado su dinero...

—*Tu* dinero —enfatizó—. Robé tu dinero. —Una débil mueca cruzó su cara—. Por supuesto, cogí todo el que había en la caja fuerte y debe haber un poco más de lo que te robó a ti. Bastante más, de hecho, pero tengo unos pequeños gastos que cubrir. Y tenía varios discos en uno de los maletines, pero no papeles, nada que pueda haberle enfadado mucho. Era sobre todo dinero, un montón de dinero.

—Perder su dinero hará que se enfade —apuntó—. Tenía que haberlo sabido cuando dijiste que estabas pensando en recuperarlo, que era eso lo que harías. No tendrías que haberlo hecho, *cher*, pero voy a llevarlo al banco y explicar que lo había tenido en mi colchón todos estos años. Ahora que lo has recuperado, será mejor que lo use.

—Estaba segura de que lo entenderías así.

—No puedes decírselo a nadie, Llama. Nunca. Irán por ti —le advirtió el capitán.

Ella se encogió de hombros.

—¿A quién se lo voy a decir? No lo hice para jactarme ante nadie, *capitaine*, sino para que se haga un poco de justicia de vez en cuando. Mete un poco de musgo en la bolsa y mézclalo todo para que parezca y huela auténtico. —Echó un vistazo a su reloj—. Le dije a Thibodeaux que iría a su club esta noche para cantar un poco.

—No me gusta que vayas al Huracán. Ese Thibodeaux lleva un local tremendo. Son buena gente, pero les gusta beber, bailar y pelear, o pelear, beber y bailar, dependiendo del día que hayan tenido. Y con tu aspecto, Llama, podrías meterte en problemas con esos chicos.

—Solo voy para cantar un rato, Burrell, nada más. No hay de qué preocuparse. Hablé con Thibodeaux y dijo que estaría por mí.

Burrell sacudió la cabeza.

—Esto tiene algo que ver con que Vivienne Chiasson te contara lo de la desaparición de su hija, ¿verdad? Te estaba mirando cuando te contó lo de Joy y no me gustó lo que vi.

Llama se hundió en una destartalada silla al lado de él.

—Ahí está la cosa, Burrell. Oí hablar de la desaparición de otra chica en otro barrio hace un par de años. Un par de hombres en uno de los clubes lo mencionaron cuando estaban hablando acerca de Joy. Los policías dijeron que se marchó buscando mejor vida, pero su familia y amigos dijeron que nunca haría eso. ¿No fue eso lo que dijeron de Joy también? Tú mismo me dijiste que no pensabas que hubiera huido.

Burrell levantó una mano.

—Todos en el *bayou*, arriba y abajo en el río, conocen la historia. La policía no cree que las desapariciones estén relacionadas. Incluso la mayoría de las familias tampoco lo creen. Joy estaba saliendo con un chico de la ciudad. Él la trataba muy bien pero su familia tenía dinero y pensaban que Joy no le llegaba a la altura. Ella lo dejó, pero él seguía rondándola. Parece que se volvió loco cuando ella le dijo que no demasiadas veces.

—Muchas familias de aquí creen lo mismo, pero ¿y si están equivocados? ¿Y si la desaparición de Joy y la de la otra chica de hace un par de años están relacionadas?

—¿Y por qué piensas eso? No se conocían. No se parecían. No hay una conexión entre ambas.

—Sí la hay. —Se inclinó más cerca de él, proporcionándole un fresco soplo de perfume de melocotón—. Ambas tenían voces realmente especiales. Como mantequilla caliente. Sexi. Sensual. Aterciopelada. Ahumada. Con esas palabras solían describir sus voces. Todo lo que un canalla necesita para desatarse es un detonador. Puede ser que esas chicas compartieran ese detonador. —Irguió la espalda y agarró los reposabrazos del sillón con tanta fuerza que sus nudillos se pusieron blancos—. Y puede ser que yo tenga la misma voz.

—¡No! Te prohíbo que hagas eso, Llama. —A Burrell casi se le cae la pipa con la agitación—. Esas chicas se han ido. Algunos dicen que están muertas, otros que se marcharon, pero no voy a dejar que pongas en peligro tu vida para que lo descubras.

Ella se encogió de hombros.

—Gracias por preocuparte, *capitaine*, pero la verdad es que tengo un pequeño problema con las órdenes. Nunca se me ha dado bien seguirlas.

—Te puedes meter en una mala situación —le advirtió.

—Joy no tiene a nadie buscándola. Los policías enterraron el caso y eso significa que donde quiera que esté y sea lo que sea lo que le pase, está sola. Tengo que descubrir por mí misma que esta chica está a salvo en algún lugar de la ciudad, no muerta... o enjaulada como una rata por algún monstruo.

Burrell la miró fijamente cuando su voz se rompió. El barco crujió y se meció un poco con el suave movimiento del agua. Ella se había quedado silenciosa, con la cara sin expresión y sus ojos lo desafiaban a preguntar. No lo hizo. Lo que le hubiera pasado era demasiado profundo, estaba en un lugar oscuro de su mente y se arremolinó por un momento en sus ojos. Había horror en ellos y conocimiento de cosas que él nunca había experimentado y nunca querría hacerlo. Extendió el brazo y le dio unas palmaditas en la mano.

—Ten cuidado.

Llama forzó una sonrisa.

—Siempre tengo cuidado. Ese es mi segundo nombre.

Giró la cabeza y miró fijamente el agua. Las olas suaves mecían los lados de la casa barco creando un movimiento que le parecía calmante. Estaba inexplicablemente cansada últimamente. En vez de cantar en un club lleno de gente, quería tumbarse en su litera e imaginar que tenía un hogar. O quizás, aún mejor, volvería a la casa de Gator para tomar el té con su abuela.

—¿Por qué pareces tan triste, Llama? —preguntó Burrell.

—¿Yo? —dijo y se tragó el nudo de su garganta.

¿Por qué demonios estaba tan melancólica? Raoul Fontenot no importaba. Nada de lo que dijera o hiciera le importaba.

—Nunca me has dicho por qué una chica tan guapa como tú está sola en este lugar —dijo el capitán, escogiendo sus palabras cuidadosamente—. ¿Dónde está tu familia?

—No tengo familia —dijo horrorizada de escuchar esas palabras en voz alta.

Tenía un don para contar historias, haciéndolas creíbles, y nunca olvidaba sus propias mentiras. Podía inventarse una mentira más deprisa que cualquiera que conociese, pero ahora no lo había hecho. No podía mirar al capitán. No quería ver compasión en sus ojos. Peor aún, ya que de alguna manera había comprometido su propia seguridad diciéndole la verdad. Era un fantasma, un camaleón, mezclándose brevemente con el populacho local para luego simplemente desaparecer. Ese era uno de sus talentos más grandes y útiles, y lo que la mantenía a salvo. Frotó sus sienes para aliviar un repentino dolor de cabeza.

—Yo tampoco tengo familia, *cher*. Puede ser que por eso nos llevemos tan bien. Siempre tendrás un lugar aquí conmigo. Lo sabes, ¿verdad?

Se estremeció ante la compasión de su voz. La hizo darse cuenta demasiado bien de quién era ella. Abandonada por una madre que no la quería. Vendida por un orfanato que tenía demasiados niños. Enjaulada y tratada como un animal más que como un ser humano. Por mucho que se esforzara en educarse a sí misma y mejorar, en lo más profundo de su interior, en un lugar que ella protegía y defendía, aún se sentía como una niña no querida.

Se obligó a hablar de manera más ligera.

—Gracias, *monsieur le capitaine*. —Lo miró a los ojos y le sopló un beso—. Soy una trotamundos. Me encanta ver nuevos lugares. No me imagino quedarme en el mismo sitio todo el tiempo. Es bueno ser así. Si no lo fuera, nunca hubiera tenido el placer de conocerte.

—Eres buena para el alma de un hombre viejo, Llama. —Su mirada se centró en su collar—. ¿Qué es eso que llevas en el cuello? Parece un moratón.

—¿Ah si? —Tocó su collar, acercándolo a su tráquea—. Que curioso. Espero que el tinte no se le esté yendo. Voy a ver.

Antes de que pudiera mirarlo de nuevo, Llama estaba en mitad de la cubierta para abrir la puerta de un tirón.

Inspeccionó su cuello debajo del collar. Las contusiones se estaban expandiendo y se veían más oscuras. Lanzó en voz baja una maldición, se quitó el collar, cogió un pañuelo parecido al color del vestido y se lo puso en el cuello con gracia. Lo único que tenía que hacer era evitar a Raoul Fontenot. Si no, podría aprovechar para terminar de estrangularla después de lo que le había dicho, con todas sus implicaciones, a su abuela.

Riendo en voz alta, se reunió con Burrell en la cubierta.

—Era el collar, ¿queda bien así?

—Estás preciosa —contestó tomando otra bocanada de su pipa.

—No conocerás a la familia Fontenot, ¿verdad? Viven en este barrio.

El capitán se echó a reír.

—Fontenot es un nombre muy común en esta parte del país, *cher*. Necesito un poco más de información.

—Creo que los niños fueron criados por su abuela. Uno de los chicos se llama Raoul y otro Wyatt.

Burrell se sentó en su silla asintiendo.

—Buena familia. El chico mayor, Raoul, se alistó en el ejército, pero siempre mandaba dinero a su abuela para ayudarla en el cuidado de los otros chicos. Son bastante salvajes y Raoul tiene una cierta reputación de meterse en peleas. —Le guiñó un ojo—. Se sabe también que tienen mucho éxito con las damas, por eso ten cuidado con ellos. No te involucres con ninguno de ellos ni creas sus palabrerías.

—No te preocupes, *capitaine*. No tengo intención de acercarme tanto a ninguno de los hombres Fontenot. —Miró de nuevo el reloj—. Tengo que irme. —Se inclinó para besarle la cabeza—. Vigila este dinero no digas ni una palabra hasta que tengas un cheque para dárselo a Saunders. Iré contigo cuando le pagues. Te hará falta un testigo. Y compórtate hasta que vuelva. Vi cómo le lanzabas una de tus sonrisitas seductoras a la vieja señorita Michaud.

Agitó el brazo mientras salía de la casa barco para montarse en la lancha que estaba atada al lado. Él se despidió con la mano y una sonrisa agradecida. Lo último que vio de Burrell, es que estaba felizmente dando bocanadas a su pipa.

Capítulo 5

Gator estaba reclinado en su silla con las piernas perezosamente estiradas mientras tamborileaba sobre la mesa con los dedos un ritmo al compás de la música. Eso le permitía mantenerse concentrado cuando cada nota de los ruidosos instrumentos y los fragmentos de las conversaciones perforaban su cráneo como clavos. No podría aguantar mucho más, no le estaba sentando nada bien estar ahí. Había conseguido oír dos conversaciones con respecto a Joy. La primera tuvo lugar en el exterior del club, palabras susurradas de conspiración y cólera, hermanos y amigos buscando venganza. En la segunda conversación dos mujeres la mencionaron de pasada mientras se recordaban mutuamente no perder de vista sus bebidas ni un instante.

Se frotó las sienes, notando las gotas de sudor que se formaban en su frente. Incluso su cabello estaba ligeramente húmedo debido a la tensión que le producía clasificar las conversaciones en mitad de toda esa cacofonía. Lily había estado en lo cierto al decirle que lo difícil de escuchar las conversaciones a grandes distancias, incluso a través de las paredes, era atravesar la multitud de ruidos. Tenía la cabeza a punto de explotar. Le dolían hasta los dientes. Necesitaba ir a un lugar tranquilo y pacífico, algún lugar donde pudiera estar solo para escuchar la calma de la noche. Intentó suprimir los sonidos que lo acorralaban, pero no funcionó. Se replegó en sí mismo intentando silenciar las innumerables voces, para encontrar calma en el refugio de su mente, pero no podía hacer nada para frenar el ruido que le sacudía el cerebro.

Se le revolvió el estómago. Estaba seriamente sobrecargado. Un error estúpido. Uno que no cometía desde la primera vez que había sido reforzado físicamente. Iba a tener que salir del club lo más rápidamente posible. Miró a su hermano que ya estaba en la barra charlando con una chica guapa. A su lado, como todos los demás, Ian estaba riéndose y lanzando cáscaras de cacahuetes al suelo. Ninguno de ellos parecía haberse dado cuenta del apuro en el que se encontraba Gator. En el momento en el que se levantaba de la silla, se abrió la puerta y Llama Johnson entró en el club.

No entró caminando. No se podría decir que caminase. Se contorneaba. Gator se volvió a sentar en la silla, se deslizó hacia la esquina, hacia las sombras, sin poder dejar de mirarla. Era preciosa, sexi. Demasiado sexi. De pronto reparó en los demás hombres, en la manera en que sus miradas calientes gravitaban sobre su cuerpo y se deslizaban por sus suaves curvas. Ella cruzó el club mientras su vestido se amoldaba a su piel suave y, por lo que él podía ver, no llevaba ropa interior.

Gator intentó coger aire en sus pulmones, pero parecía que no hubiera suficiente. Ella giró la cabeza de repente, como si tuviera un radar, y sus ojos se encontraron a través de la multitud. Por un momento fueron las dos únicas personas en el lugar. Llama frunció el ceño y lo recorrió con la mirada lentamente, notando el tenue brillo sobre su piel y la humedad en su cabello rizado. Vio mucho más allá de su sonrisa fácil. Inmediatamente el ruido bajó y él empezó a sentir una nota suave y tranquilizadora tarareada en su mente. El dolor de cabeza se mitigó al igual que su estómago revuelto. Ella se volvió, y se puso a charlar animadamente con Thibodeaux.

Gator se quedó muy quieto, sufriendo por primera vez una sorprendente oleada de celos. Nunca había experimentado esa emoción, pero la reconoció por lo que era. Centró toda su atención en Llama, de manera que no había nadie más que ella. Podía ver hasta los detalles más pequeños en la débil iluminación y percibir su fragancia en medio de la multitud. Cada uno de sus sentidos era agudo y tan afilado, que casi podía inhalarla. Era una experiencia que nunca olvidaría, y se sentó hacia atrás en su silla, incapaz de controlar la fiera reacción de su cuerpo más de lo que podía dominar su mente, y para un hombre como él, eso era muy peligroso.

Su dolor de cabeza había desaparecido, gracias a Llama. ¿Por qué lo ayudó? ¿Sentía, a su pesar, la misma atracción que él sentía hacia ella? Esperaba que sí. Deseó no ser el único que tenía necesidad de verla.

Llama subió el único escalón al escenario. Thibodeaux consideraba el Huracán un club de blues exclusivo debido al piano perfectamente afinado que poseía. El instrumento se encontraba en medio del caos y las cáscaras de cacahuete, reluciendo como una obsidiana negra, pulcramente pulido, con teclas de marfil. Era el santuario a la música que tanto amaba. Ningún cliente tocaba el piano, solo los músicos. Era una regla no dicha, pero todos entendían que Thibodeaux llevaba un bate de béisbol por una sola razón, y no era debido a las numerosas peleas que estallaban en el local. Era para mantener el piano a salvo.

Llama se acercó al instrumento como si fuera suyo. Parecía una dama elegante y con clase al sentarse en el banco y poner los dedos sobre las teclas mientras su vestido caía sobre sus torneadas piernas. Thibodeaux se asomó ansioso, sujetando el bate en sus grandes manos y con la mirada puesta en Llama cuando las primeras notas se expandieron por el local.

Su voz grave y cautivadora penetró en la mente de Gator haciéndolo su esclavo. Las primeras palabras de la canción se hundieron en su corazón y en su alma, envolviéndolo firmemente, exprimiendo su interior como si esa canción fuera para él, solo para él. Se habían desvanecido todos. No existía ningún otro hombre. Hasta el espacio se difuminó, de forma que estaban donde los llevase su imaginación.

Casi podía sentir la suavidad de su piel mientras ella le hacía señas con su voz, atrayéndolo, atrapándolo en una telaraña de deseo sexual y estímulo sensual. La canción se entrelazó suavemente con la siguiente, y las desvanecidas notas lo transportaron a sus fantasías haciéndolo llorar interiormente por el amor y las oportunidades perdidas. Le costaba un gran esfuerzo hacer que su cerebro trabajase cuando todo lo que quería era llevársela a algún lugar donde pudieran estar solos.

Su mente parecía vagar, como si hubiese bajado de velocidad, y eso le molestaba. No tenía ningún sentido no poder girar la cabeza y mirar a su hermano para observar su reacción ante ella. Lo único que podía hacer era mirar, fijamente y traspuesto, a la mujer que tocaba el piano. Vio el brillo sedoso de su cabello rojo y los mechones sueltos que pedían ser tocados. Su piel relucía, increíblemente suave e incitante. Su cuello desnudo era esbelto y al girar la cabeza lo conducía al borde de la locura. Solo pensaba en presionar su boca sobre él y vagar, explorar, perderse en la exuberancia de su cuerpo.

Una canción conducía a la otra mientras él luchaba por controlarse. Sus vaqueros estaban tan ajustados que le preocupaba que estallasen, su cuerpo dolorido y palpitante estaba endurecido al límite. Al final, recurrió al viejo truco de golpear con las yemas de los dedos en la mesa, estableciendo un ritmo en el que pudiera concentrarse. Casi inmediatamente se dio cuenta de cuánta energía manejaba su voz. Llama no estaba simplemente hipnotizando a su audiencia con su increíble y sensual voz, lo estaba hipnotizando con su música y él había caído en la trampa junto con todos los demás.

Echó una mirada cautelosa alrededor. Nadie se movía. Nadie bebía. Todas las miradas estaban sobre ella, todos y cada uno de ellos en trance por la seducción de su voz cargada y sensual. Ella no los veía, no percibía ninguna mirada ni flirteo, simplemente se inclinaba sobre el piano y permitía que la música y la canción la transportaran. Llevaba a la audiencia a un mundo de sábanas de raso y noches calientes. Él la sentía bajo su piel, sus dedos acariciantes y provocadores, el satén caliente de su boca...

Gator sacudió la cabeza para aclarar su cerebro. Tenía un don asombroso, difícil de imaginar para cualquiera, ni siquiera Whitney. ¿Qué hubiera hecho el doctor si hubiese sabido que podía cautivar a una audiencia de la manera en que lo había hecho ella? Él ya conocía el efecto hipnótico de su voz, pero aún así le costaba no caer en su embrujo. Golpeó el dedo con más fuerza sobre la mesa, siguiendo un ritmo con la mente para no perderse en su voz. Lily debía estar al tanto de esto. Ella tenía acceso a información clasificada y mantenía varios contratos con el gobierno que sin duda querrían saber qué podía o no podía hacer Llama con su talento. No era de extrañar que hubiera una señal en un ordenador en algún sitio monitorizando dónde estaba y con quién se asociaba.

¿En qué posición lo dejaba todo esto? Se frotó las sienes y tarareó para evitar ahogarse en la voz de ella. Tenían las mismas virtudes, los mismos talentos. Una vez que se supiera, ¿cuánto más lo usarían como conejillo de indias? Y si los experimentos pasados salieran a la luz, si el gobierno o Lily se enterasen, ¿qué es lo que le harían? Probablemente acabaría en algún lugar sentado al lado de Llama en una jaula.

Las últimas notas musicales se desvanecieron. Su embrujadora voz se apagó, y los clientes del club empezaron a volver a la vida, los vasos vibraron, las voces aumentaron de volumen, los pies se arrastraron por el suelo al igual que el inevitable crujido de las cáscaras de cacahuete. Llama se levantó graciosamente y sonrió a la banda.

—Estoy sedienta, ¿alguno de vosotros quiere algo de beber?

—Eh, nena —la llamó un hombre—. Tengo algo para que bebas.

Llama giró la cabeza y miró al pesado que la había interrumpido con aburrida tolerancia.

—Muy amable, pero no gracias.

Ella volvió de nuevo su cabeza hacia la banda, pero Gator notó que se encontraba en una postura defensiva y que, aunque su cabeza estaba girada, miraba por el rabillo del ojo.

Gator reconoció a Vicq Comeaux, perteneciente a una gran familia de hermanos y primos, principalmente varones, con los que él y sus hermanos habían bebido y peleado desde los catorce años.

Vicq gritó otro comentario lascivo y se abrió camino entre la multitud para plantarse delante del escenario. Algo oscuro y peligroso se arremolinó en el estómago de Gator. El silencio se apoderó de él. Su mundo se estrechó, hasta que solo hubo un recién llegado, él y la neblina roja de su temperamento apoderándose de su cuerpo. El resto desapareció. Se levantó con un movimiento fácil y fluido que lo llevó hasta el alborotador.

—Gator... —Wyatt se interpuso delante de él, poniéndole una mano apaciguadora sobre el brazo—. No querrás pelearte y que tenga que explicarle a *grand-mère* lo que pasó. Pensará que yo lo empecé.

Gator sacudió la mano y rodeó a su hermano, apartando la corpulencia de Ian de su camino mientras se dirigía hacia la banda. La multitud se apartó hasta que estuvo directamente detrás de Viqc Comeaux.

—No creo que quieras decirle nada más a mi mujer —dijo con un tono bajo y suave, casi gentil—. Ninguna otra palabra. Cualquier cosa que quieras decir, me la dices a mí.

Hubo un silencio instantáneo. La música vaciló mientras la banda bajaba sus instrumentos y Llama se giró hacia él. Gator apenas registró el movimiento. Su atención estaba dirigida hacia el hombre con camisa roja y botas de vaquero.

—Está bebido, Gator —dijo precipitadamente Louis Comeaux, saliendo en defensa de su primo—. Vicq no quería decir nada de eso.

—Está como para comérsela —dijo Vicq, ignorándolos y subiéndose a la pequeña estructura de madera que servía para separar a la banda de la ruidosa muchedumbre—. Estoy hambriento, nena. Ven con papi —dijo estirando el brazo para coger la pierna desnuda de Llama.

Antes de que la tocara, Gator le atrapó el brazo con tanta fuerza que el sonido del golpe en su carne resonó fuerte en el silencio del bar. Le retorció la muñeca como un tornillo, llevándolo hacia abajo y apartándolo de la cantante.

—Creo que no me has escuchado —pronunció cada palabra entre dientes—. Estás a punto de convertirte en cebo para los cocodrilos. Deja a mi mujer en paz. No la mires. No hables con ella y no pienses en ella. Si no, te haré pedazos y luego te escupiré ¿has entendido?

Obviamente la primera reacción de Vicq fue pelear, pero algo en la cara de Gator le detuvo. Arrastró los pies y miró a su primo, repentinamente más sobrio de lo que había estado minutos antes.

—Gator. —Delmar Thibodeaux avanzó con el bate de béisbol en la mano—. No queremos problemas. No contigo.

Gator no lo miró, sino que mantuvo su atención centrada en Vicq.

—No va a haber problemas, Del, no a menos que Vicq se olvide de pedir disculpas a mi mujer por su gran bocaza. No me gusta que nadie le hable así. Después podrá sentarse y disfrutar de la música, y yo le pagaré una copa. O puede marcharse y también lo daré por bueno.

No alzó la voz, pero se le oyó por todo el local.

Llama contuvo la respiración. La atención de todos estaba centrada en Gator y en Vicq, por lo que no sentían las paredes del club expandiéndose y contrayéndose como si respiraran. No notaban una vibración que resonaba a través de los tablones de madera, ni las cáscaras de cacahuetes saltando en el suelo. Vio una pequeña grieta que empezaba a propagarse por el espejo que estaba detrás del bar. Todo se iba a ir rápidamente al infierno si algo o alguien no detenía a Gator.

Empujó a Vicq y puso su brazo alrededor del cuello de Gator. No la miró, no rompió el contacto visual con Vicq. El suelo vibró lo bastante fuerte para ser un pequeño temblor. Desesperada, Llama rodeó el cuello de Gator con ambos brazos y pegando el cuerpo contra el suyo lo besó de lleno en la boca. Quería atraer su atención. Nada más que eso. Solo una pequeña distracción.

Un arco eléctrico se formó entre su piel y la de él.

La boca de él era caliente y sexi, sus brazos subieron para atraparla, para sujetarla más cerca, de modo que su cuerpo se grabara en el de ella. Su fuerza era enorme. Tomó el control del beso y, maldita sea, sabía lo que estaba haciendo. Corrió fuego a través de sus venas, concentrándose en su vientre y tensando su cuerpo. Sus pezones se endurecieron y sintió que su útero se contraía.

Se obligó a apartarse antes de que fuera demasiado tarde, pero aún así, se aferró a él como una fan de rodillas endebles. Frotándose la boca, Llama lo miró enfurecida por haberse aprovechado de ella. Él sabía que su beso la había afectado, podía intuirlo por su rápida y aguda sonrisa y el repentino brillo travieso de sus ojos oscuros.

Gator deslizó las manos posesivamente por su torso hasta llegar a sus caderas, luego se inclinó y le dio unos besos en el vientre.

—*Cher.* ¿Cómo está *mon enfant* esta noche? —Su voz era tierna como una caricia. Sintió el calor de su respiración a través de la fina tela de su vestido y la increíble intimidad de sus besos—. No estarás portándote mal con *ta mère* ¿verdad?

Sus palabras se deslizaron bajo su piel y envolvieron su corazón en un apretado abrazo.

Llama se quedó inmóvil. Era escandaloso. Ella lo había salvado. Había salvado a ese miserable desagradecido y en respuesta él la estaba sobando delante de todo el club. Nadie se iba a acercar a ella mientras él estuviera por los alrededores. Estaba claro que ni siquiera el infame Delmar Thibodeaux con su ridículo bate de béisbol se metería nunca con Raoul Fontenot.

Cogió un mechón de su sedoso cabello negro y tiró de él para que levantara la cabeza.

—Pero ¿qué estás haciendo?

Él le cogió la mano y, abriéndole los dedos, le dio otro beso en el centro de su palma.

—Estoy hablando con nuestro bebé, *cher*. Los doctores dicen que los bebés pueden oír desde muy pronto. Quiero que conozca el sonido de la voz de su padre.

Ella cerró los ojos brevemente contando hasta diez. Las conversaciones en el bar se reanudaron mientras Louis Comeaux se llevaba a su primo. Thibodeaux volvió detrás de la barra y la banda se tomó un descanso. Inmediatamente la máquina de discos empezó a sonar. Se dio cuenta de que todos estaban sonriendo. Gator era de nuevo respetado. De acuerdo con la ley del *bayou*, tenía todo el derecho de proteger lo que era suyo.

—Acompáñame afuera —ordenó Llama.

Gator le sonrió sin apartar su mirada oscura de ella.

—Te seguiré a cualquier lugar, especialmente hacia la noche. —Alzando la voz le dijo a su hermano—. Wyatt, me voy con *mon amour*. Te veo más tarde. —Sus dedos le esposaron la muñeca cuando ella empezó a caminar hacia la puerta—. Mantente a mi lado.

Llama le lanzó una mirada venenosa.

—No pienses que puedes darme órdenes.

—Me has pedido que saliera contigo, *cher*. —Abrió la puerta, pero retuvo su muñeca—. Y estoy siendo complaciente.

Era fuerte. Debía de haber tenido en cuenta que quienquiera que hubiesen enviado para seguirla tendría como mínimo su musculatura reforzada. Tenía el cuerpo en forma. Cuando la sujetó, lo sintió como un hierro presionado contra ella que no cedía en absoluto. Llama espiró lentamente, tratando de controlar su cólera mientras se apartaban de la luz y de la posibilidad de que alguien pudiera oírlos.

—Ahora puedes soltarme.

—Todavía no.

Su mano libre se deslizó por su espalda y sobre sus nalgas, bajando hasta sus muslos. Subió el dobladillo de su vestido y deslizando la palma de su mano sobre su trasero desnudo, encontró la pequeña tira de encaje que desaparecía entre sus nalgas. Su mano fue todavía más abajo, entre sus piernas y sobre la piel suave del interior de sus muslos hasta que encontró la funda de cuero. Debido al largo desigual de su vestido, el cuchillo estaba colocado en lo alto del muslo y al quitárselo sus nudillos rozaron varias veces el punto íntimo más sensible entre sus piernas.

Llama apretó los dientes y rechazó el estremecimiento que recorría su cuerpo con cada contacto ligero como una pluma.

—¿Te has divertido?

—Más de lo que nunca podrás imaginar. —Enfundó el cuchillo en una vaina corta de cuero que tenía alrededor de la cintura—. Mi abuela te espera para tomar el té mañana. Le dije que te llevaría.

—Quiero mi moto.

—Entonces supongo que vendrás a tomar el té. —Su sonrisa se amplió—. No paras de meterte en líos ¿verdad *cher*?

—Si te refirieres a ese idiota borracho, lo podría haber manejado sin problemas. Estoy trabajando. Lo último que necesito es que me espantes a todos los hombres.

Su ceja negra se arqueó.

—¿Trabajando? ¿Trabajando en qué?

Ella apretó los puños.

—No es asunto tuyo. Basta con decir que no me puedes espantar a los hombres.

—Basta con decir que estás comprometida conmigo y que llevas a mi hijo en tu vientre. El *bayou* entero lo sabrá por la mañana. Ningún hombre se acercará, por miedo a que le arranque la cabeza, y todos pensarán que estoy en mi derecho.

—Tú les has dicho todo eso.

—Me limité a anunciar la noticia —aceptó con aire socarrón.

—¡Basta ya! Esto no es divertido. Sabes perfectamente bien que no estoy embarazada y que no estamos prometidos. Deja de actuar como un neanderthal.

—Oh, tengo que discrepar contigo, *cher*. Mi abuela cree que estás embarazada de mi hijo. —Deslizó la palma de su mano sobre su vientre y aunque fuese una caricia ligera, el pulso de ella se disparó—. Insiste en que haga lo correcto y me case contigo. Le he dicho que, por supuesto, lo voy a hacer. Estamos oficialmente comprometidos.

A Llama se le escapó un gruñido de pura exasperación.

—Mira. Sé razonable. Puedes tener un pequeño motivo para estar molesto por lo del cuchillo en la garganta, aunque robaste mi moto, pero puedo explicarle a tu abuela...

Él sacudió la cabeza.

—Tiene un problema de corazón. No quiero preocuparla de ninguna manera. Tendrías que haber pensado en las consecuencias antes de contarle esa tremenda bola. Mi abuela valora la familia y la tradición. La mataría si no me hiciera cargo de mis responsabilidades, especialmente si está implicado un niño. Y tienes que responsabilizarte de tu mentira. Le dijiste a una mujer enferma del corazón algo malo sobre su adorado nieto. Y ella quiere que todo se solucione.

Llama dejó escapar el aire en un largo silbido.

—Escucha, cabeza dura, tú te buscaste esto, no yo. Todo lo que quería era mi moto. No tenías que haberla cogido.

Él miró el hidrodeslizador, bastante poco habitual para los clientes del Huracán.

—¿Es tu embarcación?

—Sí. Y no la he robado.

—No, solo el dinero para pagarla. —La cogió del brazo y la empujó hacia el borde del embarcadero—. Vamos.

Ella se resistió y puso distancia, más para mantenerse alejada de su contacto que para desobedecer.

—No voy a ninguna parte a menos que me devuelvas mi cuchillo.

—Oh, por el amor de Dios, entra en el maldito bote. —La levantó con sus duras manos, le mordió el cuello, y la depositó en el hidrodeslizador—. Llama, si quisiera matarte ya estarías muerta.

Ella lo miró, frotándose los costados donde sus dedos se habían clavado en su piel.

—¿Tan bueno te crees que eres?

—Sé que lo soy.

Se acercó deliberadamente a ella, tan cerca que pudo oler su débil perfume a melocotón. Llama se apartó de él, exactamente como esperaba que hiciera, cediéndole el control del hidrodeslizador.

Ella se mantuvo a distancia, sin quitarle el ojo de encima mientras él los conducía hacia el pantano.

—Mejor que te relajes, Llama. No puedo matarte y lanzar tu cuerpo en el *bayou*, a pesar de lo tentador que me resulta. Mi abuela es lo primero para mí y quiere verte mañana. Le prometí que estarías allí.

—¿Por qué?

Él era consciente de que lo estaba escuchando con atención. El sonido era el mundo de ambos y también su mayor aliado.

Él podía manipular el sonido e intercalar en su voz las notas exactas que se necesitaban para convencer a otros de su total sinceridad, con la posible excepción de Llama. No estaba seguro de cómo responderle a ella porque no sabía cuál era la verdad.

Su abuela quería verla otra vez. Nonny era astuta. Probablemente no creyó ni por un momento que Llama estuviera embarazada, pero le pareció adecuado dejar que todos pensaran que lo había creído. Le estaba exigiendo que llevara a Llama a casa. Más que eso, quería que él se comprometiera a hacer las cosas bien. Raoul no tenía ni idea de qué pretendía, pero respetaba su juicio. También se daba cuenta de que Llama no lo dejaría acercarse a ella sin una buena razón.

—A pesar de lo que debes pensar, *cher*, quiero a mi abuela. Y si ella quiere conocerte mejor, pues te llevaré a casa.

Era la manera equivocada de exponerlo. Gator se dio cuenta inmediatamente. Los ojos de Llama destellaron con vehemencia mostrando un atisbo de su temperamento antes de girar la cabeza, obviamente luchando por mantener el control. Ella sacaba lo peor de él, la necesidad de dominar, la necesidad de poseer, rasgos que normalmente mantenía ocultos. No era el hombre despreocupado que pretendía ser y Llama estaba viendo al verdadero Raoul, no aquel que solía proyectar ante el mundo. No podía retirar lo que había dicho, porque era lo que quería decir, maldita sea. Iba a llevarla a casa, de una manera o de otra.

—Eliges lo mejor, ¿verdad, Llama? —Había verdadera admiración en su voz—. Es una buena embarcación. ¿Qué clase de motor?

Cualquier cosa para cambiar de tema y a juzgar por su moto, la mujer sabía y valoraba la buena maquinaria.

—Ocho cilindros en uve, muy poderosa —contestó Llama. Sus ojos se iluminaron y recorrió el asiento con la mano—. Corre por el agua baja como si fuera mantequilla, igual que en tierra. Es muy rápida, incluso llevando peso, y acelera rápidamente.

Él aprovechó la oportunidad de llevar el barco por el estrecho canal hacia aguas abiertas. Ninguno de los dos habló mientras regulaba la velocidad de la lancha, haciendo deliberadamente un giro de noventa grados, dando a Llama tiempo para que se relajara con él. Estaba seguro de que ella se manejaba muy bien con el barco, al igual que con su moto.

—Te gustan los juguetes.

Por alguna razón, la manera en que él bajó la voz y la nota de sensualidad que había en ella, la hizo ruborizarse y bajar la mirada. Él se dio cuenta inmediatamente de que la tensión existente entre los dos se estaba estrechando. Su cuerpo todavía estaba adolorido y era un milagro que pudiera caminar. No le extrañaba nada que Vicq Comeaux hubiera intentado acercarse a ella. Lo que le sorprendía es que no se le hubieran abalanzado todos los hombres encima.

—¿De qué iba todo eso?

—¿Perdón? —irguió la cabeza de manera levemente arrogante, como se dirigiría una princesa a un campesino.

—Esta noche en el club. ¿De qué iba todo eso?

Intentó no parecer enfadado. O celoso ¿De qué demonios podía estar celoso? Pero aún así más le valía no haber estado buscando llevarse un hombre a casa.

—¿Es acaso asunto tuyo?

—Lo estoy convirtiendo en asunto mío, así que haz como si lo fuera y contéstame ¿Tienes idea de lo peligroso que es lo que hiciste? ¿Y si esos tipos se hubiesen descontrolado? Se podría haber armado una bronca tremenda y, para serte franco, *cher*, no los culparía. —Frotó la mano en la parte delantera de sus vaqueros como quien no quiere la cosa—. Yo todavía estoy sintiendo los efectos y eso que sabía que tu canción y tu voz eran un arma.

El rubor de ella se intensificó.

—Nunca había sido tan fuerte antes. Fue por tu culpa. Estabas amplificando mi poder.

—No es así. No me vas a echar la culpa a mi ahora por tu pequeña exhibición. Estabas atrayendo a los hombres hacia ti de forma deliberada y fuiste muy efectiva.

—Te lo he dicho, no era del todo yo. Puedo hacer que alguien se sienta... —vaciló, buscando las palabras correctas— embrujado. Puedo tranquilizar a las personas y atraerlas hacia mí, pero nunca había sido así. Tú me estabas amplificando.

—No soy un amplificador —negó él.

—¿Cómo lo sabes? ¿Hay otros como nosotros? ¿Con los mismos talentos? Evitaste que ladraran los perros guardianes. Eres tan capaz de manipular el sonido como yo. Dejaste que Whitney te convirtiese en un monstruo cuando tenías una familia. Un hogar. Gente que te quiere. —Se acercó a él, con ganas de darle un bofetón, mientras el agua se agitaba a su alrededor como consecuencia de su furia—. Lo tiraste todo por la borda ¿Qué te prometió? ¿Dinero? ¿Poder? ¿Qué te dio a cambio de tu familia, Raoul?

Gator dirigió la embarcación hacia la mitad del canal y apagó el motor. Solo se oían los sonidos del *bayou*, el zumbido de los insectos y el chapoteo del agua.

—Dime qué estabas haciendo en el club esta noche y te diré por qué me presté voluntario para ser un conejillo de indias.

—¿Por qué te importa tanto lo que estuviera haciendo?

Llama lo miró insegura.

—Porque me importa. Estabas incitando a los hombres deliberadamente. Querías que se obsesionaran contigo. ¿Por qué?

—No confío en ti.

—No tienes que confiar en mí. Estamos solos. Regístrame si piensas que estoy grabando esto. Si te quisiera muerta, ya estarías enterrada en el pantano.

Se apartó de ella con un movimiento abrupto y enfadado, muy alejado de su usual gracia.

—¿Por qué estás tan enfadado conmigo?

No tenía por qué importarle; le debería traer sin cuidado que estuviera molesto, pues él no significaba nada para ella, pero la verdad es que sí le importaba. Se dio cuenta de que él quería sacudirla. La tensión sexual entre ambos era muy fuerte. Nunca antes había experimentado algo similar y parecía que el antagonismo entre ellos solo añadía leña al fuego.

—¿Qué demonios estabas haciendo en el club esta noche?

Llama esperó a que se volviera hacia ella, hasta encontrarse con su oscura mirada enfadada y turbulenta. Él estaba que ardía de furia, sus puños se abrían y se cerraban, y era obvio que su fácil encanto se estaba agotado.

—¿Tienes idea de lo que te podría haber pasado allí? ¿Quieres que los hombres se obsesionen tanto contigo que pierdan el control? —dijo dando un paso hacia ella con cierta agresividad.

Ella se mantuvo en su lugar, con una mano agarrada al asiento de la embarcación, negándose a dejarse intimidar. Nunca nada la intimidaba. Podía protegerse fácilmente con o sin su cuchillo. Los ojos de él brillaban con un tipo de furia que le parecía más intrigante que terrorífica. Raoul Fontenot era un hombre que iba de despreocupado por la vida, pero bajo esa apariencia tenía intensas pasiones y secretos oscuros. Era un hombre que se mantenía escondido del resto del mundo.

—No esperaba en absoluto que pasase esto. Obviamente te afectó y eso te molesta ¿Pensabas que estarías exento de los efectos? ¿No estás al tanto de las armas que tienen y de las que están en proceso de desarrollo? Ahora lo tienen todo, desde los rayos acústicos y ondas expansivas hasta mi favorita, la bala acústica de alto poder, con ondas de frecuencias muy bajas que se emiten desde antenas con platos de uno a dos metros. Estas causan lesiones contundentes, en todos los aspectos, desde simples molestias hasta la muerte. Y para tu sorpresa, Raoul, hasta los tiradores pueden verse comprometidos si no están detrás de los aparatos que utilizan para producir sonido. Tú y yo no somos más que balas acústicas. Podemos entrar y salir de los lugares rápidamente sin ser vistos y no necesitamos una antena. —Abrió unos ojos como platos—. Fuiste creado después que yo ¿no es así? Y amplificas mi talento, ¿verdad?

—No me mires así.

—¿Así cómo?

—Como si fuese sospechoso de alguna conspiración.

Soltó un montón de palabrotas en cajún, tan rápido que a ella le costó seguirlo.

Llama permaneció en silencio, intrigada por el modo en que la miró cuando su ascendencia salió a relucir. Era un hombre apuesto, rudo de facciones, con la mandíbula sombreada de azul. Además, tenía un grueso cabello negro ondulado y una sonrisa fácil que le daban un encanto demoledor.

—Se me ocurre que todo esto es porque Whitney quería ver que pasaría si estuviéramos juntos.

—Whitney está muerto.

—Cree lo que quieras.

—Dime qué estabas haciendo en el club esta noche.

Llama suspiró.

—Pareces un oso con dolor de muelas. Estaba intentando atraer a una persona en particular. Una chica desapareció hace unas semanas. Era cantante, tenía una voz sensual y hermosa. Los policías creen que recogió sus cosas y abandonó la zona porque les conviene pensar eso. Pero su familia y todos los que la conocen piensan que le ha pasado algo. Yo también lo creo —contestó con la voz grave, sin el menor atisbo de rencor o desafío.

Hubo un largo silencio. Demasiado largo. Se extendió entre ellos hasta que pudo sentir el peso de su desaprobación.

—¿Estás diciéndome que te pusiste como cebo para un posible asesino porque una chica que nunca conociste ha desaparecido? ¿Has perdido la cabeza o tienes deseos de morir?

—No tengo que justificar mis acciones ante ti.

—No tienes ningún apoyo. Yo nunca voy a una misión sin apoyo. Es, simplemente, una estupidez.

Se acercó y la cogió por los brazos.

Llama sintió el temblor que lo recorría.

—Suéltame antes de que te empuje al *bayou*. ¡Hablando de estupideces! Tú que lo tenías todo y lo mandaste a la mierda. Por lo menos tengo una buena razón para las cosas que elijo hacer.

—Como robar a Saunders, a quien, a propósito, he investigado y resultaba que es un bicho de la peor calaña. Se sospecha que tiene relaciones con los bajos fondos.

Llama se apartó bruscamente de él.

—Como si no lo supiera ¿Tú te crees que no hago bien mis deberes? —Sacudió la cabeza y su cabello rojo voló en todas direcciones—. No soy exactamente una jugadora de equipo. Tomo decisiones basadas en porcentajes y los porcentajes estaban a mi favor esta vez. La chica...

—Joy Chiasson —le facilitó con la mirada puesta en su garganta. Al girar la cabeza, a ella se le había caído el pañuelo que llevaba. Gator se acercó todavía más, acorralándola y rozando su cuerpo—. Nuestras familias se conocen desde hace años. He venido para enterarme de qué le ha pasado.

Se interrumpió al desviarse su atención.

Las yemas de sus dedos rozaron las marcas oscuras de su garganta. Sus huellas.

—¿Yo te hice esto?

Ella levantó la mano para esconder las marcas, pero él la detuvo, esta vez mucho más gentil.

—Lo siento, Llama. No quería hacerte daño.

—Bueno, yo tenía un cuchillo contra tu garganta. Creo que la situación era un poco tensa. —Su voz de repente sonó ronca y demasiado íntima—. ¿De verdad has venido a Nueva Orleáns para buscar a Joy?

¿Por qué no se había alejado de él? Estaba tan cerca que sentía los latidos de su corazón. ¿Y por qué estaba hablando en susurros?

—Sí. Mi abuela me llamó para que viniese. Cuando me dijo que Joy había desaparecido, recordé a otra mujer, una cantante de otro barrio que desapareció hace un par de años. Pensé que ambas tenían unas voces increíbles, que merecían la pena ser escuchadas. Y no me gusta que *grand-mère* esté preocupada.

—Por su corazón.

—Porque la quiero y raramente me pide nada. Pero no te voy a mentir. Lily me pidió que te encontrara si era posible, y te persuadiera para que te unieras a nosotros.

Llama se apartó de él, y su mirada se volvió dura y brillante de furia.

—¿Y cómo sabía la señorita Lily que yo estaba en Nueva Orleáns?

—Calculó las posibilidades de que vinieras aquí en el ordenador.

—Sabía que el fuego en el sanatorio me atraería. Fueron contra Dahlia, ¿verdad? —Se volvió para darle la espalda, pero no antes de que él captara el brillo de las lágrimas en sus ojos—. No la encontré a tiempo.

—Los Soldados Fantasma la encontraron a tiempo —dijo Gator—. Dahlia está bien, viva, sana y a salvo. De hecho, se casó con un amigo mío.

Capítulo 6

Llama aspiró aire bruscamente.

—No te creo.

—No me importa que no me creas. Se casó con un Soldado Fantasma, Nicolás Trevane. —Gator se pasó la mano nervioso por el cabello hasta que unos rizos le cayeron por la frente—. De acuerdo. Es mentira. Sí que me importa que me creas. ¿Por qué iba a mentir?

—Para llevarme de vuelta. Nunca voy a volver, ni por ti ni por ningún otro motivo. Eres un hombre inteligente. ¿Crees que el gobierno y Whitney van a invertir millones de dólares en armas experimentales y dejar que anden sueltas por ahí? No eres tan estúpido. O te han lavado el cerebro o estás metido hasta el cuello en este asunto.

—Puedes estar equivocada ¿sabes? —señaló Gator—. Lo tendrías que tener en cuenta.

—Y tú deberías tener en cuenta que Lily no era la única con un gran coeficiente intelectual. Me pregunto por qué hay esto entre nosotros. —Levantó la barbilla y jugueteó con los bordes del pañuelo, pero tenía la mirada fija en él, casi como un reto.

—¿Qué cosa? ¿El cuchillo? ¿La moto? ¿El bebé? ¿O la atracción sexual, que francamente debe estar fuera de la escala Richter?

—La atracción sexual. Eso es lo que realmente te tiene tan furioso, ¿verdad? No confías en ella mucho más que yo. Y estás enfadado conmigo porque te hago sentir de esa manera.

—Sí. Tal vez. Pero no soy el único que está cabreado al respecto —le señaló.

—Tienes razón, a mí tampoco me gusta. No te tengo confianza. ¿Por qué demonios me siento atraída por ti?

—Por mi encanto y belleza.

—No eres tan encantador. Y tienes la mala reputación de ser un perro de presa. Lo sé porque lo pregunté y tu abuela me lo dijo.

—Sin duda para hacer que me quisieras.

Ella entornó los ojos.

—Eres un rompecorazones, un rastrero y un chulo. —Hizo una mueca—. Un *playboy* repugnante que ni siquiera se preocupa por las medidas de protección.

—*Grand-mère* no te dijo eso, ¿verdad?

Ella le sonrió.

—Bueno, me dejaste embarazada, ¿o no?

Una débil sonrisa le cruzó la cara.

—Pues parece que sí. Es que soy muy potente. Incluso a distancia.

—Solo pensarlo me asusta. ¿De verdad conoces a Joy Chiasson?

—Sí. Mañana, cuando vengas a tomar el té, puedes preguntar a *grand-mère* Nonny todo lo que quieras sobre ella. Nuestras familias han sido amigas durante muchos años.

Llama extendió las manos.

—¿Y qué estamos haciendo aquí fuera, en medio de la noche?

—Estamos negociando una tregua, *cher*.

Una lenta sonrisa acompañó a su voz cálida y melosa.

—¿No crees que antes de negociar una tregua sería un gesto de buena fe devolverme mi moto?

—¿Has empujado ya el Jeep de mi hermano al Mississippi?

—Eso estaba en mi programa de esta noche.

—Es el Jeep de mi hermano —le recordó él, mientras sus yemas trazaban los cardenales de su garganta—. No es mío. Solo lo cogí prestado.

—Mala decisión por su parte habértelo prestado.

Su mirada se oscureció al vagar por su garganta.

—Siento lo de los cardenales, *cher*. Podría curártelos a besos.

Ella permaneció totalmente inmóvil bajo su caricia y su corazón empezó a latir con fuerza al mismo ritmo que la sangre que le rugía por sus venas. El calor del *bayou* los envolvió con el perfume de la noche y el rico bullir de la vida.

—No vas a seducirme para que coopere contigo, y si lo intentas, el Jeep se va al Mississippi de todas maneras.

—Mala decisión por su parte habérmelo prestado.

Gator murmuró las palabras contra su suave garganta, presionado su cuerpo contra el de ella, aunque sin abrazarla. Sencillamente se inclinó sobre ella con el calor de su aliento rozando su piel.

Ella tragó saliva cuando sus labios presionaron su garganta, ligeros como plumas, aterciopeladamente suaves.

—Entonces estás dispuesto a sacrificar el Jeep.

—Así es, *ma petite enflamme*. Ningún sacrificio es demasiado grande.

Su lengua giró sobre las manchas oscuras como para aliviarlas.

Llama emitió un suave jadeo.

—En ese caso, será mejor que hagas un trabajo muy concienzudo.

Él levantó la cabeza y la miró a la cara.

—Cuando te bese, ¿qué planeas hacer exactamente? —En su voz había una áspera sensualidad mezclada con un toque de sospecha.

Ella apenas podía respirar. Tuvo el extraño impulso de rodear su cuello con los brazos y presionar su cuerpo fuertemente contra el suyo.

—Dijiste que no había sacrificio demasiado grande —le recordó.

—Eso lo dije cuando pensé que el sacrificio iba a ser el Jeep de mi hermano. Pero ahora veo que tienes algo más en mente. ¿Qué estas planeando hacer?

—Recuperar mi cuchillo, por supuesto —contestó honestamente.

Su cabeza se inclinó un poco más y ella pudo sentir el terciopelo de sus labios rozando los suyos.

—¿No crees que pueda distraerte?

—Has estado distrayéndome toda la noche, pero no, si me besas, el cuchillo estará de nuevo en mi poder.

Ansiaba besarla. La tentación era abrumadora, pero no era tan estúpido como ella pensaba. Se apartó de ella con reticencia y una débil sonrisa en la cara.

—*Cher*, tenemos un problema.

Su mirada recorrió la parte delantera de sus vaqueros.

—Tú más que yo.

Sus ojos se oscurecieron.

—Oh, no lo creo, *mon amour*, y si quieres que te lo demuestre, solo acércate y déjame tocarte.

—Inténtalo y te parto la cara.

Su sonrisa se ensanchó.

—Estás húmeda por mí, ¿verdad, *cher*?

Ella se pasó la lengua por su labio inferior con la mirada caliente.

—Más de lo que imaginas. Lástima que seas tan gallina.

—Estás jugando un juego peligroso, Llama —dijo él.

—Eres tú el que tiene mi cuchillo y mi moto.

—Ese no es el motivo. Crees que todo esto es parte de otro experimento, ¿verdad?

—¿Y no lo es? —Se acercó al calor de su cuerpo apoyando las caderas contra él—. Cuando estás con otra mujer, ¿es acaso tan intenso? ¿Las mujeres con las que sales te incitan a arrancarles la ropa ahí mismo, en ese instante, y mandar al infierno todo lo que siempre has creído y valorado?

—Si sabes que me siento así, ¿por qué diablos me estás tentando aquí, en medio de la nada, cuando estamos solos? Lo que hiciste en ese club estuvo mal y lo que me estás haciendo ahora también, y si lo hicieras con cualquier otro hombre te meterías en problemas.

Algo oscuro y caliente brilló en las sombras de sus ojos y desapareció inmediatamente.

Llama sacudió la cabeza, con expresión derrotada.

—Es eso precisamente, Raoul, no soy la única que lo está haciendo. Tú también. Somos los dos ¿No te das cuenta? —Pasó la mano por su cabello y dispersó las horquillas de tal forma que sus mechones rojos cayeron en todas direcciones—. Lo notas. Sabes en qué estoy pensando, porque tú estas pensando lo mismo. Todo es parte de los experimentos de Whitney. Llévame de vuelta. Ha sido un día largo y quiero irme a casa.

Parecía cansada. Triste. Y muy sola. Gator dio vueltas en su mente a sus acusaciones una y otra vez.

—Pero es imposible manipular la química sexual entre dos personas ¿No crees?

—¿Por qué no? Manipuló todo lo demás, ¿no es así? Estaba construyendo el ejército perfecto. Las armas perfectas. Los agentes perfectos. —Llama se hundió en el asiento y lo miró desde ahí—. Whitney tuvo años para poner en funcionamiento su plan. Y alguien sabía lo que estaba haciendo. Alguien lo ayudaba. No estaba solo en esto, no pudo haberlo estado.

Su retorcida lógica estaba empezando a tener sentido para él y eso lo alarmó.

—Salgo en misiones con los Soldados Fantasmas, continuamente. De todas las chicas perdidas solo se ha encontrado a Lily y a Dahlia. Y ahora tú.

—Sorprendente. Quizá seamos pequeñas marionetas y esté jugando con nosotros. No quieres ni pensar que esto sea lo que está pasando porque te heriría el ego. Crees que escogiste lo que te pasó porque de alguna manera eso me convierte a mí en una víctima y a ti en el héroe responsable de su vida. Si lo que estoy diciendo es verdad, serías una víctima tanto como yo y no puedes soportar esa idea.

Gator dio vueltas a las palabras en su mente, a la lógica de su argumento. Si estaba en lo cierto, no era más que un robot programado, una marioneta de la cual Whitney tiraba de las cuerdas. Peor que eso, ella había acertado. Hasta cierto punto había pensado en ella como en una víctima, pero maldita sea, todos los Soldados Fantasma lo pensaban. Las mujeres habían sido compradas y sometidas a experimentos. Los hombres habían elegido ser héroes para salvar el mundo. Soltó otra larga y apasionada serie de imaginativas y ordinarias palabrotas.

—Siento haber hecho que tu mundo se tambalee. Pero si estás con Whitney, y estás obedeciendo sus órdenes de venir aquí para llevarme de vuelta, al menos considera que está jugando contigo. Whitney nunca hace nada sin que lo beneficie.

—Maldita sea, ese hombre está muerto.

—¿Te das cuenta de que no me has contestado ni a una sola pregunta esta noche, Raoul?

—Mejor no hablemos más. Maldita sea.

Enseguida se quedó callado mientras la embarcación avanzaba rauda por el canal manteniendo su expresión impertérrita.

Llama no pudo apartar los ojos de Raoul. Se sentía triste por él. Triste por ella. No sabía ni por qué.

Estuvieron en silencio mientras el hidrodeslizador se adentraba en el canal. Cuando el muelle estuvo a la vista, Gator la miró y sus ojos planearon sobre su vestido, sus piernas y la curva de su trasero.

—No quiero que lo hagas más.

—¿Hacer qué? —dijo arqueando una ceja.

—No me des problemas. Sabes de qué estoy hablando. No trates de atraer hacia ti el destino de Joy. Si alguien la secuestró, o la mató, puede pasarte a ti lo mismo. No tienes apoyos. No tienes a nadie que te cuide.

Llama se encogió de hombros.

—Eso es algo a lo que estoy acostumbrada, Raoul. No juego en equipo.

—He buscado a Joy durante cuatro semanas. Mi hermano, Ian, y yo hemos andado de arriba abajo por el *bayou*. Hemos preguntado a todo el mundo. Hemos estado investigando en las chozas y seguido cada pista que nos dieron. Joy está desaparecida y no quiero que te pase lo mismo a ti.

—Yo no soy Joy. Puedo cuidar de mí misma.

Su oscura mirada parpadeó y allí estaba de nuevo, ese algo indefinido que no podía captar, pero que la hizo temblar.

—No me habrías podido frenar si yo hubiera sido otro tipo de hombre.

Ella encogió los hombros.

—Piensa lo que te dé la gana. Los hombres siempre lo hacen.

—No voy a discutir contigo al respecto. Y ven a mi casa mañana a las dos para tomar el té. *Grand-mère* te espera.

—¿Por qué razón debería presentarme?

—Por dos razones. —Saltó al muelle, amarró el bote y se volvió para ofrecerle la mano—. Una, quieres tu moto, y dos, cualquier mujer que arriesgue su vida para descubrir qué le pasó a una extraña no va a desairar a una anciana que tiene una enfermedad del corazón.

—¿Está realmente enferma del corazón o te lo estás inventando?

—No miento acerca de mi abuela. No vayas por ahí provocando a los hombres otra vez y no te utilices como señuelo, o tú y yo vamos a tener una guerra que no serás capaz de ganar.

Lo miró a los ojos, esperando que la soltase.

—No me gustas mucho.

—Lástima. En ese caso, cuando te acuestes conmigo, te tocará fingir.

Sus dedos le soltaron la muñeca de mala gana.

—¿Quién dice que voy a acostarme contigo?

Gator se le acercó deliberadamente, transmitiendo agresión en cada ángulo de su corpulento cuerpo.

—Déjame decírtelo de otra manera no te acostarás con nadie más, así que si quieres deshacerte de todo ese calor, mejor piensa en mí, *cher*.

Ella no retrocedió ni un centímetro.

—Anda y que te follen.

Con el cuchillo en la mano, se le acercó aún más y recorrió con la mano la curva de su trasero y la deslizó por debajo de su vestido para colocar de nuevo el cuchillo en su funda. Todo mientras sus nudillos acariciaban su piel desnuda, y con la parte de atrás de la mano masajeaba el calor húmedo entre sus piernas. El aliento contra su oreja era caliente.

—Yo preferiría follarte a ti y a juzgar por tus bragas, diría que sientes lo mismo.

—Debería hacerte tragar ese cuchillo.

No se apartó de él o de su mano indagadora. Aguantó cara a cara, manteniendo la mirada frente a frente, con una furia abrasadora en sus ojos. Odiaba que le quemara el cuerpo de deseo por él. Detestaba que se pudiera divertir con su estúpido sentido del humor. Pero más que nada, aborrecía que él fuese la marioneta de un hombre que jugaba a ser Dios con la gente y que los movía a todos como piezas de ajedrez.

—Voy a besarte. Si me vas a clavar esa cosa, hazlo en algún lugar que no sea importante para mí.

La atrajo hacia él, pasó los brazos alrededor de ella y deslizó las manos por su espalda. Su miembro estaba duro, caliente y grueso de necesidad, y se frotó contra ella, masajeando su terrible dolor mientras inclinaba su cabeza hacia la de ella.

Llama alzó su boca hacia él, se encontraron a mitad de camino y un fuego lento se inició instantáneamente al tocar sus labios. Raoul introdujo la lengua en el calor húmedo de su boca y el ansia que sentía por ella era tan fuerte que lo sacudió. Sintió en respuesta el temblor que recorrió su cuerpo mientras ella se derretía contra él, toda carne suave y curvas lujuriosas. Él sabía a sexo, dulzura y furia mezclados en una poderosa pócima.

Ella era adictiva y la potente química entre ellos era inflamable. No estaba solo besándola, estaba devorándola, dándose un festín con ella, besos largos y profundos, una y otra vez porque no tenía bastante. Sus senos eran suaves tentaciones contra su tórax y cuando ella se restregó contra su muslo, alineando sus cuerpos más cerca, a él lo abandonó la respiración en una ráfaga descontrolada.

Era un tormento, su cuerpo estaba tan tirante y duro que él pensó que su piel explotaría. Su sangre palpitaba y rugía como un trueno en sus oídos.

—Ven conmigo a mi cabaña. —Él le mordió el labio, lo chupó y la provocó con la lengua—. Ahora mismo. Olvida todo lo demás y ven a casa conmigo.

Llama luchó contra el instinto de cabalgar sobre su cuerpo.

—No sabía que tenías tu propia cabaña. ¿No estás con tu abuela?

La tentación de estar a solas con él con una cama cerca era más de lo que podía pensar ahora. Su cerebro estaba totalmente derretido.

—Cuando vengo de visita, me quedo con ella. La cabaña es un pequeño refugio de caza, pero tiene una cama.

La besó de nuevo, larga y ferozmente, y con una pérfida combinación de mando y persuasión, sus manos se deslizaron por su trasero para levantarla más cerca de él.

Llama se dio cuenta de que tenía una pierna enroscada alrededor de su cintura, de que una de sus manos estaban bajo su camisa acariciándole el pecho desnudo, sintió el peso de sus pechos y de la terrible pulsación entre sus piernas. Nunca había deseado nada de la forma que lo deseaba a él. Su necesidad estaba más allá de la lujuria, más allá de la atracción y rayaba la obsesión. Se arrancó a sí misma de sus brazos, tambaleándose hacia atrás al borde del muelle.

Esto permitió a Gator sujetarla para impedir que cayera al agua llena de juncos. Fue más bien un acto reflejo. Se miraron fijamente el uno al otro, ambos luchando por recobrar el control.

—No volvamos a hacer esto —dijo Llama agitada.

—Pues yo estaba pensando que deberíamos hacerlo todo el tiempo —contestó él—. Tienes el nombre adecuado. Por un momento pensé que me iba a convertir en humo —contestó lanzándole una sonrisa burlona que hizo que su corazón diese un vuelco.

Llama se restregó sus labios hinchados con el dorso de la mano. Todavía podía sentir el sabor de él y su huella en el cuerpo, presionado en sus huesos como una señal.

—Por si no te has dado cuenta, ahí dentro se están peleando —su voz era tan baja, tan ronca que ni ella misma la reconoció. No podía apartar la mirada, la mantenía cautiva como a un rehén.

—Los oigo. Ian y Wyatt pueden ocuparse de sí mismos. Están peleando con Louis y Vicq, lo que no es sorprendente. Nuestras familias se han estado peleando desde que teníamos cinco años.

La puerta se abrió detrás de ellos y Raoul se volvió para mirar la multitud que salía del Club Huracán. Dio dos pasos para interponer su cuerpo entre Llama y la multitud de hombres, muchos todavía luchando mientras se desparramaban por el jardín y el muelle. Varios sujetos corpulentos rodeaban a Emanuel Parsons y a su hijo James cuando dirigieron sus pasos hacia la relativa seguridad del final del muelle.

El viejo Parsons vestía un impermeable largo y con su cabello blanco y su bastón parecía totalmente fuera de lugar en medio de la multitud que peleaba. Su hijo, que exhibía un ojo amoratado y el labio hinchado, apartó la mano de su guardaespaldas mientras se acercaban a Gator y Llama.

—Raoul Fontenot, Emanuel Parsons —le ofreció la mano—, nos presentaron en una recaudación de fondos hace unos años.

—Lo recuerdo —dijo Gator—, esta es mi prometida, Llama Johnson.

Los ojos de Parsons recorrieron su cuerpo.

—Eres encantadora, querida. Te he oído cantar alguna vez. ¿Has pensado en cantar profesionalmente? Si estás interesada puedo hacer algunas llamadas.

Llama le lanzó una sonrisa animada, abrió los ojos con asombro y miró a los guardaespaldas y el conductor que estaban al fondo entre penumbras.

—¿De verdad? ¿Cree que mi voz es tan buena?

Cogió la mano extendida de Gator y permitió que tirara de ella para acercarla a su lado. Él puso el brazo alrededor de su cintura de forma bastante posesiva, y ella lo dejó allí mientras observaba al hijo de Parsons. Este era el hombre que había estado prometido con la desaparecida Joy. El sujeto que juraba no saber qué le había pasado. Obviamente, los hermanos de Joy le habían dado un par de golpes en medio de la reyerta.

James Parsons estaba ligeramente atrás y a un lado de su padre, evitando la mirada fija de los guardaespaldas, incómodo en su papel de hijo de un hombre poderoso. Le lanzó un par de miradas calientes y licenciosas a Llama, pero no le dirigió la palabra y su padre no se molestó en presentarlo. James era un hombre guapo, pero a Llama le parecía un consentido y un presumido, aburrido de que su padre hablara con los lugareños e irritado porque no le hubieran presentado cuando evidentemente era lo que quería.

No había duda de que había heredado ese aspecto mimado y aburrido de su padre. El hombre mayor mantenía la misma expresión que tenía la noche que lo había visto en un club de Nueva Orleáns sentado a una mesa tomándose unas copas con un grupo de hombres de negocios, asegurándose de que le pasaran a él la cuenta. James no quería dar un paso hacia delante por sí mismo y presentarse, ya que eso le restaría importancia ante sus propios ojos. Ella no iba a satisfacer su ego fijándose en él. El chófer, que obviamente observaba el comportamiento enfurruñado de James, le guiñó un ojo a sus espaldas.

La multitud que tenían detrás peleaba ferozmente y se continuaban lanzando unos a otros al suelo o contra las paredes de la cabaña. El porche crujía de forma siniestra cuando algún cuerpo golpeaba la estructura, y el ruido de botellas rompiéndose retumbaba en la noche.

—Sí, creo que tu voz es buena y tengo ojo para el talento. —El mayor de los Parsons ignoró la batalla campal a su alrededor como si no existiera. Chasqueó los dedos y el chófer se adelantó para sacar una tarjeta de un delgado estuche de plata. Emanuel Parsons tomó la tarjeta y le tendió la mano—. Esta es mi línea privada. Si realmente quieres saber hasta dónde puedes llegar, hazme una llamada y veré qué puedo hacer para ayudarte.

Llama le ofreció su sonrisa más inocente, convenientemente sorprendida de que él tuviera conexiones en el mundo de la música. Los dedos de Gator se le clavaron en la muñeca cuando cogió la tarjeta y la apretó contra su pecho como si le hubiera dado un regalo precioso. Un hombre corpulento al que habían empujado cayó al río con un fuerte chapoteo.

El guardaespaldas más alto se inclinó hacia Emanuel Parsons para susurrarle al oído.

—Señor, deberíamos irnos —le aconsejó—. Esto se está saliendo de madre y hay mucho resentimiento contra su hijo.

Emanuel Parsons contuvo al hombre con una sola mirada. El guardaespaldas se retiró y James sonrió satisfecho, obviamente disfrutando de que su padre le hubiera reprendido públicamente.

—¿Qué te trae de vuelta por el *bayou*, Raoul? —preguntó Parsons—. He oído que estabas en el ejército. ¿Has salido ya? Siempre tengo trabajo para un buen hombre.

—No señor. —Gator negó con la cabeza—. Estoy en casa, visitando a la familia. Mi abuela vive aquí y tengo tres hermanos en la zona.

Un cuerpo voló por delante de ellos para chocar con un fuerte ruido sordo contra el poste. Parsons sonrió y sacudió la cabeza.

—Recuerdo los buenos tiempos cuando venía al Huracán y siempre era un soplo de aire fresco. Ha sido un placer conocerte, Llama.

Alcanzó su mano, se la llevó a los labios, la dejó caer rápidamente y se dio la vuelta antes de que ella pudiera contestar.

Llama frunció el ceño, frotando sus nudillos contra la camisa de Gator.

—Puaj, me ha lamido.

—Cualquiera te lamería si le dieras la oportunidad. —Le cogió la mano y le frotó los nudillos con el pulgar—. Si quieres, le doy una paliza por ti.

—En ese caso, ya lo hago yo. ¿Qué te ha parecido su hijo?

—Si ese era el prometido formal de Joy —dijo Gator—, no me parece que esté tan destrozado. Te miraba como si estuviera muerto de sed y tú fueras whisky.

—Bonita forma de decirlo, pero creo que tienes razón. Probablemente salía con Joy para provocar a su padre. No hay duda de que en esa familia tienen un síndrome de elitismo que viene de lejos. —Miró la tarjeta en su mano. Ni siquiera tenía escrito el nombre de Parsons, tan solo un número de teléfono en letra negra en relieve sobre un fondo de lino pálido—. Muy elitista.

—Vi el vídeo del interrogatorio de James cuando la policía le preguntó sobre la desaparición de Joy. Parecía muy abatido. Creo que nuestro chico tiene habilidades para la interpretación.

—Puede ser que haya recibido clases de actuación —dijo Llama—. Sería bastante fácil de averiguar. Francamente me ha resultado desagradable, no sé qué vio Joy en él.

—Poder y dinero. Es un tío con bastante carisma y, si tiene las habilidades interpretativas necesarias, probablemente la convenció de que estaba enamorado de ella.

—Hasta que papá objetó y la humilló delante de toda su familia —dijo Llama con la voz incisiva—. Lo hizo a propósito. Su madre me lo contó todo.

Se apartó al ver que uno de los hermanos Comeaux se tambaleaba hacia atrás a punto de chocar con ella.

—Puede ser que James necesite que su padre se oponga a sus elecciones para sentirse más importante o que se divirtiera humillando a Joy.

—Y demostrarse a sí mismo que está por encima de cualquiera. Es una rata inmunda —declaró Llama.

—No lo sabemos seguro —señaló Gator—. Y solo por curiosidad ¿te has referido a mí como una rata inmunda?

—Sí, varias veces, pero de diferente manera. Él es una rata inmunda estilo chulo putas. Tú solo eres de la variedad rata vulgar de jardín modelo hombre.

—Gracias por aclararlo.

—De nada —le guiñó un ojo.

—¿Llama?

—Me voy.

—Guarda el cuchillo en la funda.

Ella se miró la mano. Sin darse cuenta había sacado el cuchillo cuando Comeaux por poco choca contra ella. Lo mantenía bajo, con la hoja hacia arriba, pegado al cuerpo, que mantenía en postura de lucha, apoyada sobre la parte delantera de sus pies.

—¿No te gusta?

—Es sexi de muerte, *cher*, pero no quiero que esos hombres te tomen por una chica salvaje. Estaría peleando todas las noches. Vete a casa donde no tenga que preocuparme por ti.

Ella dio la espalda al club y deslizó el cuchillo dentro de la funda mirándolo por encima del hombro.

—¿Quieres decir que a ellos les gustaría saber que llevo un cuchillo?

—Harían fila para casarse contigo.

Llama le dirigió una sonrisa tentadora, pareciendo insegura por primera vez.

—Estás un poco loco, ¿verdad?

—Sí. Acuérdate de esto antes de que decidas salir con otros después de estar casada conmigo con varios hijos y pienses que la vida es muy aburrida.

En el mismo momento en que la broma salió de su boca, supo que había metido la pata. Un hombre llamado Whitney le había robado a Llama su pasado y seguramente también la había despojado de su futuro.

La sonrisa de ella vaciló por una décima de segundo antes de volver a su cara mientras subía a bordo del hidrodeslizador.

—Que te diviertas, Raoul —señaló hacia los hombres que estaban peleándose. Ian era más alto que la mayoría y destacaba fácilmente peleando a espaldas de Wyatt—. Sé que te mueres por participar.

—¿Quieres que te acompañe a casa, *cher*?

No quería que se marchara. Quería sujetarla en sus brazos, mantenerla a salvo de alguna manera. Cambiar su vida. Cambiar su idea respecto a él.

Ella sacudió la cabeza con pesar.

—No me trago que sea un acto caballeroso. Solo quieres saber dónde vivo.

—¿Dónde vives?

Miró cómo arrancaba la embarcación mientras su corazón latía con furia. La necesidad de detenerla era tan fuerte que le asustaba moverse e intentar frenarla de verdad. Ella le rompía el corazón y a la vez era letal.

Se quedó paralizada y luego giró la cabeza hasta que su mirada se encontró directamente con la de él.

—¿Has colocado un dispositivo de seguimiento en la lancha?

—Por supuesto.

Gator le dirigió una sonrisa arrogante y obligó a su cuerpo a alejarse de ella y a dirigirse hacia los luchadores. La oyó murmurar algo rudo detrás de él que sonó sospechosamente parecido a rata inmunda, pero no se volvió. Mientras se abría paso entre los combatientes, escuchó el hidrodeslizador alejarse por el canal.

—Ya es hora de que aparecieses —le dijo Wyatt sonriendo.

Justo en ese momento recibió un fuerte puñetazo en la mandíbula y Gator hizo un gesto de dolor.

Hizo girarse al hombre que había pegado a su hermano y le lanzó una combinación de puñetazos que lo tiró al suelo. Logró esquivar un golpe bestial al apartar bruscamente a alguien para acercarse hasta Wyatt.

—Si tuvieses que escoger entre ser una rata inmunda estilo chulo putas —echó la cabeza hacia atrás para evitar otro puñetazo y lanzó una patada tirando a su oponente—, o una variedad rata vulgar de jardín modelo hombre, ¿qué elegirías, Wyatt?

Cogiendo a uno de los dos hombres que empujaban a su hermano hacia atrás, lo tiró a un lado y fue detrás del segundo hombre. Wyatt se inclinó hacia adelante cogiendo aliento, sonriendo al ver que Gator se deshacía fácilmente de su adversario.

—Verte luchar es impresionante, Gator. —Se frotó la dolorida mandíbula—. Yo sería el chulo putas, hermano. No querría que nadie pensase que soy vulgar, me entiendes, ¿no?

Gator le mandó un puñetazo la mandíbula, lanzándolo al suelo como si fuera un saco de patatas. Wyatt gateó hasta la pared y buscó alrededor hasta encontrar la cerveza que había sacado del bar. Sentado en el suelo, echó la cabeza hacia atrás y sonrió.

—Por lo visto no era esa la respuesta correcta. No te la has ligado ¿verdad, hermano?

—Cállate antes de que te rompa esa botella en la cabeza.

Gator empujó a otra víctima fuera de su camino y entró.

El club estaba un poco desordenado y aprovechó para enderezar un par de sillas mientras se dirigía hacia la barra.

—Gran noche, Delmar —dijo Gator—, podría tomarme otra copita. Me he divertido más que en mucho tiempo.

—Los chicos necesitaban liberar un poco de frustración. Y tú te has pillado una mujer muy guapa, pero te va a traer problemas. Muchos problemas.

Gator le sonrió.

—Tiene un cuchillo. Un cuchillo grande. Cuando la saco de quicio me enseña el cuchillo.

Delmar silbó suavemente.

—Eres un hombre con suerte, Gator. No dejes escapar a esta. Nunca he entendido por qué las mujeres te encuentran tan atractivo.

Gator se bebió la copa de un trago y depositó el vaso en la barra, guiñándole un ojo al propietario.

—Es porque soy encantador. Nos vemos.

Delmar resopló como respuesta. Gator se dirigió hacia la puerta y vacilando se dio la vuelta.

—Contéstame a esto, Delmar. Si tuvieras que escoger entre ser una rata inmunda chulo putas o una variedad de rata vulgar de jardín modelo hombre, ¿qué preferirías ser?

Delmar inclinó la cabeza hacia un lado mientras reflexionaba al respecto.

—No es una pregunta con truco, Delmar —dijo Gator—. Solo escoge una opción.

—Bien, entonces eso es muy fácil. No me gustaría ser una vulgar rata de jardín. Preferiría ser la rata inmunda chulo putas.

—Eso es totalmente estúpido. —Gator levantó las manos en el aire con exasperación—. ¿Quieres que la gente piense que eres un chulo putas?

Delmar le obsequió con uno de sus lentos asentimientos.

—Sip.

Furioso, Gator salió del local tirando a su paso las dos sillas que anteriormente había enderezado.

—Vosotros dos, vamos —llamó a su hermano y a Ian—. Levantaos.

Estaban sentados uno al lado del otro con la espalda apoyada en la pared, las piernas estiradas y sendos botellines de cerveza en la mano. Intercambiando una larga mirada rompieron a reír estrepitosamente.

—Eso podría ser un problema, hermano —dijo Wyatt—. No estoy seguro de que podamos levantarnos.

Gator les frunció el ceño a los dos.

—Bien, veo que lo habéis pasado bomba. ¿Empezaste tú la pelea? —le preguntó a su hermano.

Wyatt tomó un trago largo de su cerveza pensando la respuesta.

—Ahora que lo preguntas, podría ser que sí.

Ian le dio un codazo.

—Tú lanzaste el primer puñetazo y fue alucinante —lo elogió—. Vicq quería quitarte a tu mujer, Gator, y aquí Wyatt te defendió.

Gator sintió un torrente de rabia hervir en la boca del estómago. Vino de la nada, como cada emoción intensa que sentía cuando Llama estaba implicada.

—No tiene ningún derecho. Demonios, lleva a mi bebé en su vientre. ¿Acaso dijo que se acostó con ella?

Wyatt e Ian tomaron otro trago de sus respectivas cervezas. Gator observó sus caras de disimulo con enfado.

—No me digáis que no podéis recordarlo. Es un detalle importante, ¿no os parece? Si ella está liada con otro, yo debería saberlo.

—Sí —Ian concedió—, el bebé podría no ser tuyo.

—Maldita sea, Ian. El bebé es mío. No se ha acostado con Vicq Comeaux. Me da igual lo que él dijera.

Ian y Wyatt se miraron el uno al otro y rompieron a reír nuevamente.

—Creí que dijiste que no había un bebé —dijo Ian.

—Oh, cállate ¿Dijo que se había acostado con ella?

—No puedo callarme y contestarte al mismo tiempo —le señaló Ian pragmáticamente.

—No que yo recuerde —dijo Wyatt—. Vicq la ha estado siguiendo de club en club. Apuesto que no tuvo el coraje de pedirle una cita. Le da mucho a la lengua pero actúa poco cuando se trata de mujeres.

Ian dio un codazo a Wyatt.

—Estaba fardando de lo que haría con una gatita tan caliente como Llama.

—Ni se enteraría —se mofó Gator—. Ella lo rajaría por la mitad antes de que hiciera su primer movimiento. Le he salvado su despreciable pellejo esta noche.

Wyatt e Ian lo miraron parpadeando borrachos.

—Es verdad, tío, tiene un cuchillo. —Wyatt se apoyó inestablemente contra la pared—. Tiene el maldito cuchillo más grande que he visto nunca y encima lo tenía contra la garganta de Gator.

—No tiene por qué causarte admiración el hecho de que pusiera un cuchillo en la garganta de tu hermano —objetó Gator—. Casi me mata. ¿Lo has pensado acaso?

—Fue impresionante. —Wyatt se tambaleó hacia adelante y se dio la vuelta para extender educadamente su mano hacia Ian—. Totalmente impresionante.

—Me hubiera gustado verlo —dijo Ian llanamente.

—Venga, meteos en la piragua antes de que decida dejaros aquí. Para lo mucho que me ayudáis...

Ian intercambió otra larga mirada con Wyatt; parecía que iban a estallar en otro ataque de risa.

—Gator olvida que defendiste su reclamación sobre la chica, pero tengo buena memoria, muchacho, y se lo recordaré.

—Ahora está enfadado conmigo —explicó Wyatt frotándose la mandíbula de nuevo—. Respondí de forma equivocada a su pregunta. Entre Gator y Vicq me han machacado la mandíbula. Vicq estaba cabreado con todo el mundo esta noche. Tuvo una acalorada discusión con ese chico Parsons y también con los guardaespaldas. Creí que se iba a pelear con todos.

—Sí, hasta que el chófer le dijo algo y paró. —Ian sonrió—. Pensé que tal vez le estaba ofreciendo llevarlo de paseo por Nueva Orleáns con ese cochazo.

Los dos se tambalearon por el largo muelle de madera hasta la pequeña piragua, riéndose por lo bajo. Gator ayudó a su hermano a subir a bordo y a sentarse antes de girarse hacia el alto irlandés. Cuando Ian bajó del muelle a la piragua, resbaló y chocó contra Wyatt. Estuvieron a punto de terminar todos en el canal y los dos se sentaron en la popa de la embarcación aullando de risa.

Gator cogió el remo, los miró claramente molesto y empujó para alejar la piragua del muelle.

—Menudo par de gilipollas.

Esto provocó otra oleada de risas. Gator sacudió la cabeza al dirigir la piragua a través del canal lleno de juncos, hacia aguas más abiertas y menos profundas. El canal era bastante estrecho pero permitía fácilmente maniobrar. Había algo muy satisfactorio en esos viejos y conocidos caminos: clavar el remo en el fondo del canal, la vibración que lo recorría hasta llegar a su hombro, y el familiar juego de músculos al conducir la piragua a través de las cañas. Si hubiera podido fingir que estaba solo habría disfrutado más de la noche, pero su imaginación no era tan buena como para ignorar el canto ruidoso de su hermano y su amigo. Empujó nuevamente el remo.

—Ey, Gator, ¿cuál era la pregunta que le hiciste a mi amigo Wyatt? —preguntó Ian.

En el repentino silencio que se produjo cuando ambos se callaron, el sonido se expandió. El zumbido de los insectos, el murmullo de las conversaciones de los hombres que regresaban a casa por la misma ruta, los chapoteos en el agua de los grandes reptiles que se deslizaban en el canal, y el susurro de algo moviéndose a lo largo de la orilla al ritmo de la piragua.

Gator se giró hacia el sonido y oyó una rama quebrarse y el crujido del musgo seco. Algo brillante se dirigía hacia él y lo captó en una fracción de segundo en la débil luz de la pequeña luna creciente. Lo lanzó lejos con un rápido movimiento del remo y el objeto cayó al agua con un chapoteo, hundiéndose inmediatamente bajo la superficie oscura.

Obligando al aire para que entrara en sus pulmones, esperó el siguiente ataque. Hubo un crujido en los arbustos, las ramas enfrente de él se balancearon y se escuchó el ruido sordo de un fuerte golpe seguido de silencio. No se movió hasta que volvió el murmullo de los insectos.

—¿Qué ha sido eso? —preguntó Ian, con un tono más sobrio que borracho.

—Creo que alguien ha intentado matarme —respondió Gator.

—Llévanos a tierra.

Ian ya no sonaba borracho en absoluto.

Gator miró a su hermano, claramente bajo los efectos del alcohol.

—Mejor no. No esta noche. Volveremos por la mañana.

—¿Era la mujer?

—No es una mala pregunta, ahora que lo dices —respondió Gator pensativo.

Capítulo 7

No le has dicho a Lily que has encontrado a Llama —dijo Ian.

Gator miró hacia arriba desde los papeles esparcidos a su alrededor en un semicírculo y arqueó una ceja con gesto de interrogación.

—En la reunión informativa. No le dijiste a Lily que encontraste a Llama.

—Por lo visto, no. Debo haber pasado por alto esa información. —Gator tamborileó con los dedos las fotos de las pruebas de las desapariciones de ambas chicas—. No veo nada aquí que nos pueda ayudar, ¿verdad?

—No. Y no hemos terminado de hablar de Llama. Pudo haber intentado matarte anoche. Estaba allí, estoy seguro.

—¿Qué viste que yo no vi, Ian? —preguntó Gator haciendo un montón con las fotos—. Registré la zona, igual que tú. No encontré ni una huella que pudiera ser de ella. Pero lo que sí encontré fueron varias pisadas de hombre. Y la misma marca de cigarrillos que fuma Vicq Comeaux.

—Estuvo allí y lo sabes. Es como los Soldados Fantasma. Se mueve por las sombras y no deja rastro, pero ambos la sentimos.

Gator miró a Ian fijamente.

—Ella es un Soldado Fantasma. Es igual que nosotros, no es diferente, es exactamente lo mismo.

—Aún así puede haber intentado matarte. Creo que estás pensando con la parte equivocada de tu anatomía.

—No habría hecho ruido, Ian. No habría pisado palitos ni movido las ramas. No había viento. Algún humano hizo esto. Y quienquiera que se resbalara en el barro era grande.

—Lo que te quiero decir es que vayas con cuidado. Es hermosa, pero no va a venir con nosotros. No serás capaz de llevarla de vuelta.

—No me subestimes, amigo. Puedo ser persuasivo cuando la situación lo requiere. —Gator alcanzó la taza de café—. No hay nada como el café cajún. Lo echo de menos cuando estoy lejos de casa.

Ian resopló.

—Podrías arrancarle la piel a un cráneo con ese brebaje. Y ella estaba en la isla; no te estoy diciendo que intentara cortarte la cabeza, pero estaba allí anoche.

Gator tomó un trago de café. Sí, había estado allí. Sintió la presencia de Llama, al igual que Ian. Había estado observándolo, pero no sabía por qué. Había pasado despierto la mayor parte de la noche pensando en ella, en el tacto de su piel, en el calor de su boca que se extendía por su propio cuerpo por la misma lujuria carnal. ¿Habría sido su voz hipnotizante la que lo había atrapado? Y quienquiera que se llevara a Joy Chiasson, ¿habría estado obsesionado por ella de la misma forma en la que él estaba obsesionado por Llama, con esa misma necesidad reptando bajo su piel, con su cuerpo duro y adolorido por mucho que intentase librarse de su olor y su tacto? ¿Estaba obsesionado día y noche hasta que decidió que mirar y fantasear no era suficiente?

—¡Gator! —Ian alzó la voz—. Estaba diciéndote que necesitas controlar este asunto. Estoy cubriéndote con el capitán, pero si nos llaman de vuelta por el problema del Congo...

Gator sacudió la cabeza.

—No puedo abandonar ahora. Alguien tendrá que hacerse cargo de esto. Nuestro equipo ha ido al Congo, Iraq y Afganistán ocho veces en los últimos diez meses para realizar extracciones. Hemos completado cada misión, pero alguien más tendrá que asumirlas esta vez.

—Ken Norton y su equipo han sido enviados a rescatar a un científico importante y a su gente. Ken los cubrió mientras corrían hacia el helicóptero, pero fue herido y no tuvieron otra opción que abandonarlo y poner a los civiles a salvo. Los Soldados Fantasma no abandonan a los suyos, y menos aún con esta banda de rebeldes. Han torturado y matado a cada prisionero que han capturado. No vamos a dejarlo allí y tú lo sabes, Gator.

—Fue su equipo quien rescató a los prisioneros, por eso los rebeldes estarán algo más que molestos. —Y Gator añadió—: Pero estamos al otro lado del mundo. Necesitan a alguien que esté listo. Comunícate con Rye y averigua a quién van a mandar. Dile que tenemos un problema aquí y preferiría quedarme si tenemos elección. —Miró fijamente a su amigo—. Y no creas que tienes que cubrirme.

—Tienen un equipo organizado, pero igualmente van a preguntar cuál es el problema.

—Dile que mi instinto me dice que hay una complicación. —Se le escapó una pequeña sonrisa—. Se supone que somos psíquicos, ¿no?

—Oh, seguro que le va a encantar tu explicación. Además, se va a dar cuenta de que no estamos siendo rectos. Nunca nos hemos retirado de una misión.

—No nos la han ofrecido.

—No, Jack Norton, el hermano de Ken, está encabezando un equipo de rescate. Nico y Sam y un par de los chicos de Jack van a ir —agregó Ian—. Nosotros éramos los suplentes.

—Solo dale el mensaje. Lo arreglará. Y si sientes que necesitas ir, créeme, lo entenderé.

—No te dejaré atrás.

—Y yo no la abandonaré. Tanto si te gusta a ti, como a ella, es uno de nosotros y no estoy dispuesto a soltarla.

—¿Es el Soldado Fantasma en ti el que está hablando, o las hormonas?

—¿Cómo demonios voy a saberlo? —Gator apartó las fotos, se levantó y cruzó la habitación para mirar por la ventana—. No lo sé, Ian.

—Bueno, mejor será que te aclares rápido, Gator —le aconsejó Ian—. Llamaré a Ryland y le haré saber que somos necesarios aquí por más tiempo.

—¿Le vas a decir que Llama está aquí?

Gator no se giró y mantuvo la mirada fija en uno de los árboles enormes del jardín de su abuela.

—No, a menos que me lo pregunte.

Gator no contestó, no sabía por qué era tan reacio a dejar que los otros supieran que Llama estaba en Nueva Orleáns. ¿Lily lo había sabido con certeza o realmente había sido una conjetura del ordenador? No lo sabía. Al principio no le importaba mucho. Como lo del refuerzo psíquico. Estaba bien correr más rápido y saltar por encima de las vallas. Esa sensación de poder lo había llenado, pero de repente no era suficiente y su futuro le importaba.

Quería vivir en el *bayou* cerca de sus hermanos y sus familias. Quería que sus hijos jugasen con los de ellos. Quería que el rostro de su abuela se iluminase cuando pusiera a su hijo o hija en su regazo. ¿Había descuidado su futuro negociando con él? ¿Era tan inconsciente como Llama pensaba que era?

¿Y qué pasaba con Llama? Parecía conocerla mucho mejor de lo que debería con solo un par de breves encuentros entre ellos. Pensaban igual. Era espeluznante sentir emoción y saber que era ella, no él. Y ella lo sentía. También él lo sabía sin haber hablado. Había una fuerte conexión entre ellos, tan fuerte como la volátil química. Cómo podría explicarle a Ian alguna vez que no se trataba de que no quisiera dejarla atrás, sino que simplemente no podía hacerlo.

Le asustaba pensar que podría tener razón, que Whitney había desarrollado primero a Llama como un arma y luego a Gator para complementar y amplificar sus poderes. Tenía sentido. El punto central de la ingeniería psíquica y el refuerzo genético era la amplificación del poder, pero ¿qué era esa atracción física, realmente más que solo física, que había entre ellos? ¿Era deliberada o una consecuencia accidental de la ingeniería?

Tocó el cristal de las ventanas, sintiéndola cerca. Tan cerca como la había sentido ese amanecer cuando Ian y él habían salido sigilosamente de la casa para volver a la isla, junto al Huracán, y examinar las huellas de quien fuese que lo hubiera acechado la noche anterior.

Llama había estado allí. No había encontrado un solo hilo de su vestido ni una huella de sus zapatos de tacón alto, pero había estado allí. Ian y él lo supieron al instante, de la manera que todos los Soldados Fantasma parecían saber repentinamente de la presencia de otro de ellos, casi como si el poder llamase al poder. No quería creer que lo había acechado entre los árboles intentando asesinarlo, no porque dudara de que Llama fuera capaz de matar, sino porque no le parecía probable que intentara matarlo de esa manera.

Frotó su cara con la mano intentando aclarar sus pensamientos. Ian tenía razón: eso era lo peor de todo. No podía pensar claramente cuando se trataba de ella. Estaba metiendo a una mujer muy peligrosa en la casa de su abuela. Era un pequeño juego para él, uno que disfrutaba muchísimo, pero no era justo poner a su familia en peligro.

—Rye no preguntó y yo tampoco dije nada —anunció Ian—, pero quiero que me prometas algo. Si determino que se te está yendo la cabeza, nos retiramos hasta que ambos nos sintamos a gusto con la situación.

Gator le lanzó una mirada dura, pero finalmente asintió con la cabeza. Tenía que confiar en el juicio de alguien si no confiaba en el suyo. La primera cosa que iba a hacer era asegurarse de que el cuchillo de Llama estaba todavía en su funda y no en el fondo del canal.

Llama se puso unos delgados guantes de cuero y se miró en el espejo. Se veía pálida y tenía los ojos demasiado grandes. Odiaba la mirada hundida que a veces tenía cuando no conseguía dormir lo suficiente. Estuvo tumbada y despierta la mayor parte de la noche pensando en Raoul. Esperándole, despreciándole. Era la cosa más tonta que podía imaginar y se sentía como una idiota a la que están tirando en dos direcciones. Él trabajaba para Whitney, su peor enemigo, y ella estaba fantaseando con toda clase de actividades eróticas y escandalosas con su cuerpo. Le gustaba estar en su compañía. Le gustaba su tonto sentido del humor. Le gustaba sentir sus manos en su piel y su boca en la suya.

Cerró los ojos y soltó un pequeño gemido. No volvería nunca. No con Whitney, no con la hija de Whitney. No confiaba en ninguno de los dos. Había pasado toda su vida siendo un experimento y ahora tenía claro que iba a tomar sus propias decisiones para el resto de su vida, incluso si eso significaba que se tuviera que mantener en movimiento para siempre. Raoul, con todo su encanto, su sonrisa sexi, su boca y su cuerpo caliente, no la iba a persuadir, ni a capturar ni a seducir para que volviese.

—¿Vas a alguna parte, *cher*? —le preguntó Burrell cuando asomó la cabeza por la puerta abierta y silbó suavemente—. Porque estás impresionante.

Ella le mandó un beso.

—Siempre me animas. Estaba pensando que me veía pálida y poco interesante o peor, pálida y como un zombi.

Él hizo una pausa.

—Llama, ¿te encontraste con alguien anoche? —Sonreía como en broma, pero tenía una mirada preocupada—. Conozco a todos los chicos de por aquí. ¿A quién viste?

Su corazón se contrajo. Sonaba como un padre preocupado. Nunca había tenido un padre preocupado y por un momento sintió que se le asomaban las lágrimas.

—Te pregunté por él anoche. Su nombre es Raoul Fontenot.

No podía evitarlo.

Sabía que era todo parte de la fantasía que estaba viviendo, un hogar, alguien que se preocupara por ella, gente a la que pudiese llamar amigos y vecinos, pero quería su preocupación, necesitaba sentir que le importaba a alguien.

—He oído que estaba en casa visitando a su abuela. Es un buen chico. Rudo. No es un hombre con el que querrías tener problemas.

Llama se echó a reír.

—¿Qué significa eso exactamente? ¿Es algún tipo de advertencia de que es un mujeriego y romperá mi corazón? ¿O significa que es un buen luchador y le gusta una buena pelea?

Burrell frunció el ceño tratando de parecer severo.

—Significa que Raoul Fontenot es un hombre que nunca rechazaría un problema. No le cabrees, porque no parará de ir detrás de ti.

Llama le sonrió.

—¿Piensas que debería tenerle miedo? Porque parecía dulce y mimoso conmigo.

Él la golpeó con una toalla en broma.

—¿Ves? Si te digo más, vas a empezar a molestarme a mí para ver si funciona.

Llama dejó que la persiguiera por la casa barco mientras los dos se reían. A ella le gustaba el capitán. Burrell nunca se había casado; había sido una rata de río, un hombre que necesitaba correr los peligros del río tan a menudo como fuera posible. Ahora, jubilado y viviendo solo en su casa barco, se divertía con Llama y sus travesuras tanto como ella se divertía con su compañía y sus historias. Ella le quitó la toalla de las manos finalmente. Él se sentó en la pequeña cocina cogiendo aliento mientras Llama se inclinaba contra el fregadero con los ojos brillantes por la diversión.

—Fuiste al banco esta mañana, ¿verdad, *capitaine*?

—Sí, señora. Llamé a Saunders y le ofrecí enviarle por correo el pago. Siempre pide los pagos en persona, pero pensé que podría querer que le ahorrara el problema. Me dijo que me encontrara con él más tarde, por eso primero voy a visitar a Vivienne Chiasson un par de horas, luego me encontraré con Saunders y tal vez iré a ver a la viuda esta noche.

Llama lo miró.

—Siento no estar más cerca de averiguar qué le pasó a Joy Chiasson que cualquier otro. Todavía no creo que se marchara, Burrell. No le digas nada a la familia, pero estoy investigándolo.

—No quiero que te pase nada, *cher*. No hagas nada peligroso.

Su ceño ligeramente fruncido se convirtió en una pequeña sonrisa traviesa.

—Me voy a encontrar con la abuela de Raoul esta tarde. Debería ser bastante seguro, ¿no crees?

Sus cejas se arquearon.

—¿Por qué vas a ir a ver a Nonny?

—Aparentemente le pidió a su nieto que me invitara y él fue bastante inflexible con que fuera. Afirma que está enferma del corazón.

—Eso es lo que escuché hace un tiempo. Todos los chicos Fontenot son muy protectores con ella. —Ladeó la cabeza y le estudió la cara—. Esto es algo grande, que ella pida que la visites, Llama. No se lo pide a cualquiera, que lo sepas.

—No, no lo sabía. La conocí brevemente hace un par de días y creo que quiere terminar nuestra conversación.

—Nonny Fontenot es una amiga mía.

—Ahora estás siendo protector. No voy a robarle.

—No vayas a intentar romper el corazón de ese chico, Llama. Eres una nómada, tú misma lo dijiste. Raoul no lo sabe, pero es un hombre de familia.

Ella se giró, inexplicablemente herida, aunque sabía que estaba diciendo la verdad.

—Puede que sea él quien rompa mi corazón, Burrell.

—Tengo una escopeta. Si juega con tu corazón solo dímelo y le haré una visita.

A pesar de sí misma, se rió otra vez con la idea del capitán tratando de amenazar a Raoul Fontenot.

—Creo que puedo cuidar de mí misma. Te veo esta noche.

Le lanzó un beso y le vio marcharse antes de volver al espejo y a su maquillaje. No le gustaban los círculos oscuros bajo sus ojos. Raoul podría notarlo y hacer algún comentario. Y eso le dolería.

Llama frunció el ceño ante el pensamiento.

—No tiene ningún poder sobre ti. Ninguno. No puede herirte aunque diga que pareces un zombi.

Se sentía como un fantasma últimamente. Perseguir a Burrell alrededor de la pequeña casa barco la había agotado.

Esperó a que Burrell se hubiera ido antes de empezar a ocuparse de sus otros asuntos.

Ya había sacado el contenido de los cuatro maletines delgados que había robado a Saunders. La mayoría tenía dinero en efectivo, pero uno contenía un par de discos compactos escondidos dentro de un gran sobre de papel manila. Lo había metido todo en una bolsa de plástico la noche anterior para luego guardarla dentro de su petate. Había llenado los cuatro maletines con piedras y los había lanzado a las profundidades en medio de uno de los canales. Además del dinero que había dado a Burrell, no había nada que la relacionase con el robo una vez oculto el petate.

Un sonido penetró las finas paredes de la casa barco. Eran unas pisadas en la cubierta seguidas por el ruido de succión, como se estuviera extrayendo algo del fango. El repentino silencio de los insectos. Los pájaros súbitamente alzando el vuelo desde tres ramas. Tenía compañía y con toda seguridad no se trataba del regreso de Burrell.

Recorrió la casa barco sin prisas, asegurándose de que no hubiera ninguna evidencia incriminatoria y nada que revelara su verdadera identidad. Abrió la ventana y lanzó un sonido demasiado agudo para que el oído humano lo oyese. La respuesta fue inmediata. Cientos de mosquitos oscurecieron el cielo de la tarde y el zumbido en el pantano aumentó de pronto. En el momento en el que escuchó el sonido de unas palmadas sobre la piel, se deslizó por la ventana del lado opuesto, cayendo suavemente sobre la cubierta con el petate en la mano. Usando los muebles para cubrirse, se dirigió hacia la orilla para entrar en la pequeña isla que Burrell llamaba su jardín.

Llama se deslizó entre los árboles y permaneció agachada para evitar ser vista mientras avanzaba a toda prisa por el pantano, alejándose de los mosquitos y las palabrotas que soltaban las voces. Usando el sendero que bordeaba el canal en dirección hacia la casa barco, permaneció cerca del follaje por si necesitaba cobertura.

Varios coches, incluyendo el Jeep de Fontenot que retenía, estaban aparcados cerca de un muelle podrido en la pequeña franja de tierra que conectaba el puente con la carretera. Su hidrodeslizador estaba atado allí junto a dos pequeños barcos de pesca. Se sintió aliviada al ver que el bote de Burrell no estaba. Llama empujó el petate en la parte trasera del Jeep bajo una lona sucia y una caja de herramientas.

Se puso un gorro y emitió un segundo sonido agudo para alejar a los mosquitos mientras conducía de vuelta hacia el pantano. Necesitaba saber quién iba detrás de ella. Raoul había admitido haber puesto un sistema de seguimiento en algún lugar de su hidrodeslizador y, aunque hubiese sonado como una broma, le creyó. Ella hubiese hecho lo mismo sin duda alguna.

Llama bordeó por el lado de los cipreses hasta que pudo oír a unos hombres moviéndose, hablando en susurros, haciendo crujir latas y murmurando palabrotas cuando los insectos les picaban. Uno de los hombres vigilaba continuamente el canal con unos prismáticos potentes mientras otros dos buscaban en el interior del pantano y las orillas. Ninguno de ellos era muy cuidadoso, lo que la llevó a pensar que no eran militares. No podía decir qué estaban haciendo exactamente o por qué estaban allí.

No tenía más opción que dirigirse tierra adentro usando la cobertura de los arbustos y los árboles para acercarse lo suficiente para verlos. Con cada paso se hundía en el barro hasta las rodillas. Detrás de ella el agua oscura rellenaba sus huellas, lo que hacía imposible ver la dirección de la que venía. Apagó los sonidos de sus pasos en del agua y el barro, y así no habría ninguna posibilidad de revelar su presencia a los intrusos.

Había cuatro hombres. Dos de ellos cambiaban de posición continuamente, incómodos al parecer con la humedad y la superficie esponjosa del pantano. Cada vez que se movían, el barro hacía un sonido de succión a su alrededor. El hombre con los prismáticos los fulminaba con la mirada de vez en cuando, enfadado por sus constantes movimientos. Se opuso cuando el cuarto hombre encendió un cigarrillo, y éste lo apagó al instante en cuanto le ordenó hacerlo.

Los hombres no se acercaron a la casa barco, simplemente observaban las idas y venidas en el agua. No cercaron su hidrodeslizador o el Jeep. De hecho, ninguno de ellos registró los vehículos del aparcamiento, o los barcos amarrados al muelle. Los observó durante un tiempo largo, incapaz de asegurar qué estaban haciendo. Después de media hora, el grupo de hombres se adentró en el pantano, llevando lo que podrían ser provisiones. No parecían tramperos ni cazadores, pero era posible que fueran científicos. Sabía que se estaban realizando varios estudios en el pantano.

Es posible, Llama, incluso probable, que te estés volviendo paranoica.

Avanzó agachada hasta estar lo suficientemente a salvo como para ponerse de pie entre los árboles. Al volver hacia el Jeep, trató de quitarse el barro de la ropa y los zapatos, pero era imposible. Murmuró una maldición y condujo por el camino hasta que vio a una mujer mayor caminando con sus compras. Se ofreció a llevarla y rápidamente aceptó la oferta de una ducha y un cambio de ropa. Luego partió deprisa hacia la casa de Gator. Llegaba quince minutos tarde y él abrió la puerta antes de que pudiera siquiera llamar.

—Ya era hora de que aparecieras —la saludó Gator, dando un paso atrás para dejarla entrar en la casa—. Estaba preocupado por ti.

—He tenido que ocuparme de un pequeño asunto. No suelo llegar tarde.

¿Por qué había dicho eso? Llama casi gruñó en voz alta. No tenía que dar explicaciones o disculparse.

Lo siguió hasta la cocina. La habitación olía a pan de maíz y a jambalaya. Una olla grande se cocía a fuego lento y un paño de cocina cubría un plato de galletas. No pudo evitar inhalar el aroma del pan recién horneado y de las galletas que no pudo identificar, pero se le hizo la boca agua.

Solo entonces advirtió que la casa estaba extrañamente silenciosa. Sus músculos se tensaron con una repentina sospecha.

—¿Dónde están todos?

Gator no contestó. Su mirada vagó sobre ella, casi como si estuviera bebiendo de su imagen. La intensidad de su escrutinio causó una extraña reacción en su cuerpo, su corazón dio un pequeño vuelco y su vientre se apretó con fuerza. Tan cerca y a plena luz del día le pareció increíblemente atractivo. Había una curva en su boca y una huella de una sonrisa que lo hacían aún más sexi. Sus dedos le rozaron la cara, ligeros como una pluma, con tal suavidad que la desarmó en el acto.

—Has estado haciendo un reconocimiento —le dijo, y ella se mantuvo muy quieta, conteniendo el aliento cuando acarició otro punto en su barbilla—. No te has manchado con esto cerca de mi casa.

—No. Alguien estuvo curioseando alrededor de la casa barco. Pensé que podrías ser tú, o un equipo enviado por Whitney para asesinarme.

Sus ojos se estrecharon y su boca se endureció perceptiblemente.

—¿Quién era?

Llama estaba inexplicablemente agradecida de su reacción, pero se encogió de hombros casualmente.

—¿No quieres que nadie se te adelante?

—Por supuesto que no. Y si alguien llega a hacerte algo, créeme, cariño, voy a ser yo, a pesar de todo el dolor que me has causado. ¿Quiénes eran?

Ella frunció el ceño.

—No estoy segura. No parecían militares ni particularmente aptos como luchadores. Solo uno de ellos parecía competente en el *bayou*. El resto hacía demasiado ruido. No reconocí a ninguno.

—¿Qué querían?

—No tengo ni idea. Los dejé pasando una tarde calurosa en el pantano. Estaban sentados en la pequeña isla de Burrell, lo que les va a resultar incómodamente bochornoso. Si estaban buscándome...

—¿Es posible que Saunders tuviera sistemas de seguimiento en los maletines?

Ella frunció el ceño.

—No soy una aficionada. Fue lo primero que busqué. En cualquier caso, los maletines están en el fondo del canal.

—No me gusta esto.

—A mí tampoco me gusta —admitió ella—. Por otro lado, no parecían interesados en la casa barco o en los coches; probablemente eran tramperos o no tenía nada que ver conmigo.

—Volveré a casa contigo después de tu visita a *grand-mère* Nonny para ver qué buscan esos vagos.

—Nadie te ha invitado —le señaló.

—Pues invítame, porque voy a ir a tu casa contigo.

—Calma, no latas así corazón mío. Estoy que me desmayo. Tu encanto puede conmigo.

—Déjame ver tu cuchillo.

Ella miró hacia arriba con cara de paciencia.

—Estás obsesionado.

Lo estaba, pero no con su cuchillo.

—Déjate de rodeos. Pon el arma en la mesa.

—¿Arma? —arqueó una ceja—. ¿Por qué piensas que solo tengo una? Traje un arsenal enorme por si acaso querías un asalto o dos. —Se inclinó cerca para que él sintiera su aliento caliente contra su oreja—. ¿Te excita? —Sacó un gran cuchillo de su bota y lo hizo girar en sus manos, lanzándole una sonrisa bravucona—. Tiene buen equilibrio, pero no es el mejor para lanzar.

Lo puso sobre la mesa.

Ese no era el mismo cuchillo que llevaba la noche anterior, pero empezaba a pensar que tenía una vena perversa, porque la verdad es que lo excitaba.

—¿Te manejas bien con esto?

—Solo lo llevo para exhibirme. —Se sacó de detrás de su cuello un segundo cuchillo—. Este es un poco más pequeño, perfecto para lanzar. Uno de mis favoritos. —Lo colocó al lado del más grande.

Ese tampoco era el que llevaba atado a su muslo la noche anterior.

—¿Es esto todo lo que llevas, *cher*?

Arqueó una ceja con desafío.

—Por supuesto que no. Sé que podrías tener un par de amigos por ahí, ya sabes, por si las cosas se te ponían demasiado calientes como para manejarlas solo. No te tengo miedo, pero sé que odias estar a solas conmigo.

Sacó un cable delgado, lo dejó al lado de los cuchillos y añadió tres pequeñas estrellas ninja. Su cinturón llevaba un pequeño kit de herramientas con dos instrumentos de aspecto letal y tiró de un pequeño disco metálico, de apariencia inocente, hasta que salieron sus cuchillas curvas.

—¿Algo más?

El cuchillo de la noche anterior aún no estaba sobre la mesa. Frunció el ceño, pero ella simplemente le dirigió una sonrisa asesina, totalmente impertérrita.

—No querrás que me desnude, ¿verdad? —Alcanzó el cuchillo más grande—. Una chica tiene que tener sus secretos.

—No está mal como idea, —Gator le sujetó la muñeca en la mesa mientras con la otra mano pasaba por encima de su trasero enfundado en un pantalón vaquero hasta llegar a la parte interna del muslo. Incluso sin sentir su piel empezó a ponerse duro—. ¿Dónde está?

Su mirada se volvió turbulenta, como una promesa oscura y ardiente de problemas.

—No me gusta que me toquen, por eso voy a pedirte educadamente una *única vez* que me quites las manos de encima. Si no lo haces, es muy probable que las pierdas.

Las apartó, pero se acercó más a ella.

—No me amenaces en la casa de mi abuela —la reprendió—. ¿Dónde está?

—Si actúas como un mono en casa de tu abuela te pueden caer muchas amenazas. ¿Dónde está qué?

—El cuchillo. El cuchillo de anoche. Lo llevabas en un lugar muy intrigante y me encanta. ¿Dónde está, *cher*?

—Realmente te crees irresistiblemente encantador ¿verdad? No llevo un vestido. Es mi cuchillo para vestirme de noche. Lo lamento tanto. Dime qué accesorios te gustaría que lleve la próxima vez y trataré de contentarte. —Llama giró la cabeza—. Creo que vamos a tener compañía. Voy a guardar mis juguetes. No me gusta compartirlos con otros.

—No haces casi nada bien en presencia de otros —observó él.

Una sonrisa lenta y caliente curvó la suave boca de Llama. Su mirada se deslizó arriba y abajo por el cuerpo de él en una inspección deliberada.

—Hay unas cuantas cosas que hago bien delante de los otros —corrigió ella— .Dependiendo de quién sea ese otro.

Él gruñó suavemente.

—Eso no está bien.

Se agachó para meter el largo cuchillo en la funda de su bota. Al verla su corazón se aceleró. Se encontró a sí mismo mirando la línea de sus vaqueros curvándose sobre su trasero. Llama se irguió, lo pilló mirando y sacudió la cabeza.

—Necesitas ayuda.

—Dímelo a mí, cariño.

Ella bajó la voz a un mero susurro.

—¿Sabe tu abuela que crió a semejante pervertido?

Los cuchillos eran la menor de sus armas. Era una luchadora, bien entrenada en artes marciales y, más que eso, su sola voz era un arma devastadora cuando todo lo demás fallaba. Gator permaneció cerca de ella.

—Solo soy un pervertido cuando estoy cerca de ti.

Recorrió su espalda con la mano, más por tocarla que por registrarla en busca de armas adicionales, pero sintió la delgada funda entre sus omóplatos.

Ella simplemente alzó una ceja.

—¿Encontraste lo que estabas buscando?

Su mano siguió el recorrido, moldeando la curva de su trasero casi amorosamente.

—Llevas uno de esos tangas sexis, ¿verdad? —susurró la pregunta cuando su abuela, Wyatt e Ian entraron en la casa y se dirigieron por el largo recibidor hacia la cocina.

Se inclinó sobre su hombro y levantó la cabeza hasta que sus labios se rozaran.

—¿Y tú que crees?

El calor se disparó por el cuerpo de Gator, la sangre corrió por sus venas directa a su entrepierna adolorida y cada vez más dura. Tuvo que parar de tocarla. La alternativa era impensable, no con su abuela entrando por la puerta con una sonrisa de bienvenida en la cara. Estuvo a punto de gruñir, cogiendo la parte de atrás de la camisa de Llama para mantenerla frente a él.

—Esto no es justo para nada —dijo.

Se burló de él con su risa suave, y continuó provocando sus sentidos deliberadamente moviéndose hacia atrás hasta frotar su trasero contra él. No fue más que un mero roce, pero suficiente como para sacudir todo su cuerpo.

—Qué maravilloso verte de nuevo —la saludó Nonny, metiendo su mano en la curva del brazo de Llama—. Vamos a sentarnos en el porche, *cher*, a conocernos un poco. Raoul, puedes traer el té.

—Siento mucho haber llegado tarde, señora Fontenot —se disculpó Llama—. No pude evitarlo.

Nonny le acarició la mano.

—Está bien, no te preocupes —le aseguró—. Sé que estás con Burrell en su casa barco. Es un buen amigo mío, mi niña.

—Eso es lo que me dijo. Es un hombre maravilloso.

Llama lanzó a Gator una mirada ardiente por encima del hombro prometiéndole represalias. Sabía que había puesto un dispositivo de seguimiento en su lancha y que ya la había investigado.

Gator le respondió con su sonrisa fácil y rápida, llevando con gracia una bandeja de té en una mano detrás de ellas.

Nonny se hundió en el canapé y dio una palmada al lado de su asiento.

—Siéntate aquí, *cher*, y cuéntame algo acerca de tu familia.

—¿Mi familia? —repitió Llama, con una repentina sensación de hundimiento en la boca del estómago.

No quería mentirle a esta señora mayor de la misma manera que mentía a todos los demás. ¿Por qué no había considerado que iba a ser la primera cosa que le preguntase? Nonny Fontenot estaba centrada en su familia. Se preocupaba por su nieto y quería que ella fuese la madre de sus futuros hijos.

Gator vio empalidecer las mejillas de Llama. Lo miró desvalidamente y su corazón dio un vuelco. Se reclinó sobre los cojines del sofá como si quisiera alejarse de la pregunta.

—Llama es huérfana, *grand-mère*. No tiene parientes consanguíneos.

Nonny hizo un empático cacareo.

—Eso no importa, *cher*. Cuando te cases con Gator, tendrás todo tipo de familiares. Tantos que no sabrás qué hacer con ellos.

Le dio otra palmadita en la mano que era más bien una caricia.

Llama tuvo el loco deseo de cubrir la mano con la suya, para guardar ese pequeño gesto contra su piel y sentirlo de nuevo cuando estuviera sola. Le dirigió a Gator una mirada llena de cólera. ¿Cómo podía haber traicionado a su familia por Whitney? Quería abofetearlo. Despertarlo. Sacudirlo. Esta mujer maravillosa y sincera lo quería y se rodeaba con sus fotos y retratos. Seguramente le había hecho sopa de pollo y leído historias cuando estuvo enfermo.

—¿Cuánto hace que conoce a Burrell?

Necesitaba un tema seguro.

Nonny gesticuló hacia ella para servir el té.

—Oh, toda una vida. Ambos crecimos en el barrio. Era tan guapo y simpático, pero lo llamaba el río. Todo lo que quería hacer era viajar por el Mississippi. Por supuesto venía a cada *fais do-do* cuando no estaba en el río y todas las mujeres querían bailar con él.

Gator hizo un sonido de asombro. Nonny le reprendió con una mirada severa.

—No estoy muerta, Raoul, solo vieja. Por supuesto que noté lo guapo que era Burrell. Me traía flores cada dos meses después de que René muriese. A veces venía de visita y nos sentábamos un rato en el porche y fumábamos su pipa. Es el único hombre con el que he fumado en pipa.

—Adoro el olor de su pipa —admitió Llama—. Le digo que fumar es malo para él, pero aprovecho para inhalar cuando estoy cerca.

—En tu delicada situación —dijo Gator—, ¿crees que deberías inhalar humo, *cher*?

La taza de té se agitó sobre el platillo cuando Llama se la pasó a Nonny. Le lanzó a Gator una reprimenda frunciéndole el ceño, pero él simplemente le sonrió.

—Espero que tenga fotografías de cuando Raoul era un niño. Me encantaría ver cómo era. Imagino que tenía el cabello rizado y que era un cabezota.

—No, *grand-mère* —gruñó Gator—. No me hagas esto.

—Gran idea, *grand-mère* —dijo Wyatt alegremente.

Fue a un antiguo aparador y abrió un cajón. El álbum estaba envuelto en un chal de ganchillo. Wyatt se lo llevó a su abuela con evidente cuidado.

Gator se hundió en el canapé al lado de Llama y deliberadamente pegado a ella aprovechó para apretar el muslo contra suyo al estirarse para coger una galleta del plato pintado a mano.

—Era muy mono —admitió él—. Todo el mundo lo decía.

—Aquí hay una fotografía de él desnudo —señaló Wyatt con regocijo cuando su abuela abrió el álbum y alisó las páginas ceremoniosamente.

Llama se inclinó hacia Nonny, alejándose de Gator para mirar detenidamente la foto de un bebé feliz lanzando agua al aire. Estaba sentado en una antigua olla de cocina con dos asas, mirando alegremente la cámara. En la segunda fotografía estaba de frente agitando sus rechonchos brazos, riéndose con el cabello goteando agua sobre su cara. Llama pensó que tendría unos dieciocho meses.

Gator le dio un codazo.

—Incluso cuando era un crío estaba bien dotado —bromeó, fingiendo orgullo.

Cambió el peso y se apretó de nuevo contra ella.

Llama pasó las páginas escuchando el orgullo en la voz de su abuela al contar historias sobre sus nietos. Wyatt se inclinó sobre su hombro y señaló una fotografía en blanco y negro. Había un Gator de cinco años con una camisa destrozada y las rodillas peladas. Había estado defendiendo a uno de sus hermanos más jóvenes de un vecino. Gator de siete años con un ojo morado y una gran sonrisa. Gator de nueve años con una tirita sobre la nariz y dos niñas pequeñas que lo miraban maravilladas con los ojos muy abiertos. Gator de once años con los dos ojos morados y una sonrisa tan grande como el Mississippi mientras hacía una amplia reverencia con su sombrero de paja hacia tres niñas pequeñas sentadas en un muelle.

—Parece ser el surgimiento de cierto patrón de comportamiento —dijo Llama—. ¿Estaba siempre peleando? ¿Y había siempre audiencia femenina a su alrededor?

Nonny rió.

—Oh, señor, sí. Era un luchador este chico. Y un seductor también.

—Todavía lo soy —dijo Gator y levantó los nudillos de Llama hacia su boca.

Ella apartó la mano, asombrada de haber estado agarrada a la de él sin darse cuenta.

Capítulo 8

A Llama la tarde le pareció totalmente surrealista. Se olvidó de mantenerse en guardia y se relajó riéndose con Nonny sin darse ni cuenta. Nonny habló sobre los cuatro hermanos Fontenot con una voz que desbordaba amor. Wyatt y Gator, hablaban en voz baja y afectuosa y saltaban para traer a Nonny todo lo que pidiera. A menudo se dirigían a ella como señora. A Llama le pareció curioso y entrañable.

Se levantó de mala gana para irse. Era la primera vez que realmente se sentía en casa, consciente de que probablemente nunca tendría ese sentimiento de nuevo.

—He pasado una tarde encantadora, señora Fontenot —admitió—. Gracias por el té y las galletas. Su casa es maravillosa.

—Vuelve pronto —le instó Nonny.

Gator le cogió la mano cuando se levantó.

—Voy contigo —le recordó.

Llama le lanzó una mirada sofocada al dirigirse hacia la puerta delantera.

—Gracias, Raoul, pero no hace falta, ya me cuido sola. —Se acercó más a él—. He tenido bastante de tu compañía y solo me entorpecerías el camino.

En represalia él le besó la nuca.

—Pero si te doy mil vueltas, bonita. Te seguiré con tu moto y haremos el intercambio en la casa barco —añadió Gator mientras la escoltaba hasta la puerta.

—Es mi moto. Yo la llevaré a casa.

—Claro, y vas a arrancar como un murciélago salido del infierno y nunca más te veré. El Jeep no puede mantener el ritmo de la moto y lo sabes. Voy a ir a casa contigo.

Llama lo miró fijamente.

—Espero que Burrell haya sacado la escopeta. Me advirtió sobre ti. Me dijo que eras un mujeriego y otra serie de cosas no muy agradables.

Él le sonrió.

—Apuesto que te pusiste celosa y gruñona.

Sacudió la cabeza y el pelo le cayó sobre la cara.

—Qué más quisieras.

Su sonrisa se amplió.

—Fue así, ¿verdad? No te preocupes, *cher*, yo ya he hecho el loco lo bastante: ahora estoy preparado para sentar la cabeza y entregarme en santo matrimonio. Eres la única mujer para mí.

—Si insistiera en casarme contigo saldrías disparado de pavor. Santo matrimonio, mi culo. Te sería imposible mantener tu fachada de hombre encantador y apacible por mucho tiempo.

Presionó la mano contra su corazón.

—Cariño, eso me duele. Todos en el *bayou* saben que soy encantador y apacible. Me parece que tienes los típicos nervios previos a la boda. No preocupes a tu linda cabecita...

—Estás a punto de recibir una patada. Fuerte.

Él se rió en voz alta.

—Me excita que me hables así.

Ella se dio la vuelta antes de que pudiera ver su sonrisa en respuesta. Quería pensar en él como en un enemigo, pero se estaba volviendo cada vez más difícil. Realmente le gustaba ese lunático y en particular lo tierno que era con su abuela. Y, muy a su pesar, le encantaba su retorcido sentido del humor. Era uno de los peores defectos que tenía. Disfrutaba con la gente y sabía que era porque quería pertenecer a alguna parte. Quería pertenecer a alguien.

Raoul Fontenot tenía la familia que ella siempre había deseado. Se querían, bromeaban y se trataban con cariño. Anhelaba eso, necesitaba la sensación de pertenecer a un hogar y a una familia, y él lo había compartido con ella. Llama se alejó de Raoul con un nudo en la garganta y las lágrimas quemando tras sus párpados, lejos de su abuela sonriente y su hogar perfecto.

—¡Ey! —Gator fue tras ella y puso el brazo sobre sus hombros—. ¿Estás bien? Creí que estábamos bromeando.

No iba a llorar delante de él. Se iba a casa con Burrell. Tal vez no era lo mismo, pero el capitán de río necesitaba su compañía casi tanto como ella necesitaba la suya. Así que se apartó de Gator, apretó el paso y prácticamente corrió hacia el Jeep. Era una acción cobarde y se avergonzaba de sí misma, pero ¿qué demonios? No tenía por qué darle explicaciones. Y lo que menos quería era que fuese agradable con ella. Se sentía como una tonta y se asomó fuera del Jeep para mirarlo.

Raoul la estaba observando, frotándose la mandíbula oscurecida con una mirada perpleja en la cara. Se veía sexi con sus pantalones ajustados y la camisa tensa sobre sus anchos hombros.

—Trata de seguirme —dijo Llama y arrancó el coche.

Él le dirigió una sonrisa de niño que le paralizó el corazón y entró corriendo en la casa. Llama salió del patio acelerando y levantó una nube de polvo al cruzar el portón. Conocía la potencia de su motocicleta y a pesar de la ventaja, Raoul la iba a alcanzar, pero no se lo iba a poner fácil.

Conduciendo a toda velocidad por la carretera vio un campo abierto que le serviría de atajo. El camino la llevaría por la orilla del pantano y a través de una serie de áreas boscosas, pero acortaría varios kilómetros. Tomó la estrecha carretera de ripio, aceleró el Jeep a través de los campos crecidos y esquivó un par de árboles. Al pasar por una parte estrecha el vehículo derrapó sobre una ciénaga y salpicó barro.

Riéndose en voz alta hizo un trompo en el siguiente barrizal, solo porque le pareció divertido y, además, sabía que Gator estaba corriendo por la carretera en su moto. Lo sentía. La conexión entre ellos era fuerte, lo suficientemente fuerte para saber que si pensaba en él, le susurraba o lo llamaba, él la oiría.

Ahora estaba en una zona de peligro, el Jeep derrapaba constantemente y al entrar en una curva a toda velocidad estuvo a punto de quedarse sobre las dos ruedas laterales. El vehículo era un todoterreno y tenía que usar toda su destreza para conducir a una velocidad suicida por la débil huella de camino. El vehículo pegó un salto violento y el morro se desvió a la izquierda arrojándola hacia adelante, y luego volvió a acelerar escorándose hacia la derecha. Llama enderezó el rumbo agarrada fuertemente al volante pero la espalda le rebotó varias veces contra el asiento. El barro salpicaba a su paso dejando un rastro oscuro y cubriendo el Jeep de lodo.

No se atrevió a disminuir la velocidad ya que el denso barro se atascaría inmediatamente, por lo que forzó el motor al límite y avanzó como un celaje sobre el terreno esponjoso dando botes sobre el camino invisible. Se atrevió a cruzar dos ríos de poco caudal. El Jeep de Wyatt tenía un tubo de respiración, pero no se quiso arriesgar a usarlo en aguas más profundas, porque esto podría ralentizarla y se mantuvo sobre las partes más bajas conduciendo rápido y firme por la orilla, antes de salir disparada hacia la carretera que la conduciría a lo largo del canal a la isla de Burrell.

A pesar de la velocidad a la que iba, el Jeep estaba cubierto de barro, y el viento dispersaba la suciedad hacia atrás. Sonrió burlona y saludó con la mano a un coche que trataba de mantenerse a su altura, y que desistió rápidamente al salpicarlo de barro. Un coche negro venía en dirección contraria, y reconoció el vehículo privado de los Parsons. Le produjo cierta satisfacción ver cómo el barro les salpicó la carrocería al cruzarse volando con ellos. Mientras continuaba acelerando por el camino, miró hacia la carretera y el corazón le latió fuerte en el pecho. Gator iba agazapado sobre la moto, con su camisa ondulando contra el viento en dirección a la salida del gran sistema de canales.

Llama no podía creer la emoción que le produjo verlo. Su estómago dio una serie de vuelcos y su corazón empezó a palpitar salvajemente. No se había divertido tanto en mucho tiempo. Raoul estaba tan determinado a ganar como ella. Tenía la mandíbula tensa y la mente concentrada. Lo sabía porque era un competidor de tomo y lomo, como ella. Eran tan parecidos en tantas cosas, pero tan diferentes en lo esencial.

Se precipitó por la carretera principal a lo largo del canal, y vio que la moto ya estaba girando. Raoul tenía que haberla visto a pesar del polvo en suspensión. Se inclinó sobre el volante, pisó con fuerza el acelerador e impulsó el vehículo a todo gas. El motor rugió, pero por encima de ese sonido pudo oír el ronroneo de su querida motocicleta, la cual voló por su lado llegando al pequeño aparcamiento de tierra solo unos momentos antes que el Jeep.

Llama aparcó al lado de la moto y saltó del coche riéndose porque no podía evitarlo. Él se sentó en la motocicleta balanceando una pierna, con aspecto relajado y fresco a pesar del calor húmedo del pantano.

Se quitó las gafas oscuras y le guiñó un ojo sujetando las llaves de su moto.

—Me parece, señorita Johnson, que he arrasado.

Cogió el llavero y dejó caer las llaves del Jeep en la palma de su mano.

—Y a mí me parece que debe haber al menos diez coches patrulla detrás de ti.

—Los perdí por ahí, cerca del puente. Si venían detrás de mí deben ser muy lentos. ¿Cuál es mi premio?

—¿Piensas que mereces un premio por no respetar los límites de velocidad? Has violado la ley. Eso es trampa.

—Soy un infractor, *cher*. Tendrás que acostumbrarte.

Ella arqueó una ceja. Tenía salpicaduras de barro en la ropa y en la cara, pero todo lo que él veía era la risa en sus ojos. Todo lo masculino que había en él respondió ante ella, pero al ver que la había hecho reír se sintió como si pudiera volar.

—No puedo imaginarte más que como un trasgresor. De niño ya eras un pequeño forajido y lo sigues siendo. Te sales con la tuya porque eres encantador. Eso no está bien.

Su sonrisa se amplió y lo empujó con un dedo.

—¡Ajá! Sabía que me encontrabas encantador. Incluso los más fuertes caen tarde o temprano.

—No eres tan encantador como te crees. —Ella se dirigió al Jeep. Gator la siguió.

—Sí, lo soy —se burló—. Ahora estás tratando de escaparte, pero voy a saludar a Burrell y declararle que mis intenciones son honestas para que no me venga detrás con su escopeta.

Llama se detuvo tan bruscamente que chocó con ella y tuvo que cogerla de los hombros para evitar que ambos cayeran al suelo.

—Tu única intención es llevarme de vuelta al pequeño laboratorio de Whitney —recordó ella.

—Bueno, yo no diría eso —negó él, sintiendo que el calor aumentaba en sus ojos.

—Despierta, idiota. No estoy embarazada. No hemos dormido juntos. No estamos comprometidos para casarnos. Estas aquí para arrastrar mi culo de vuelta a Whitney.

Inclinó la cabeza para inspeccionar la curva de su trasero.

—Y un bonito culo, de hecho. Me tienes de nuevo pensando en esas preciosas braguitas tuyas.

—Intenta controlarte, Raoul. Creo que tienes un desorden de déficit de atención.

Raoul deslizó la mano desde su hombro a lo largo del brazo, siguiendo luego la curva de su cadera. Ella lo miró.

—Y deja las manos quietas.

—Te gustan mis manos.

—No mucho. —Le plantó cara directamente—. No hagas que esto sea más duro.

—De acuerdo, porque tú me pones muy duro.

Exasperada, agitó las manos al aire.

—Vete a casa, Raoul.

—Olvídalo, *cher*. Te presenté a *grand-mère*. ¿Por qué no quieres presentarme a Burrell?

—Ya conoces a Burrell. Y no me mires con esos ojitos de cachorro. No va a funcionar. No te voy a llevar a su casa. Si le cuentas esa historia ridícula del embarazo y el compromiso no me dejará tranquila.

Le sonrió.

— Pero por supuesto que lo va a saber, Llama. Esto es el *bayou*. Tenemos nuestros propios mensajeros. *Grand-mère* se lo ha contado a todos sus amigos y ellos han llamado a los suyos. A estas alturas la noticia ya ha recorrido todos los barrios.

—Estupendo. Genial. —Sus ojos se encontraron con los de él, serios y penetrantes—. ¿Por qué insististe en que fuera a ver a tu abuela? Es una mujer adorable y realmente me encantó conocerla, pero ¿por qué lo hiciste?

—Te dije por qué.

—No era la razón. Te observé. Eres muy protector con ella y con toda tu familia. ¿Por qué me facilitarías una munición como esa?

Hubo un pequeño silencio. Llama le sostuvo la mirada. Gator suspiró y pasó una mano por su grueso cabello rizado.

—Quería que supieras cómo soy realmente.

Ella respiró bruscamente y separó los labios como si fuera a hablar. Sacudió la cabeza.

—No tengo ni idea de quién eres, Raoul. Tú...

Su voz se apagó y giró la cara hacia el pantano. Y se quedó silenciosa y rígida, como si estuviera congelada.

A pesar de la distancia, él también lo oyó, el sonido de alguien corriendo, tropezando con las cañas y las ramas. El impacto de una bala, tan característico incluso con silenciador. El ruido sordo de la caída de un cuerpo pesado. El suave grito de dolor estaba amortiguado, y las reverberaciones de una segunda bala cortaron el sonido bruscamente.

—Burrell —dijo impactada, con los ojos agrandados por el *shock*—. Raoul, es Burrell.

Se miraron el uno al otro el tiempo de un latido que duró una eternidad. La expresión de ella se convirtió en una máscara de determinación. Se alejó corriendo hacia la isla.

Gator la alcanzó, indicándole silencio y cuidado. Ella levantó cuatro dedos para señalar que eran cuatro los asaltantes mientras corría a través de la estrecha franja que conectaba la tierra firme con la isla. Él separó los dedos e hizo un círculo. Ella asintió y giró separándose de él, para que se aproximaran desde dos direcciones distintas. Gator aumentó la velocidad.

Probablemente Burrell estaría muerto y no quería que Llama encontrase el cuerpo. La tierra se volvió blanda y peligrosa. Había vivido en el *bayou* la mayor parte de su vida, incluso iba en barca a la escuela, y sabía mejor que nadie el peligro de correr por el pantano, pero lo hizo de todas formas. Esquivó las ramas bajas y saltó sobre troncos caídos, con el barro hasta los tobillos. Lanzó una palabrota y continuó adelante, apartando el musgo que colgaba bajo, reduciendo la marcha hasta quedar en silencio y evitar las ciénagas profundas.

Encontró el lugar donde Burrell había amarrado su bote y caminó hasta la parcela donde pensaba construir. El perímetro de la cabaña estaba marcado por una cuerda y se veía que había construido un terraplén en la zona donde planeaba levantar la casa. Burrell se había dirigido hacia una pequeña ensenada donde parecía haber hecho la mayor parte de la excavación. Había una carretilla volcada en el barro y una pala yacía a menos de un metro, como si hubiera sido arrojada de pronto.

Gator se arrodilló al lado de la carretilla buscando pistas. En la tierra fresca que Burrell había volcado alrededor de la zona pudo ver pisadas de varios tamaños.

—Esta es la huella de Burrell —dijo Llama suavemente mientras pasaba a su lado y tocaba el rastro de una bota—. Viene cada día para subir el nivel del terreno porque es demasiado bajo y se desmorona cada año.

—¿Has visto a alguien?

Llama sacudió la cabeza mientras examinaba el suelo.

—Le dispararon aquí y cayó sobre la carretilla. Trató de escaparse arrastrándose por el suelo. —Señaló los surcos paralelos en la tierra y la huella de una mano. Las marcas estaban manchadas de sangre—. Aquí fue donde le dispararon por segunda vez. —Había un gran charco de sangre mezclándose en el agua oscura que rezumaba desde la superficie—. Esta es. —Indicó una huella de bota—. El tipo grande que manda. Él le disparó. Los otros le arrastraron por los tobillos en esa dirección —dijo sin mirar a Gator con la voz tensa pero muy firme.

Siguieron las huellas que el arrastre del cuerpo había dejado en el barro. El agua llenaba ya las marcas, pero era imposible esconder las brillantes salpicaduras de sangre en las hojas y la vegetación. El rastro conducía alrededor del borde de la isla hasta una cuenca natural. El banco de lodo tenía una pendiente carcaterística que indicaba que un cocodrilo usaba la zona. A juzgar por las huellas, el reptil era grande y debía haber estado allí por algún tiempo. Los cuatro hombres no trataron de esconder la evidencia: habían arrastrado el cuerpo a través del fango y el agua hasta el borde del agujero de un cocodrilo. Estaban las marcas de las rodillas donde dos de los hombres se habían arrodillado al lado del cuerpo para atarlo con una cuerda.

Llama avanzó por la maraña formada por las raíces expuestas, mientras Gator rodeaba las oscuras aguas del cauce. Se resbaló un par de veces en la orilla fangosa.

—Aquí, Llama. Deben haber usado algo para hundirlo.

—¿Puedes sacarlo? —Dio un paso en el agua sombría hundiéndose hasta las rodillas—. ¿Puedes verlo?

—No veo nada, ni siquiera al maldito cocodrilo. Sal pitando de aquí. Sabes de sobra que no está vivo. No puedes salvarlo, Llama.

Vadeó en su dirección, con el estómago revuelto con una mezcla de cólera y miedo por la seguridad de ella.

—Es mi culpa. Debería haber previsto lo que iba a pasar. Pensé que estaban detrás de mí y dejé de preocuparme. Esto es por mi culpa —continuó recorriendo el agua oscura, buscando el cuerpo.

Gator fue detrás de ella, sus dedos se cerraron alrededor de su brazo como una tenaza y la arrastró con él hacia la orilla.

—Eso es una gilipollez y lo sabes. Sal disparada del agua. ¿Crees que dejándote matar lo puedes ayudar?

La cara de Llama seguía siendo una rígida máscara. Ni siquiera hizo una mueca de dolor ante la dura pregunta. Había visto la enorme cantidad de sangre. Sabía que Burrell estaba muerto. Pero pensar que sería pasto de los cocodrilos la enloquecía lo bastante como para intentar sacar el cuerpo fuera del agua. Un olor acre llegó hasta ellos a través de los árboles.

Llama usó una rama baja para impulsarse hacia la orilla. Sentía náuseas.

—¿Lo encuentras? ¿Lo puedes sacar de ahí? Intenta ver si puedes palparlo con un rama.

—¿Quienes han sido, Llama?

—¿Hueles a humo? —Se giró bruscamente hacia el canal—. ¡Malditos! Están quemando la casa barco.

Salió corriendo, más para alejarse de la realidad de saber que el cuerpo de Burrell sería devorado por el cocodrilo que para salvar la casa. No había manera de salvar nada. Una vez más los hombres malos habían triunfado y un hombre bueno yacía muerto.

Escuchó el grito de Raoul, pero su voz sonaba muy lejos, compitiendo con un extraño rugido en su cabeza. Los pulmones le quemaban por falta de aire y tenía el estómago revuelto. Tropezó y su visión se hizo borrosa mientras el rugido en su cabeza crecía hasta convertirse en un aullido de dolor. Por un momento, pensó que había gritado de verdad, pero el sonido solo reverberó una y otra vez en su cabeza, con tanto dolor y tanta rabia que quería salir.

Llama lo reprimió, lo controló, demasiado consciente de la proximidad de Raoul. Podría hacerle daño sin querer, incluso matarlo. Luchó por recuperar el control mientras su cabeza palpitaba y su estómago daba vueltas solo con el esfuerzo.

Salió de entre los árboles para contemplar con horror el humo negro y las llamas naranjas y rojas que saltaban en el aire. El fuego devoraba la casa barco. Los pájaros se elevaron, chillaron alarmados y huyeron de la zona. A pesar del rugido del incendio y del ruido de las aves al huir, captó el sonido de un Jeep y, por encima de todo ello, un grito triunfante.

—¡Espera, Llama! —ordenó Gator.

Miró hacia atrás y lo vio tirando de su bota; había pisado una capa de tierra delgada y se había hundido en el barro. Unas risas de celebración se mezclaron con el ruido de un vehículo. Divisó un Jeep descapotado y cuatro hombres dando botes dentro de él mientras desaparecían a toda velocidad por la carretera.

Sin vacilar, Llama cambió de dirección, y utilizando su máxima velocidad lanzó imprudentemente su cuerpo a través de la vegetación, chapoteando a través del barro y del agua. Las ramas la golpeaban, las agujas del follaje se prendían en su ropa, pero no sentía nada mientras corría hacia el lugar donde estaba aparcada su moto. Arrancó inmediatamente y el motor rugió lleno de vida cuando giró para salir disparada por la carretera detrás de los asesinos.

Gator lanzó una maldición mientras liberaba su bota. *Maldita mujer. Maldita situación.* No había manera de que pudiera alcanzarla con el Jeep. Y sin lugar a dudas ella iba a alcanzar a los asesinos con ese cohete de moto. Se quedó en silencio, escuchando el sonido del motor hasta que estuvo seguro de la dirección que llevaba. No se dirigieron hacia la carretera; iban campo a través, por uno de los viejos senderos de caza para evitar ser vistos. Podía escuchar el sonido del motor y los gritos de alegría de los hombres mientras corrían tierra adentro derechos hacia la reserva.

Cogió su teléfono móvil del cinturón y marcó un número.

—Tengo un problema, Ian. Necesito un equipo de limpieza rápido, así que haz la llamada. Esto se va a poner feo. No tengo tiempo para explicártelo, pero localízame. Llega aquí ayer y trae a Wyatt.

Cerró el teléfono con un golpe, lo puso de nuevo en su cinturón y salió corriendo a través del pantano, dirigiéndose hacia el interior. Tenía que volver a la carretera principal, salir de la isla y atravesar el canal para cortarles el paso tierra adentro. Sabía exactamente lo que Llama iba a hacer porque él hubiese hecho lo mismo.

Lanzó un par de palabrotas al correr y marcó un paso extenuante que era el doble del que un hombre normal era capaz de hacer. Le dio igual que alguien lo viera; tenía que interceptarlos y su única oportunidad era cruzar corriendo la tierra pantanosa. En cualquier caso las únicas personas que lo podrían ver serían cazadores y pescadores, gente del *bayou* que no se metería en sus asuntos. Era Raoul Fontenot, uno de los suyos y nunca facilitarían información sobre él.

Era consciente de los peligros, las serpientes y las plantas venenosas por no mencionar los sumideros, pero no había tiempo para ser cuidadoso, no podía permitirse el retraso. Lo mejor que podía hacer era seguir las pistas formadas por las huellas de los animales. Musgo, ramas, enredaderas y hojas le golpeaban la cara. Las zarzas le rasgaron la ropa y arañaron sus brazos y la cara, y le brotaba sangre al correr. Los pájaros asustados echaban a volar, provocando un alboroto. No se molestó en tratar de controlarlos para no gastar su energía.

A duras penas esquivó una tortuga que tomaba el sol y prácticamente tuvo que saltar sobre un pequeño caimán al rodear un canal antes de dirigirse tierra adentro entre los cipreses del pantano y los árboles de caucho. Al correr, hojas, pétalos y ramitas se le enganchaban en el cabello y la ropa y le caían por la espalda. Su cuerpo se cubrió de sudor, lo que atrajo a los insectos.

Nada importaba excepto encontrarla. La endeble pista de los animales se cruzaba con el camino del Jeep en algún punto y debía llegar a ese lugar antes o por lo menos al mismo tiempo que los asesinos y Llama. No había manera de que pasaran ese punto sin que ella los alcanzase. Sus impetuosos pasos comenzaron a golpear una superficie dura alejándolo tierra adentro del débil sonido de los motores. No se dio cuenta de que había mantenido inconscientemente el rastro de ambos ruidos por separado hasta que estuvo en el interior de la reserva.

Centró su mente en el golpeteo de sus pies. Su corazón y sus pulmones respondieron con facilidad al aumento de velocidad y a los grandes saltos sobre los obstáculos. No cabía duda del refuerzo genético. Ningún humano normal podría mantener una carrera de forma sostenida a la rapidez que iba, y sin apenas jadear. Sintió un gran peso sobre su mente y una enorme pena. La culpa y el horror corroían sus pensamientos. Su conexión con Llama era cada vez más grande y comprendió su lucha feroz por mantener el control cuando lo que quería, incluso necesitaba, era gritar de furia al universo.

Llama silenció la motocicleta mientras seguía el rastro del Jeep sobre el camino de tierra a una velocidad suicida. Se estaba acercando a ellos siguiendo la polvorienta estela que se elevaba detrás del vehículo. Estaban tan absortos por el éxito de su misión, que ni siquiera el conductor miró por el espejo retrovisor al girar hacia el camino que conducía a la reserva. Podía oírlos gritando y riendo mientras repetían la historia de la muerte de Burrell una y otra vez, burlándose de cuando había intentado escaparse. Uno de ellos incluso recreó la escena de los disparos.

Estaban llegando a un pequeño cruce donde la carretera se ensanchaba de forma considerable. El sendero que cruzaba la reserva era una de las muchas vías de escape que había planeado antes de instalarse con Burrell en caso de tener que abandonar la zona rápidamente. Había realizado ese recorrido tres veces y era el que más le gustaba. Era el menos transitado y el que ofrecía mejor cobertura. Siguió corriendo a toda velocidad intentando recordar los más mínimos detalles del cruce. Necesitaba espacio suficiente para maniobrar.

Justo cuando el Jeep se aproximaba al cruce sacó su cuchillo de lanzar y se lo puso entre los dientes al pasar al lado del conductor. El hombre, atónito, la miró surgir de la polvareda. En la parte trasera uno de los tipos levantó su arma pero ella había visto el movimiento por el rabillo del ojo. Llama lanzó el cuchillo con fuerza, y se lo enterró en la garganta hasta la empuñadura. Cayó hacia atrás haciendo un espantoso ruido con la garganta y aterrizó inmóvil en la tierra y el barro.

Con la moto en paralelo al conductor, Llama se equilibró una fracción de segundo antes de darle una patada en la cabeza con todas sus fuerzas. Su bota impactó con un ruido espantoso, pero la fuerza del choque la lanzó al suelo. Se dio un golpe fuerte al aterrizar, el aire salió disparado de sus pulmones y sintió como si se le hubieran roto todos los huesos en la caída. Rodó lejos del sonido del Jeep, se arrodilló y sacó el cuchillo de su bota.

El Jeep chocó a toda velocidad contra un tronco podrido y su corteza y su madera saltaron disparadas por los aires. Continuó rodando sobre una zona de maleza antes de colisionar con un alto ciprés y frenar abruptamente, catapultando a los pasajeros en todas direcciones. Los neumáticos siguieron girando y lanzando más polvo al aire, oscureciendo la visibilidad. Simultáneamente la motocicleta giró en dirección contraria, lejos de los árboles, quedando recostada en el barro de una ciénaga.

Llama captó un movimiento entre la polvareda, vio el destello de la boca de un arma y se lanzó hacia delante entre la tierra. Se escabulló de vuelta hacia los árboles y se arrastró sobre el estómago, usando los codos para moverse más rápido en la densa vegetación. Permaneció quieta, oyendo los sonidos que le señalaban dónde se encontraban esos tipos. Un hombre gimió donde estaba el Jeep. Tenía que ser el conductor. La pierna derecha y el tobillo le palpitaban dolorosamente. Tenía la esperanza de que al conductor le doliese la cabeza tanto como a ella.

Un segundo hombre agitó los arbustos a su izquierda. Se tropezó hacia atrás cayendo entre las ortigas y lanzó un aullido. El tercer hombre no emitía ni un sonido y eso le confirmó todo lo que necesitaba saber sobre él. Llama comenzó a avanzar a través del follaje hacia el conductor. Sus gemidos eran penetrantes e interminables. Entre ellos iba intercalando curiosas palabrotas y peticiones de ayuda que sonaban más como gruñidos y escupitajos que como verdaderas palabras.

—Cállate, Don —dijo el hombre que estaba a la izquierda de Llama—. No puedo ver nada y estás haciendo tanto ruido que tampoco oigo nada.

El conductor escupió otras cuantas palabrotas antes de proferir un par de frases comprensibles.

—Mi mandíbula. Me ha roto la mandíbula.

—¿Quién demonios es ella?

—No lo sé —contestó Don como pudo, acompañando las palabras de gruñidos.

Llama cambió de posición otra vez y se abrió camino reptando a través de los juncos y hierbas del pantano. Su ropa se mojó al avanzar por la zona pantanosa pero logró camuflar el ruido que hacía al moverse por el agua.

El conductor del Jeep avanzó lentamente hasta el árbol más cercano, un viejo roble con grandes ramas extendidas. Se sentó con la espalda pegada a su tronco, sujetándose la mandíbula y meciéndose hacia delante y hacia atrás. Estuvo a punto de pasar por encima de Llama; mientras ella se deslizaba hacia él, habían estado a tan solo unos centímetros. Él comenzó a moverse y ella se quedó paralizada, manteniéndose boca abajo en el barro, conteniendo la respiración mientras él arrastraba los pies delante de ella. Se quedó inmóvil al ver que el hombre sacaba un cuchillo y empezaba a apuñalar la maleza y las raíces de los árboles a su alrededor.

Por un momento tuvo miedo de que la descubriera entre las cañas y la hierba, y apretó la empuñadura de su cuchillo con más fuerza. El conductor hacía extraños ruidos animales y apuñalaba el suelo una y otra vez, destrozando las plantas y lanzando barro al aire.

Llama arrastró su cuerpo entre las plantas y el barro para situarse a menos de un metro del asesino de Burrell. Las ramas del roble colgaban hasta el suelo con el peso del musgo y la hiedra. Captando un movimiento, el conductor giró la cabeza para ver a la serpiente de cuerpo largo y grueso que colgaba a la altura de sus ojos enroscada a lo largo de la rama del árbol. El reptil era verde oliva y marrón, medía cerca de dos metros de largo, con la cola estrecha y la cabeza mucho más ancha que el cuello. No tenía rayas oscuras cruzadas en el grueso cuerpo, pero sí una marca característica que iba desde el ojo hasta la parte de atrás de la mandíbula. La serpiente tenía la boca abierta y un escudo protector en los ojos que le daba la apariencia de estar frunciendo el ceño.

Hipnotizado, el hombre la miró fijamente y se quedó en silencio al ver que su cuerpo se aflojaba de la rama. El reptil inclinó la cabeza hacia arriba y abriendo su ancha boca reveló el revestimiento interior blanquecino de sus fauces. Su grito reverberó en el *bayou* al lanzarse hacia un lado para alejarse de la serpiente. Los gritos del conductor cesaron de repente y sus piernas dieron un par de sacudidas antes de que su cuerpo cayera y quedara totalmente inmóvil.

El silencio se instaló sobre el pantano. Llama yacía estirada, con la cabeza cerca de la del conductor, apretando con las manos enguantadas un cable alrededor de su cuello. Respiró lenta y regularmente, para asegurarse de que no se moviera ni una brizna de hierba y revelara su presencia a los otros dos hombres armados y entrenados para matar en esa misma zona. Esperó, escuchando el latido de su corazón y el zumbido de los insectos. Después de un rato, la serpiente que estaba por encima de ella retrajo lentamente su cabeza para apoyarla de nuevo en la rama.

—¿Don? ¿Te ha mordido la serpiente? —El ronco susurro venía desde lejos—. ¿Rudy? ¿Crees que le ha mordido la serpiente?

Acompañó a la voz un ligero movimiento en el follaje por delante de Llama.

Rudy no contestó. Llama esperó. Rudy era el más peligroso, sin lugar a dudas entrenado y experto en situaciones de combate. Estaba claro que no delataría su posición y obviamente había usado a Don como cebo. Mejor hubiese sido que disparara balas en toda la zona que rodeaba al conductor y cambiar rápidamente a una nueva posición. Llama hubiese aprovechado la oportunidad, pero Rudy estaba más preocupado por su seguridad. Probablemente tratando de entender quién los atacaba, se mantenía agachado, esperando dar un paso certero mientras permitía que el tercer hombre, el charlatán, se convirtiera en un cebo involuntario.

Con su agudo oído pegado al suelo Llama se dio cuenta de que Gator se acercaba. Se aproximaba por el este, cruzando el interior de la reserva, y corría a toda velocidad por el pantano. No podía permitir que se encontrara con Rudy, que estaba esperando.

Llama relajó lentamente la presión que hacía sobre el pedazo de cable delgado que rodeaba fuertemente el cuello de Don. Reptando, con un movimiento lento y controlado para no perturbar la vegetación de alrededor, utilizó los codos para empujarse hacia atrás, lejos del cadáver y hacia el interior de la espesura.

Una vez oculta por la maraña de raíces nudosas y torcidas de varios cipreses grandes, emitió un sonido agudo justo por encima del nivel que podían detectar los oídos humanos. Usando el sonido direccional envió a Gator tanta información como le era posible, segura de que oiría la advertencia. Nunca había utilizado el sonido direccional con un compañero, desde luego jamás en condiciones extremas como las de ahora, pero tenía puesta toda su confianza en Gator y solo él la oiría. Esperó agachada en un pequeño círculo de árboles, escondida en la espesura de juncos y pastos.

Ya no podía sentir u oír las débiles vibraciones en la tierra que señalaban si Gator estaba inmóvil o, como ella, había empezado a acercarse sigilosamente al enemigo. El tercer hombre, el charlatán, encendió un cigarrillo y el olor fue hacia arriba. El sonido que hizo al encender la cerilla reveló su posición. Llama rodeó un tronco podrido, e hizo una mueca al ver todo tipo de escarabajos y bichos acercándose a ella. Una tortuga lagarto estaba tomando el sol en el tronco y fue especialmente cuidadosa de no molestarla. Concentró su atención en el hombre y rodeó perpendicularmente el tronco. Inmediatamente varios trinos se elevaron al aire.

Llama rodó por el suelo velozmente mientras el agua le empapaba la ropa y el cabello. Sintió los cangrejos contra su piel en el agua poco profunda que se apartaban de su camino rápidamente. Ella continuó rodando hacia el único refugio verdadero, una pequeña depresión en medio de los juncos más altos. Las balas rebotaron contra el barro y el agua a centímetros de su cuerpo. Dos armas, no una. Dos direcciones. Inmediatamente identificó al fumador. Tenía una idea clara de su localización, pero no de la de Rudy.

Eso no tenía sentido. La ecolocalización debería haber revelado su escondite. No podía oír el latido de su corazón y, sin embargo, oía el de Gator. La adrenalina le corrió por las venas y sintió una ráfaga de temor y una repentina revelación. Ese hombre no era como los otros.

Rodó en la vaguada y se hundió en el suave barro que rezumaba alrededor de su cuello y su cabello. El olor le provocó arcadas pero controló el impulso de vomitar esperando a que los disparos cesasen. En el momento en que Rudy dejó de disparar, se levantó sobre las rodillas y lanzó el cuchillo a ciegas contra el fumador. El cuchillo cortó el aire en perfecto equilibrio con toda la fuerza de sus músculos reforzados y la descarga de adrenalina que corría por su sistema.

El arma acertó en el blanco y el sonido se escuchó claramente en el silencio tras los disparos. El fumador se desplomó de espaldas, chocando pesadamente con los arbustos y rompiendo pequeñas ramas al caer. Su rifle cayó hacia un lado golpeando contra una roca. Los pájaros chillaron elevándose en el aire escapando de la violenta escena.

—Van tres, hijo de puta —gritó Llama.

Rudy sabía exactamente dónde estaba ella, pero aún no tenía una buena posición para dispararle un tiro certero. Si quería matarla, tendría que moverse. Y si se movía sería tan vulnerable como ella.

A Llama le llegó un sonido, una voz de mando con el mismo tono que usaba al hablar con Gator y le estaba diciendo que cerrase la maldita boca. No era de lo más fino cuando estaba enfadado. Tenía una idea de dónde estaba escondido el último asesino y se estaba abriendo camino para llegar por detrás de él. Quería que se quedara en su puesto, que no provocase al hombre y le dejase a él hacer su trabajo.

Ella le contestó ofreciéndose a encender un fuego y así mantener la atención del sujeto fija en ella. El aluvión de órdenes que le llegó de vuelta la hizo estremecerse y enterrarse más profundamente en el barro. Gator estaba muy, pero que muy enfadado.

Capítulo 9

Gator luchó contra la cólera irracional que se agitaba en su estómago.

Quédate donde estás y mantén la cabeza agachada o te juro que te voy a moler a palos.

Usó sonido direccional para darle la orden, sin importarle que las notas palpitaran de rabia. El suelo esponjoso ondeaba ligeramente y los pájaros chillaban alarmados, alzando el vuelo una vez más. No estaba preocupado de que el francotirador le oyera. Las ondas de sonido direccional eran lo suficientemente poderosas para atravesar las paredes, pero se podían dirigir específicamente a un receptor. Había practicado esa habilidad a menudo sobre el terreno y no estaba sorprendido de que Llama fuera tan experta como él.

Que se silencie mi corazón.

Le picaban los dedos por el deseo de sacudirla o estrangularla. Debía saber que el francotirador tenía la mira puesta en ella. Gator no podía situarlo y eso lo hacía peligroso. Tenía entrenamiento y estaba esperando a ras de suelo, tomándose su tiempo, esperando para disparar a Llama. Todo lo que tenía que hacer era asomar la cabeza y el tirador la mataría. Ella lo sabía bien. ¡Tendría que haber esperado! Era ilógico correr tras cuatro asesinos armados cuando solo llevaba cuchillos, y era realmente estúpido haber revelado dónde estaba.

No lo oigo. Ni siquiera el latido de su corazón, ¿y tú?

Esto lo sacudió de golpe. Tenía razón. Debería oír la respiración, al menos el latido del corazón del tirador, pero no oía nada. Podía sentirlo, pero no había ningún sonido y debería haberlo habido.

Gator se movió con deliberada lentitud, formando un improvisado traje de camuflaje metiendo cañas, hojas y musgo dentro de su camisa. No le llevó mucho construir una capucha para la cabeza y la espalda cubriéndose con follaje para empezar un lento acecho por el pantano. En algún lugar próximo el francotirador yacía silencioso, apuntando a Llama, con el rifle firme y a la espera. Gator tenía que encontrarlo antes de que lograra apuntar con certeza.

Estudió el área donde sabía que estaba tumbada Llama entre las cañas y el agua. No la podía ver. Era experta en convertirse en un fantasma usando como camuflaje lo que había a su alrededor. No había duda de que se estaba enterrando más profundamente en el barro. Sus dos grandes ventajas eran que el tirador no sabía que Gator se había unido a la caza y que podían comunicarse entre ellos.

¿Tienes una idea sobre su localización?, preguntó Gator.

Su último disparo venía justo de enfrente, cerca del ciprés con la rama que se arrastra por el suelo, pero luego se movió inmediatamente. No tiene un blanco claro sobre mí o lo habría aprovechado.

Gator consideró la información. ¿Qué haría él en esas circunstancias? El pantano ofrecía varios lugares buenos para esconderse y un francotirador profesional podría esperar horas el momento para disparar.

Entonces avanzó haciendo un amplio semicírculo usando la posición de Llama como referencia. El progreso era lento y metódico. Tenía que moverse poco a poco y con cuidado de no pisar las cañas o doblar el follaje.

Tiene que estar reforzado. Tiene que haberlo enviado Whitney.

No necesariamente. Pero no lo sabía.

¿Qué tipo de francotirador podía enmascarar el latido de su corazón? ¿Y su respiración? ¿Era igual a ellos? Gator y Llama enmudecían cualquier sonido que tuvieran que hacer. ¿Podía hacer lo mismo el francotirador?

Raoul. Va a llover en cualquier momento. Siento la humedad por encima de nosotros, ¿tú no?

¿Había temor en el sonido que le llegó? Su voz parecía ligeramente temblorosa. Probablemente estaba entumecida y adolorida por la caída de la motocicleta, y estar tumbada inmóvil en el barro y el agua le provocaba calambres. Estaba buscando apoyo sin darse cuenta. Todos sus instintos protectores se hicieron más fuertes.

Una pequeña lluvia no hace daño a nadie. No estarás preocupada porque vaya a abandonarte, ¿verdad, cher? Un hombre no abandona a la madre de su hijo. Y después de esto, espero que te dirijas a mí como tu héroe.

La risa suave de Llama alcanzó sus oídos por las ondas de sonido que había generado.

Las nubes de repente estallaron con un siniestro estruendo de truenos y la lluvia comenzó a caer del cielo. Gator mantuvo la cabeza agachada, pero su mirada se movía incesantemente por el terreno. Estaba buscando algo que pudiera revelarle la presencia del asesino. Con la lluvia era más difícil ver, pero al forzar sus ojos percibió con más intensidad que algo se estaba moviendo cerca de ella.

Está cambiando de posición.

La advertencia de Llama le pisó los talones a su propio radar. El hombre era bueno. Incluso ahora que la lluvia había aplastado la vegetación en algunas partes, no había nada que lo delatara. Gator buscó el indicador de «cáncer de árbol»: un punto pequeño y oscuro a cada lado del árbol que podría advertir que el francotirador estaba ahí instalado, pero no sentía nada más que su propio sistema de alarma sonando a todo volumen.

Mi oreja está en el barro y puedo sentir la vibración de la tierra. Está usando la cobertura de la lluvia para conseguir un ángulo mejor. Voy a rodar a mi izquierda. Creo que está a mi derecha.

¡No! La orden de Gator fue cortante. *Está intentando hacer que te muevas. Quédate quieta. Lo cogeré. Necesitas paciencia para este tipo de caza. Mantén la calma por mí, cher.*

La idea de que Llama se moviese lo aterrorizaba. El corazón le dio un vuelco en el pecho y algo apretó con fuerza sus pulmones. No sabía por qué creía que el asesino estaba tratando de asustarla para que se moviera, pero no tenía dudas al respecto. Además estaba seguro de que Llama no había pasado por la escuela de francotiradores en su entrenamiento, sin embargo hubiese apostado lo que fuese a que el asesino sí lo había hecho.

Como si yo alguna vez perdiera la calma...

Esperaba que eso fuese cierto. Jugar al gato y al ratón con un asesino profesional requería nervios de acero. Llama sabía que el asesino la tenía localizada. Si conseguía un buen disparo, estaba muerta. Hacía falta mucho valor para permanecer quieta mientras un rifle de largo alcance le estaba apuntando. Los francotiradores no fallaban. Él conocía las probabilidades. Mientras muchos soldados disparaban cientos de rondas en una batalla, un francotirador usaba de uno a tres tiros por víctima.

La lluvia caía a través de las copas de los árboles tan fuerte que oscurecía la visión. El agua ayudaría a borrar las huellas cuando llegara el momento de recoger, pero también les proporcionaba un conductor del sonido. Se quedó en silencio y envió su sónar, usando la ecolocalización en un intento de fijar la ubicación del francotirador. El hombre tenía que estar oculto entre la red de las raíces de los árboles. Gator deseó que Llama permaneciera quieta mientras se abría paso entre los juncos y el barro hacia el último punto conocido donde había estado su adversario.

Ella se deslizó hacia una hendidura en el suelo cubierta de agua antes de darse cuenta de que era una trinchera artificial, estrecha y con el suficiente espacio como para que una persona se tumbara en ella. Se quedó inmóvil. Tenía que estar casi encima del francotirador. Cuidadosamente, solo permitiendo el movimiento de sus ojos, registró la zona a su alrededor, dividiendo cada sección del terreno. Apenas se permitía respirar mientras esperaba cualquier señal que le indicara la posición del francotirador.

Pasó el tiempo. La lluvia caía. Gator sentía ahora el ritmo del pantano, el hormigueo de los insectos y el susurro de movimiento de las ranas y los lagartos cuando salían al descubierto para conseguir una comida rápida. Su mirada vigilante recorría el terreno una y otra vez. El tronco a su izquierda se había agrietado y podrido por el paso del tiempo, convirtiéndose en la casa de varias formas de vida. Un pequeño lagarto verde se acercaba a él a trompicones, y de pronto aceleró para detenerse de golpe antes de subir por un ligero montículo.

A Gator se le atascó el aliento en la garganta. Ese montículo, a poco más de un metro de él, era el francotirador. No se había movido, estaba tumbado completamente inmóvil, cubierto de cañas y barro, y parecía parte del paisaje. Si se giraba podría verle, ya que solo su cabeza y su camisa estaban camufladas. Aunque sus vaqueros estuvieran cubiertos de barro, a una distancia tan corta de ningún modo podría evitar ser detectado. No tenía pistola, lo cual significaba que tendría que usar el cuchillo y a su vez avanzar hasta tenerlo lo bastante cerca sin que lo detectara.

¿Qué pasa? Escuchó claramente la ansiedad en la voz de Llama.

Nada. Mantente agachada.

El ritmo de tu corazón se ha disparado. No me digas «nada». Ponme al corriente. No soy ninguna ñoña que no pueda asimilar las malas noticias.

No, no lo era. Se había enfrentado a malas noticias la mayor parte de su vida.

No, pero eres una impulsiva y podrías hacer que te maten.

Sé que la comadreja de Whitney me quiere viva. Dímelo sin rodeos. Necesito saber qué está pasando.

Sopesó sus opciones. Solo tenía una oportunidad con el francotirador. Ella tenía que conocer el peligro.

Está a un par de metros. Si gira la cabeza, me verá. No te muevas, Llama. Este tipo sabe lo que está haciendo. No ha movido ni un músculo y tiene su ojo en la mira todo el tiempo.

Hubo un pequeño silencio. Se encontró conteniendo el aliento.

Raoul. Me voy a enfadar mucho contigo si revientas esto y te matan.

Pues, cher, *decídete. Creí que me querías muerto.*

No has tenido tiempo para contratar un seguro de vida para el bebé y para mí.

No me va a pasar nada.

Llama estaba en silencio de nuevo.

Puedo matarlo usando sonido. Es arriesgado, pero mejor que, que perder...

¡No! Intentó calmar su voz. Llama era perspicaz. Le había revelado mucho, pero no importaba. No iba a arriesgarse. No dejaría que ella se arriesgara. *No. Lo haremos a la manera antigua.*

Lleva la cuenta. Durante cinco segundos usaré el sonido para mover los juncos que están a mi derecha.

¿Había alivio en su voz? No estaba seguro.

Maldita sea, no.

Maldita sea, sí. Solo para hacerle creer que estoy en movimiento. Estará concentrado en mí y eso te dará una oportunidad. No soy tan estúpida como para dejar que me dispare. Había determinación en su voz. *No puedes decidirlo todo. O usamos el sonido o hacemos esto juntos.*

Gator contó hasta cinco y propulsó su cuerpo hacia delante a través del barro usando los codos. Silenció el sonido de succión del barro que se impregnaba en su cuerpo en un intento de mantenerlo en el lugar. Ganó medio metro. Un poco más y podría lanzarse contra su objetivo. Tendría que ponerse primero en cuclillas para saltar la distancia y atacarlo antes de que el francotirador pudiera girarse y apuntar.

En la segunda cuenta se impulsó hacia delante solo para ver al francotirador moverse ligeramente, encorvando el hombro.

Está apuntando.

Envió la advertencia a la vez que el arma disparaba. El francotirador rodó a su izquierda y apoyó una rodilla con el rifle al hombro para un segundo disparo. Gator dio un gran salto, más que agradecido por el refuerzo físico que le permitió chocar contra el francotirador y aplastarlo de cara contra el barro.

El hombre debía haber sentido su presencia en el último segundo porque trató de girarse y mantener el rifle fuera del barro. Gator le clavó el cuchillo en el costado justo cuando el francotirador le golpeaba la cabeza con la culata del rifle. Por un momento todo se desvaneció. El tirador se lo quitó de encima, pero él se resistió, cogió el rifle y le lanzó una patada entre las piernas.

¡Llama! ¿Estás herida?

Se sentía desesperado, necesitaba respuesta, necesitaba oír que estaba sana y salva aunque en ese momento él estuviese luchando por su propia vida. El francotirador luchaba salvajemente, pero el miedo y la furia le daban fuerza para intentar arrebatarle el arma.

Contéstame.

—Estoy aquí —le gritó Llama levantándose del barro.

La tierra mojada la succionaba, le impedía moverse y su pierna le palpitaba adolorida al intentar levantarse. Gator le había quitado el rifle de las manos al tirador y el arma había salido volando. Ambos hombres sacaron sus cuchillos y empezaron a girar uno frente al otro.

Ella se arrastró fuera del barro, obligando a su pierna a moverse cuando se torció con su peso. No importaba, nada importaba mientras consiguiera el arma. Gator saltó hacia atrás evitando la hoja del cuchillo del francotirador por un pelo, amagó con la mano derecha, y avanzó, atacando a muerte con la mano izquierda. Llama se lanzó por el aire, aterrizó pesadamente junto al arma y cayó al suelo al colapsar su pierna, pero consiguió agarrar el rifle y se lo puso al hombro.

Pero el tirador ya se tambaleaba hacia atrás con el cuchillo de Gator en el corazón. Cayó despacio, aterrizando boca arriba en la lluvia, con los ojos abiertos de par en par y una expresión de horror.

Gator se giró y la miró. Ella le devolvió la mirada. Parecía agotada. Golpeada. Aturdida. Ambos escucharon que se acercaba un vehículo todo terreno, pero no apartaron la vista el uno del otro. Gator se acercó a ella y la levantó. Ella se tambaleó, le falló su gracia habitual y él la cogió de los brazos estabilizándola. Luego extendió la mano para limpiar el barro de su cabello que caía en mechones marrones y rojos sobre su pálida tez mientras la lluvia intentaba lavarla.

—¿Planeaste tú esto? —Su voz era baja, apenas discernible, pero su mirada permaneció fija en él. Firme. Interrogante. Había dolor en sus ojos, también pena y traición. Una mezcla de todo.

A él lo desgarró por dentro que pudiera pensar que había tomado parte en la muerte de Burrell. Su cuerpo temblaba casi incontrolablemente a pesar del calor y de la lluvia tibia.

Gator inspiró y cerró los dedos apretando los puños.

—¿De qué demonios me estás acusando?

Ella sacudió la cabeza.

—Estoy preguntando. Dime la verdad. Necesito la verdad. —Sus brazos se extendieron en un semicírculo para abarcar todo el pantano—. ¿Hiciste esto? ¿Lo preparaste tú?

El todoterreno dio un frenazo y Wyatt e Ian saltaron de él, miraron a los hombres muertos alrededor y luego a la pareja, pero no se acercaron a ellos. Algo en la manera en que Gator y Llama estaban juntos, uno protector, la otra frágil, pero ambos con aspecto combativo, les advirtió que se mantuvieran alejados.

—Maldita sea, Llama. ¿Me estás preguntando si maté a Burrell? ¿El amigo de *grand-mère*? ¿Mi amigo? ¿Qué posible motivo podría tener? —reclamó Gator.

—Un ejercicio de campo para ver si trabajamos bien juntos. Y si hacíamos bien aquello para lo que Whitney nos creó. Y lo hemos hecho, lo sabes. Acabamos de realizar una misión de combate perfecta.

—Vete de aquí, maldita sea. Ve con Wyatt y quédate con Nonny hasta que pueda volver a casa. —Se pasó una mano por el cabello—. No puedo creer de lo que me estás acusando, Llama, cuando te acabo de salvar la vida. Tienes una verdadera destreza para irritarme.

—Necesito oírtelo decir.

—¿O qué? ¿O me vas a clavar un cuchillo en la garganta? No puedes estar aquí cuando vengan a limpiar, tengo que asumir la responsabilidad de esto. No voy a perder tiempo defendiéndome ante ti. —Se acercó, la agarró por los brazos y le dio una pequeña sacudida antes de que pudiera detenerse—. Estás siendo totalmente irrazonable e ilógica... —Su voz se apagó. ¿O no? ¿Podría decir con certeza que alguien les había tendido una trampa para analizar sus habilidades? El francotirador tenía una habilidad excepcional. Dejó caer los brazos, súbitamente cauteloso, y su mirada recorrió la zona—. Maldita sea, ahora me tienes pensando en teorías conspiratorias.

—Al menos estás pensando. No puedo quedarme con tu abuela. No insistas, no puedo. Encontraré algún lugar, un motel, una habitación, no importa. No estoy siendo difícil, es solo que necesito espacio. Tiempo para asumirlo todo. Sabes a lo que me refiero.

Lo sabía. No le sentó bien, pero sabía exactamente a qué se refería.

—Tengo una cabaña en el *bayou*. Está lejos de todo. Le diré a Wyatt que te lleve. —Ella se dio la vuelta, pero Gator le cogió el brazo—. Espero que te quedes allí.

—Está bien. No es que tenga muchos lugares adonde ir.

—Yo no fui. Me refiero a que no planifiqué esto. No ha sido un ejercicio de campo del que yo estuviera al tanto. No tengo ni idea de quiénes son esos hombres y quién los envía, pero lo averiguaré. Yo no hice esto, Llama.

—Solo por curiosidad, ¿a quién has llamado para que te ayude con la limpieza? Apostaría que a las autoridades locales no. Llamaste a Whitney, ¿verdad?

Raoul hubiese preferido que estuviera enfadada. Pero no era así, parecía cansada, agotada, derrotada incluso.

—A Whitney, no, sino a Lily.

Se encogió de hombros.

—Es lo mismo, Raoul. Si hablas con uno, estás hablando con el otro, lo que pasa es que no puedes admitirlo.

Él estiró el brazo para quitarle el barro de la cara; el tacto de su mano era gentil y casi tierno. Llama se apartó de él, miró primero a Wyatt y luego a Ian.

—No. —Su susurro apenas le llegó a los oídos—. No seas agradable conmigo ahora. No sobreviviría a eso.

Su voz se rompió y giró la cabeza.

El dolor le atravesó el corazón. Parecía rota, tan frágil que su instinto protector llegaba a abrumarlo. Necesitaba abrazarla, consolarla.

—Llama. —Tiró de ella llevándola hacia su cuerpo, sin preocuparse de sus ropas llenas de barro o su frágil resistencia—. Quiero ir contigo, pero no puedo. No podemos dejar un montón de cadáveres repartidos por ahí.

Ella se estremeció y él la atrajo más cerca, tratando en vano de dar calor a su cuerpo. Ni el calor ni la humedad del *bayou* parecían suficientes para combatir la frialdad de su piel.

—¿Por qué? Han dejado a Burrell a merced de los cocodrilos.

Su voz se rompió y agachó la cabeza descansando la frente contra su pecho.

Gator la abrazó sin preocuparle que Wyatt mirase su reloj y después al cielo. El helicóptero podría llegar en cualquier momento y alguien exigiría respuestas a las preguntas. Todo lo que realmente le importaba en ese momento a Gator era consolarla.

—Lo siento, *bebé. Je vais faire ce droit. Je jure que je ferai ce droit.*

Ella levantó la cabeza para estudiar su cara.

—No puedes arreglar las cosas, Raoul. No puedes traer a Burrell de vuelta. Nada puede arreglar eso.

Su labios le rozaron la frente en una caricia de consuelo.

—*Je suis desolé, le miel.* Desearía poder arreglarlo. Por favor, ve con Wyatt.

Su voz tenía una ternura sexi que por poco la desarma. Parpadeó mirándolo consciente de su ropa mojada, del hecho que olía como el pantano, de que estaba cubierta de barro, pero sobre todo de las lágrimas que brillaban en sus ojos. Apartó la mirada, no sabiendo qué hacer o qué decir. Necesitaba desesperadamente estar sola.

Raoul cubrió sus manos.

—Llevas guantes. Buena chica. Ian está recuperando los cuchillos. Los perderemos en algún lugar en el *bayou* a gran distancia de aquí. No quiero que consigan rastrearte. Remplazará cualquier signo de que estuviste aquí por el suyo. Estos hombres mataron a Burrell, los perseguimos y luchamos.

Llama sacudió la cabeza.

—Los forenses son demasiado buenos para eso.

—No si quieren creer en lo que ven. Nuestra gente no va a dejar que los vecinos se enteren de esto. Diré que destrocé la moto dándole una patada al conductor. Maté al francotirador y los otros son culpables de matar a Burrell. Quiero que tu nombre quede fuera de esto. Es más seguro para ti.

—¿Por qué estas haciendo esto por mí?

—No me preguntes eso. No sé la respuesta. Solo sal de aquí y ve con mi hermano. —Le levantó la cabeza y le dio un suave beso, sin importarle que ambos estuvieran cubiertos de barro—. No me hagas ir a buscarte esta noche, Llama.

—Ven conmigo. —Wyatt sacudió su pulgar hacia el pantano—. No queremos dejar ninguna huella que no puedan cubrir. Tienes mi Jeep escondido en alguna parte. Podemos cogerlo.

—¿Qué pasa con mi moto? —No estaba segura de que su pierna resistiese una carrera por el pantano, pero el todoterreno sería visto desde el aire. Ian diría que lo había conducido hasta la escena cuando Gator lo llamó—. Si la identifican...

—La robé, ¿recuerdas? —dijo Gator—. No te preocupes, me fijé en que no estaba registrada a nombre de Iris Johnson. Nadie va a hacer la conexión, Llama.

—Lily lo hará. Whitney lo hará.

—Sal de aquí.

No iba a discutir más con ella.

Demonios, cada vez parecía tener más sentido lo que le estaba diciendo. Frunció el ceño al ver a Wyatt y a Llama comenzar a cruzar el pantano. Ella corría, pero parecía cojear. Estuvo a punto de llamarla pero Ian carraspeó en ese momento.

—Este tío tenía quemadas las huellas digitales. No lleva ninguna identificación, Gator. ¿Qué demonios está pasando aquí?

Gator expulsó el aire. ¿Qué estaba pasando? ¿Era posible que Llama tuviera razón y Whitney estuviera todavía vivo? Nadie había visto el cuerpo. Solo Lily reivindicó que estaba muerto. ¿Mentiría para proteger a su padre?

Cuando estuvo seguro de que Llama no podía escucharlos se giró hacia Ian.

—Puede haber algo de cierto en la sospecha de Llama. Ni siquiera podía escuchar su respiración. Sabes que puedo escucharlo casi todo.

—¿Piensas que era uno de nosotros? ¿Uno de nuestro equipo? —preguntó Ian.

Gator se encogió de hombros.

—No tengo ni idea. ¿Hay la más ligera posibilidad de que Peter Whitney aún esté vivo?

Ian se tragó su primera respuesta instintiva y pensó en ella antes de hablar.

—¿Cómo demonios voy a saberlo? No había cuerpo. Desapareció y Lily le dijo a Rye que estuvo conectada con él mientras lo estaban asesinando. Supongo que es posible.

—¿Crees que Lily lo ayudaría a desaparecer?

Ian se rascó la cabeza.

—No. De ninguna manera. Está destrozada por las cosas que hizo. Si está vivo, ella no lo sabe.

Gator frunció el ceño.

—Lily es psíquica, Ian. ¿Cómo podría engañarla? Ella «vio» su muerte.

Ian encogió sus enormes hombros.

—Whitney era lo más avanzado en experimentación. Nadie sabía más sobre el refuerzo psíquico que él. Experimentó con niñas, en nosotros y al menos en otro equipo, por lo que sabemos. ¿Quién dice que no hiciera algunos experimentos consigo mismo?

—¿Por qué? ¿Por qué desaparecería?

—Higgens lo quería muerto. El servicio se le estaba viniendo encima. La mayoría de sus experimentos eran ilegales. Ni siquiera su dinero lo iba a mantener a salvo. ¿Qué mejor manera de salir de ello que «muriendo»? Tenía más dinero del que podía gastar. No habría sido difícil desviar unos pocos millones a una cuenta secreta y establecer otra residencia y un laboratorio fuera de Estados Unidos.

—Llama cree que está vivo. Incluso piensa que esto puede haber sido algún tipo de operación de campo para ver cómo trabajamos juntos.

Ian arqueó una ceja.

Gator asintió con la cabeza.

—Llama, *Iris*, piensa que Peter Whitney está vivo y dirigiéndolo todo desde las sombras. Al principio pensaba que estaba loca, pero ahora veo detalles que me preocupan. Para empezar, me siento tan jodidamente atraído por ella que no puedo pensar correctamente. No es solo un tema de lujuria o emoción, es una poderosa combinación de ambas y estoy al borde de la obsesión. Cuando estoy con ella haría casi cualquier cosa por tenerla, y siento ganas de matar a cualquier hombre que se le acerque. Este no soy yo, Ian, y no me fío de lo que me está pasando. Ella tampoco. Siente lo mismo que yo y piensa que Whitney logró emparejarnos de alguna manera.

—Es un poco exagerado, ¿no crees? ¿Cómo podría haber hecho algo así?

Ian se apartó de Gator, poniendo una pequeña distancia entre ellos en un esfuerzo inconsciente por negar lo que estaba diciendo.

—¿Seguro? Estoy actuando de forma diferente a mi carácter. Estoy perdiendo mi entrenamiento. Sé que es peligrosa, pero la he llevado directamente a mi casa. Con mi familia, con Wyatt y Nonny. A ti. ¿Por qué lo haría cuando cada instinto que tengo me conduce a hacer lo contrario? Tomo decisiones ilógicas cuando estoy con ella. ¿Por qué? Porque tengo que verla. La necesidad es tan fuerte como una droga. Mira a Ryland y a Lily, y a Nico y Dahlia. Les pasa lo mismo. Y por si fuera poco, nuestras habilidades psíquicas se complementan. Mi talento psíquico equivale al suyo. Puedo incluso amplificarla. Como arma probablemente los dos seríamos imparables en un entorno donde podríamos destrozar gran número de objetivos sin ningún riesgo para los civiles. Llama piensa que Whitney hizo esto con un propósito y ahora está reclinado en su asiento probándonos.

—¿Tú que piensas?

—No sé qué demonios pensar. Había un francotirador profesional en este grupo, uno con una formación muy considerable. No venía con los demás, estaba a años luz de los otros en entrenamiento. Ninguno llevaba identificación. Sus huellas estaban quemadas. Es un montaje enorme solo para matar a un capitán de un barco jubilado. —Ladeó la cabeza al oír algo—. El helicóptero está en camino. ¿En quién confiamos, Ian?

—El uno en el otro. Como siempre hemos hecho.

—¿Advertimos a los otros? No tenemos ningún hecho, solo conjeturas.

—Realmente no importa si esto era una operación de campo o si era algo totalmente diferente —dijo Ian—. Los otros necesitan saber que hay una posibilidad de que Whitney esté todavía vivo.

—Entonces deberían saber que fuimos reforzados física y psíqui-camente.

Ian asintió.

—Me lo imaginaba. No pensé que ser capaz de ver a través de las paredes iba a ayudarme a saltar por encima de ellas. El refuerzo físi-co parecía simplemente algo extra.

—Whitney infectó a Llama con cáncer más de una vez cuando era una niña. El refuerzo genético puede llegar a producir cáncer y quería encontrar las maneras de evitarlo. La usó como una rata de laboratorio. Además Ian... —Gator esperó hasta que su amigo lo mi-rase—. Nunca fue adoptada, igual que Dahlia. Dice que solo una o dos de las chicas fueron adoptadas, lo cual significaría que Whitney dejó historias falsas para que Lily las encontrase. Lily ya tiene mu-chas sospechas.

Ian silbó.

—Nunca se me había pasado por la cabeza que Peter Whitney pudiera estar vivo.

—¿Comprendes lo que significaría? Está tirando de nuestras cuer-das. Tendiéndonos trampas. Nos sigue usando para sus experimen-tos, pero ahora no lo sabemos.

—Estamos en el servicio, Gator. No es como si no esperásemos llevar a cabo operaciones de campo. Por eso fue que aceptamos el re-fuerzo. Todos pensábamos que así reduciríamos las víctimas y servi-ríamos mejor a nuestro país. Podría tener a alguien siguiéndonos en las misiones y documentando lo que hacemos. Esforzarse tanto me parece un poco excesivo.

—No si quería vernos trabajando con las mujeres. Si Whitney está vivo y dirigiendo experimentos secretos, poniéndonos en otras situaciones usando a las mujeres, eso lo cambia todo. No nos presen-tamos voluntarios para esto y esto nos hace... —Se calló, realmente incapaz de expresarse con palabras sin que la bilis le subiera hasta la garganta—. Maldito sea ese hijo de puta, Ian.

—Yo no soy una víctima, si es eso lo que insinúas —respondió Ian y sus brillantes ojos verdes se endurecieron.

—Sí, a eso voy. ¿Piensas que somos superiores a Lily, Dahlia, Llama o las otras porque lo hicimos por elección? Nos presentamos voluntarios para el refuerzo psíquico. Y a ellas las compadecemos. ¿verdad?

Ian abrió la boca, luego la volvió a cerrar.

—No diría que somos superiores. Pero lo de la compasión podría ser verdad. Aunque que alguien pueda compadecer a Llama está más allá de mi comprensión. Es hermosa y letal. Y muy sexi.

—Gracias. No necesitas decirlo otra vez. Ni siquiera pensarlo.

—Gator soltó el aire lentamente—. No sabíamos que nos hubiesen reforzado físicamente y a pesar de que el refuerzo no está nada mal, también significa que podríamos tener cáncer igual que Llama. Quién dice que ese hijo de puta no nos haya infectado como hizo con ella. Cuando se dio cuenta de que el refuerzo genético pudo haber estimulado una célula mutante, provocó la mutación deliberadamente para entender cómo eliminarla. Por eso indujo un cáncer a Llama y luego la puso en remisión un par de veces como si fuera una rata de laboratorio. ¿Quién te dice que no ha hecho lo mismo con nosotros?

Ian maldijo en voz baja.

—¿Cáncer? ¿Es eso verdad, Gator?

—Sí, es verdad. Lily cree que pudo repetirse en Llama. Whitney usó un virus como vector para el refuerzo genético. Algunas veces el refuerzo estimulaba una célula errónea y ahí lo tienes. Cáncer. Por supuesto Lily explica todo esto mucho mejor, pero se reduce al hecho de que Whitney usó deliberadamente a Llama para la investigación médica.

—¿Qué hay de los hijos? —preguntó Ian—. ¿Cómo sabemos que no vamos a pasarles algo a ellos?

—Exactamente. Lily dice que el dopaje genético no se transmitirá, pero está preocupada.

—Está preocupada de que haya experimentado deliberadamente con las mujeres para ver si podía hacerlo —adivinó Ian—. Porque la pregunta se le habría ocurrido también a él. Y conociendo a Whitney, no estaría satisfecho hasta tener la respuesta.

—Y eso significa que las mujeres tenían que crecer y encontrar un compañero —dijo Gator—. Si Whitney condujo algún tipo de experimento para emparejarnos, estaría en una muy buena posición para conseguir las respuestas.

—Si es que aún está vivo —añadió Ian

—Exactamente. Si aún estuviera vivo. —Gator se pasó la mano por su cabello negro—. Este francotirador estaba demasiado bien entrenado para ser un civil igual que los otros. Te juro que las teorías de Llama están empezando a tener más sentido de lo que quiero admitir.

—¿Cómo consiguió Llama escapar de Whitney si no fue adoptada? ¿Y cuándo? ¿Cuánto tiempo la tuvo?

Gator sacudió la cabeza.

—No confía en mí todavía. Cree que Whitney me ha enviado para llevarla de vuelta.

—Bien. En cierto modo es la verdad, ¿no?

—Así no. —Gator miró a su alrededor—. No quiero que ningún rastro de esto los conduzca hasta ella. Sería otra arma apuntando a su cabeza.

—Entonces tenemos que hacerles creer que ibas en la moto, que lanzaste los cuchillos y tenías el garrote. Tenemos que eliminar toda huella suya y no tenemos mucho tiempo. —Estaba trabajando mientras hablaba—. Si están buscándola, Gator, y sospechan por un momento que ella ha estado aquí, registrarán el lugar hasta encontrar un cabello suyo. Estoy dejando mis huellas y mi rastro por donde estuvo, pero las tuyas tienen que cubrir esa moto. Hasta un niño podría leer lo que ha pasado aquí. Y van a enviar expertos.

—El helicóptero ya ha aterrizado, —Gator inclinó la cabeza para escuchar—. Un par de nuestros chicos, Kadan Montague y Tucker Addison vienen en esta dirección. ¿Qué están haciendo en la zona? —dijo mientras ayudaba a borrar rápidamente todas las huellas de la participación de Llama.

—Vamos, Gator. Kadan y Tucker están con nosotros. No sospecharás que son parte de la conspiración.

Gator miró a Ian cara a cara.

—Solo para estar seguros, hasta que sepamos lo qué está pasando, seamos cuidadosos con lo que decimos.

—Va a estar cabreadísima contigo de que te adjudiques la moto —le advirtió Ian—. Tiene algo con esa motocicleta.

—Pues tendrá que superarlo. Por lo menos hasta que sepamos qué está pasando. Voy a asumir que está en peligro. Tanto si a Lily o quien sea le gusta o no. Llama es una Soldado Fantasma y está bajo nuestra protección.

Ian se rió antes de darse la vuelta y caminar hacia el pequeño claro donde el helicóptero había aterrizado.

—Estás equivocado. Esa mujer piensa que tú estás bajo su protección. Te va a moler a patadas por lo de su moto. Estás aprovechando el hecho de que está un poco conmocionada por la muerte de Burrell. Cuando se recobre...

—Para de generarme pesadillas.

Gator enderezó la moto, aunque no fue una tarea fácil porque estaba medio enterrada en el barro y tenía la llanta delantera completamente doblada. Tampoco iba a ser fácil, de hecho sería casi imposible esconder a Kadan y a Tucker que Llama había estado allí. Se apostaría por ellos su propia vida, pero no estaba seguro de poner en juego la de Llama. No sabía cómo explicarle exactamente eso a Ian.

—Me parece que te estás sobrestimando —le dijo Ian por encima del hombro dando raudas zancadas con sus largas piernas.

—Eso se queda corto —admitió Gator en voz alta.

Levantó la moto del barro, por primera vez prestando verdadera atención a la fuerza sobrehumana de los músculos de su cuerpo. Podía correr dos veces más rápido y resistir el doble que antes del experimento. Podía saltar alturas impensables, pero era su tremenda fuerza lo que lo impresionaba. Se arrodilló al lado de la máquina e hizo como si estuviera examinando la estructura torcida y la rueda.

—Bonito escenario —saludó Kadan mientras rodeaba el Jeep—. ¿Qué demonios ha pasado aquí, Gator? Parece como si hubieras estado de caza.

Su inquisitiva mirada ya estaba registrando las huellas llenas de agua en el barro.

Kadan había recibido su entrenamiento en las Fuerzas Especiales, donde sirvió un par de años para luego unirse al FBI, y tenía la reputación de resolver los casos de asesinato más difíciles. Se ofreció voluntario para unirse al equipo psíquico y se entrenó con el resto de ellos cuando lo reclutaron. Era sabido que antes del refuerzo ya estaba más dotado físicamente que el resto de los Soldados Fantasma.

—Cuatro hombres han matado a un capitán de barco local jubilado. Era un buen amigo mío. Le conocía desde que era un crío. Lo cazaron en su isla, lo asesinaron y lanzaron su cuerpo a un cocodrilo de los grandes, hundiéndolo con pesos para que nadie lo encontrase. Luego quemaron su barco. Burrell no era un alborotador, no era más que un buen hombre que merecía algo bastante mejor que eso.

Los duros ojos azules de Kadan no abandonaron ni por un instante la cara de Gator.

—¿Y tropezaste con ellos después?

Gator asintió.

—En realidad iba a la casa barco había aparcado la moto que estaba usando cuando escuché los disparos que venían de la isla.

Kadan miró el Jeep estrellado contra un árbol, el cuerpo del hombre con un cuchillo enterrado hasta la empuñadura en la garganta, y el conductor estrangulado con su arma caída al lado.

—Has perdido el temperamento, Gator.

Detrás de él, Tucker Addison resopló:

—Yo diría que lo estás subestimando. Esto es un campo de batalla. Y tu moto tampoco se ha salvado.

Gator no sonrió. No tenía ganas. Había perdido su temperamento y era algo peligroso. Y no había sido el único. Llama había mostrado contención. Aunque no lo pareciera al ver los cuatro hombres muertos en el pantano, si por ella hubiese sido habría aniquilado todo lo que se moviera en un radio de ocho kilómetros. La disciplina que le habían inculcado la restringía a centrarse solamente en los cuatro asesinos.

Agachó la cabeza. El recuerdo de cuando perdía el control, o sus faltas de disciplina en su vida anterior lo invadió sin poder detenerlo. Sintió ese golpe como un puñetazo en el estómago y se ahogó de vergüenza y culpa. Tenía que apartarse de Kadan y de esos ojos que todo lo veían. Nunca podía mirar a un Soldado Fantasma directamente a los ojos cuando recordaba los primeros sucesos de su entrenamiento. Cerró de golpe la puerta a los recuerdos desagradables de la manera que siempre lo hacía, pero se preguntó cuántos malos recuerdos tenía Llama. Era otro hilo que los ataba.

Sin pensarlo, acarició el asiento de la motocicleta. Solo se dio cuenta de su gesto cuando Kadan siguió el movimiento con la mirada. Apartó la mano bruscamente.

—No podía dejar que se escapasen, Kadan. Estaban celebrando su hazaña y los seguí. Luchamos y ellos murieron.

—Suena bastante simple, ¿verdad, Tucker? —preguntó Kadan.

Gator lo miró.

—Tuvieron su oportunidad conmigo. El tío grande de allí —gesticuló con su pulgar hacia el francotirador—, estuvo a punto de matarme.

—¿Trataste de cogerlos? —Kadan miró fijamente el Jeep y al hombre muerto con el cuchillo que sobresalía de su garganta.

—Eran cuatro y no parecían dispuestos a rendirse.

La aguda mirada de Kadan se centró en él.

—No con un cuchillo sobresaliendo de su garganta. ¿Por qué no me estás diciendo la verdad? ¿Qué pasó aquí?

—¿Por qué estas en Nueva Orleáns? —contestó Gator—. Lo último que escuché es que te estabas recuperando de una misión y que te habías tomado vacaciones por un tiempo.

La tensión se disparó. La lluvia caía. Los ojos azules de Kadan se enfriaron volviéndose más grises que azules.

—¿Qué demonios está pasando aquí, Gator?

Tucker se colocó al lado de Kadan con una expresión dura en el rostro. Ian se desplazó hasta estar hombro con hombro con Gator, encarando a los otros dos Soldados Fantasma.

El teléfono móvil de Kadan sonó. Dejó que sonase dos veces antes de sacarlo y abrirlo.

—Que sea rápido. Estoy ocupado.

—Dime qué está pasando allí, Kadan. —La voz de Lily pudo oírse claramente—. ¿Tiene algo que ver con Llama? ¿Con Iris Johnson?

—Por lo que sé, Gator vino aquí a buscar a Joy Chiasson. No sé nada de esa tal Johnson. No sé si esto está relacionado con la desaparición de Joy o no, pero cuatro hombres, uno de ellos sumamente experto y sin lugar a dudas entrenado en el ejército, probablemente para operaciones especiales, por las pruebas que veo, asesinó a un hombre mayor, un amigo de Gator. Esto es de lo que va. ¿Sabes si alguien está llevando a cabo una operación militar en la zona, Lily?

—Voy a averiguarlo. ¿Está todo el mundo bien?

—Los chicos buenos, sí. Los malos están hechos polvo. —Kadan colgó, se metió el teléfono en el bolsillo y miró directamente a Gator a los ojos—. Esto tiene que ver con Llama, ¿verdad? La has encontrado.

Otro silencio se instaló entre ellos de modo que la lluvia al caer pareció ruidosa. Gator se encogió de hombros.

—Está aquí en Nueva Orleáns. Estaba viviendo con Burrell en la casa barco.

—¿Crees que era ella a quien estaban siguiendo? —Tucker gesticuló hacia los hombres muertos—. No creerás que fueron enviados para asesinarla, ¿verdad? ¿Quién iba a saber acerca de ella? ¿Quién los mandaría? ¿Y por qué habría un hijo de puta entre ellos tan entrenado como nosotros e incluso reforzado psicológicamente?

—Piensas que Whitney está vivo —dijo Kadan como si constatara un hecho.

Gator sacudió la cabeza y una leve sonrisa sin humor se formó en sus labios.

—Eres bueno, Kadan, y ni siquiera me estabas tocando. Sí, creo que el bastardo ese puede estar vivo. Y creo que debe estar tendiéndonos trampas para ver cómo respondemos sobre el terreno con las mujeres con las que experimentó.

Kadan frunció el ceño pensando al respecto.

—Nadie vio el cuerpo. Supongo que es posible. Pudo haber engañado a Lily y tenderle una trampa para que trabaje para él. —Miró a su alrededor con los ojos llenos de sospecha—. Gator, no habrás pensado que Tucker y yo éramos parte del equipo de otro, ¿verdad?

Gator pasó una mano embarrada a través de su cabello despeinado.

—Ya no sé en qué demonios estoy pensando. ¿En quién puedo confiar cuando su vida está en peligro? Lily la quiere de vuelta, pero no puedo obligarla a volver cuando todo lo que ha conocido allí ha sido dolor y sufrimiento. No confía en Lily.

—¿Qué hay de ti, Gator? ¿Confías en Lily?

—Bueno, esa es la cuestión, ¿no es así?

Capítulo 10

*L*lama estaba llorando. El estómago de Gator se contrajo. El sonido era suave y apagado, probablemente por una manta, pero podía oírla incluso a través de la lluvia palpitante y eso le rompía el corazón. Ató su esquife a un poste a un lado del hidrodeslizador y saltó a la orilla. La tierra era esponjosa y sus botas se hundieron unos centímetros en el barro. Jamás en su vida había imaginado que el sonido de una mujer llorando silenciosamente iba a afectarle de la manera en que lo estaba haciendo. Debería haber ido con ella inmediatamente en vez de tomarse tiempo para ducharse y coger algunas provisiones.

Se detuvo al otro lado de la puerta. ¿Qué iba a decirle? Kadan, Tucker e Ian habían concordado con él que era posible que Peter Whitney estuviera todavía vivo. No tenían ni idea de por qué Burrell habría sido asesinado. Si el francotirador evidentemente reforzado no hubiera estado con el resto, Gator nunca habría sospechado que la muerte de Burrell había tenido que ver con Llama o con los Soldados Fantasma. Ahora ya no estaba seguro.

Los otros Soldados Fantasma estaban con su abuela y se sentía mucho mejor de que tuviera protección tras la muerte de Burrell, especialmente cuando necesitaba estar con Llama. Una ducha le había ayudado a aplazar el agotamiento por un rato mientras empaquetaba unas pocas provisiones, pero estaba sintiendo los efectos de la fatiga psíquica y física.

Gator empujó la puerta y al abrirla se encontró con Llama justo enfrente, apoyada contra la pared, con un cuchillo en la mano para lanzarlo. Parecía como si hubiera estado llorando horas, pero le estaba haciendo frente con determinación. Su cabello todavía estaba húmedo de la ducha y llevaba unos vaqueros muy anchos y una camisa a cuadros de hombre que reconoció, pues eran de Wyatt.

—Estoy solo —le aseguró.

La tensión se suavizó y se relajó visiblemente. Al menos no le había lanzado el cuchillo. Era un progreso notable.

—¿Qué has averiguado?

—No mucho. Un par de hombres de mi equipo aparecieron y nos ayudaron a Ian y a mí a limpiar la zona. Burrell ha sido declarado desaparecido y le dije a la policía que estuviste con mi *grand-mère* y conmigo toda la tarde y que cuando volvíamos, escuchamos los disparos que venían de la isla y mientras los investigábamos, alguien incendió la casa barco. Me atuve a la verdad todo lo que pude.

Las lágrimas brillaron en sus ojos otra vez.

—No puedo creer que esté muerto. Que alguien le haya asesinado. Todo lo que quería hacer era vivir en el muelle y escuchar la música del *bayou* mientras fumaba su pipa. Nunca hizo daño a nadie en su vida. No es justo, Raoul. Esto no es justo.

—No es justo —repitió él, con un nudo en la garganta que amenazaba con ahogarlo.

—Y nosotros lo dejamos allí, en el agujero del cocodrilo.

—Él hubiera querido que te cubriéramos. No sabemos con quién estamos tratando todavía, Llama. Pensaba pasarme por el forense mañana por si aún no está al tanto de lo ocurrido. Ha estado lloviendo pesadamente y la lluvia debe haber borrado la mayor parte de las pistas. La isla de Burrell está a una buena distancia de donde derribamos a los asesinos y nada los conducirá a la reserva. Los cuerpos no están. Incluso si encuentran el Jeep destrozado, ninguno de nosotros lo tocó.

Se le escapó otro sollozo, pero lo contuvo, apartando la cara de él.

—Detesto esto. Odio estar fuera de control.

No sabía como consolarla. Era extraño, ya que siempre había tenido buena mano con las mujeres, pero ahora, cuando le importaba, no sabía qué debía decir o hacer. Le frotó el brazo torpemente.

—Es completamente normal que llores.

Ella se encogió alejándose y mirándolo enfurecida.

—No estoy llorando.

—*Cher*. —Su tono fue increíblemente tierno y los ojos de ella se volvieron a llenar de lágrimas. La vio secárselas con el dorso de la mano—. Está bien llorar. Es bueno llorar.

—No, no lo es. ¿Por qué dice la gente eso? Llorar es una completa pérdida de tiempo. No sirve para nada. Tu cara se hincha y se pone roja. Te queman los ojos y te da un dolor de cabeza del demonio. ¿Acaso llorar traerá de vuelta a Burrell? —Se hundió en la cama, con la espalda contra la pared, encogiendo las rodillas—. Cuando aprendí a estropear las cámaras y grabadoras de Whitney, lloraba de vez en cuando. No me sirvió de nada. No me sacaba de la jaula en la que él me puso. Lo único que hizo mi llanto fue darle una satisfacción cuando lo supo. No estoy llorando.

Gator empujó una bolsa, que reconoció de la primera noche que se encontró con Llama, hacia la esquina de la cabaña antes de quitarse la camisa y lanzarla sobre el respaldo de una silla. Sacó una botella de agua de su mochila.

— Toma, bébete esto.

—Gracias. —Tomó la botella, mirándolo mientras se quitaba las botas y las lanzaba a la esquina de la habitación a lado de la bolsa grande—. No voy a dormir contigo, así que puedes coger la cama. Puedo dormir en el suelo.

Gator se sentó a su lado. Ella se estremeció y él le dio una palmadita en la pierna.

—No te lo he preguntado y tampoco pensaba seducirte. Y no porque no hubiese funcionado.

—Me lo ibas a preguntar. Y la seducción no habría funcionado.

—No iba a intentarlo —repitió.

Ella frunció el ceño.

—¿Por qué no? ¿Qué tengo yo de malo? Seguro que lo intentarías hasta con un cocodrilo, ¿y por qué no conmigo?

—¿Con un cocodrilo? No. Es que he fijado mis límites en los reptiles.

—Bien, lo retiro. ¿Por qué no vas a tratar de seducirme?

Él alzó las cejas.

—¿Querrás decir por qué no voy a seducirte? *Grand-mère* crió a un caballero. Estás demasiado afectada como para que me aproveche de ti en este momento. Ambos podemos dormir en la cama y me portaré bien.

Llama recorrió sus cara con la mirada.

—Pero habrías tratado de seducirme si no estuviese afectada, ¿correcto?

—B-u-e-n-o —dijo arrastrando las letras—. No sé si lo habría hecho o no. Tienes un rollo un poco raro con los cuchillos.

Ella le hizo una mueca.

—Te gustan mis cuchillos y lo sé. Te excitas cada vez que piensas en ellos.

Él no negó lo obvio.

—¿Me propalaste uno la otra noche después de que te fueras del club? Hay un par de mentes inquisitivas que se lo preguntan.

—¿Propalar? ¿Es propalar una palabra? Yo no propalo cuchillos; los lanzo con una exactitud mortal. Y si te hubiese lanzado uno, ya estarías en el fondo del *bayou*. Es más, lo que hice fue salvarte el culo.

Se limpió los ojos otra vez, tomó un trago de agua y enroscó el tapón.

—¿Qué demonios significa eso?

—Quiere decir que no eres el Señor Invencible que te gusta pensar que eres. Conseguiste cabrear a alguien la otra noche y estaba lo suficientemente borracho y desquiciado como para intentar eliminarte. Estás muy seguro de ti mismo y la autocomplacencia puede acabar con tu vida.

—¿Estabas siguiéndome?

—Estaba ejerciendo de canguro, para cuidaros a ti y al par de idiotas borrachos de tu hermano y tu amigo. Alguien tenía que hacerlo y no vi a nadie más ofrecerse. Me da la impresión de que no tienes tantos amigos.

—Era Vicq, ¿verdad? Esperó el momento y lanzó el cuchillo.

Ella se encogió de hombros.

—Estaba segura que no iba a marcharse sin más. No es un tipo tranquilo. ¿Sabes que se veía con Joy? Salieron un par de veces. Ella cortó cuando él le puso un ojo morado por mirar a otro hombre.

Raoul sintió que la cólera lo invadía.

—¿Cómo te enteraste de eso? Si Wyatt lo hubiera sabido, habría perseguido a Vicq.

—Por lo que se sabe, todo el mundo le tiene miedo.

—Yo no.

—Que es por lo que estaba haciéndote de canguro. —Llama le lanzó una mirada de censura—. El que estés reforzado no significa que no puedan matarte. Lo subestimaste porque no tiene entrenamiento de combate. Es peligroso, Raoul, y deberías haberlo sabido. Se le ve en los ojos. Le gusta la violencia y se sale con la suya. Apuesto que abusa de las mujeres por regla general. Seguro que más adelante pegará a su esposa y a sus hijos, y tendrá peleas todo el tiempo para herir o hacer algo peor a los hombres con los que escoja pelear. Le gusta. Le gusta herir a la gente y probablemente a los animales también.

—¿Cómo has sabido que salió con Joy?

—Hablé con su madre. Me dijo que Joy volvió a casa llorando y que tenía moratones en la cara. No querían que su padre o sus hermanos se enterasen porque Vicq tenía muy mala reputación. La madre de Joy se lo mencionó a la policía, pero ellos ni siquiera lo interrogaron.

—No estaba en el informe policial, lo leí.

—Qué sorpresa. Dijiste que el apellido de Vicq era Comeaux. ¿Te fijaste en el apellido del oficial de policía en el informe? Aquí todos son parientes de alguien.

Gator murmuró una palabrota en cajún.

—Debería haberme dado cuenta. Entonces Vicq Comeaux es en realidad un sospechoso. No has intentado hacerle preguntas, ¿verdad?

Ella frunció el ceño ante la aspereza de su voz.

—No soy tan estúpida. No creo que nadie le pudiera sonsacar algo haciendo preguntas, y menos aún una mujer. La mejor manera es que alguien se emborrache con él y hable chorradas sobre las mujeres. No podrá evitar chulearse de sus experiencias.

—Sabes mucho del comportamiento de las personas, ¿verdad?

—Es una técnica de supervivencia. Lo aprendí pronto. Whitney fue un gran profesor. —Giró la cabeza, pero no antes de que él viera el dolor en sus ojos—. Mi apuesta es por el novio, el hijo de Parsons —continúo, apoyando la cabeza contra la pared y estirando la pierna derecha—. Algo en él me huele mal.

—A mí también. Quítate los vaqueros.

Lo miró a los ojos fijamente.

—Dijiste que no ibas a intentar nada.

—No estoy intentando nada. Por Dios, mujer, eres hermosa, pero no te hagas ilusiones. No voy detrás de tu cuerpo. Voy detrás de tu pierna. Es solo una parte del cuerpo.

—También vas detrás de mi cuerpo. Hay calor en tus ojos —dijo abriendo los brazos—. Y evidencias en otra parte.

Él inclinó la cabeza y ella sintió el calor de su aliento sobre los labios.

—Te diré un pequeño secreto, *cher*. Soy un hombre. Cuando estoy cerca de ti hay muchas evidencias de que te deseo. Ahora sácate los pantalones. Quiero ver tu pierna.

—No voy a enseñarte la pierna.

—¿Tienes idea de lo testaruda que puedes llegar a ser? Mejor será que nuestros hijos nunca me miren así. Tú sí que te merecerías que te mirasen así.

—¿Dónde está mi moto?

Raoul lanzó un gruñido y se echó hacia atrás con las manos detrás de la cabeza.

—No me hagas preguntas que van a hacer que te enfades. Estás tratando de evitar desnudarte para mí y no va a funcionar. Te voy a mirar la pierna, así que no pierdas más tiempo y quítate los malditos vaqueros. De todas formas te quedan grandes.

—No tengo nada más que ponerme. Mi ropa estaba en la casa barco de Burrell.

La voz entrecortada de Llama hizo que su estómago diese un vuelco.

—No empieces a llorar otra vez. No puedo soportarlo.

—Acabas de decirme que era bueno para mí.

—Estaba siendo masculino para consolarte. Ahora solo es el instinto de conservación. Te compraré ropa mañana. Puedo comprarte hasta diez pares de vaqueros si quieres.

Una débil sonrisa curvó su boca.

—Estás loco, ¿lo sabes?

Él siguió mirándola atentamente.

Llama suspiró.

—No llevo ropa interior. No me iba a poner la de tu hermano. Mi pierna está adolorida. Le di una patada al conductor para que se estrellase. Bueno... —prosiguió—, esperaba romperle el cuello y eliminarlo totalmente.

Él alcanzó la cintura de sus vaqueros.

—Vamos a tener que hacer algo con ese temperamento tuyo. No puedes ir por ahí matando gente porque te hayas enfadado, ni siquiera cuando tienes razones para estar cabreada.

Sus dedos le rozaron la piel desnuda y suave. Su vientre era firme, pero tan deliciosamente suave que quiso inclinarse hacia él y besarlo.

Llama se puso rígida y cubrió las manos de él deteniendo el movimiento y a la vez le sujetó los dedos contra su estómago. Un temblor le recorrió el cuerpo.

—Ya lo hago yo.

—Y yo que lo estaba pasando tan bien.

—Mira para otro lado. No pienso hacerte un *show*, pervertido.

Cerró los ojos obedientemente y se tumbó en la cama, sintiéndose de repente cansado. Había sido un día largo y frustrante. Tenía más preguntas que respuestas. Burrell estaba muerto. No había avanzado en la búsqueda de Joy Chiasson desde su llegada a Nueva Orleáns, y además estaba seguro de que cuando Llama se quitase los vaqueros para enseñarle su pierna herida no le gustaría lo que iba a ver.

A su lado, ella agitó las piernas para quitarse los vaqueros, y aunque trató de ser cuidadosa, dos veces se le escapó un grito de dolor sofocado. Una vez que se envolvió en una sábana, Gator abrió los ojos.

—*Fils de putin!* —Raoul se inclinó más cerca para inspeccionarle la pierna—. *Maudit!*

—La estás mirando.

—Demonios sí, la estoy mirando.

—Para de blasfemar. No está tan mal. Unos pocos moratones y una pequeña hinchazón. ¿Qué esperabas? La moto iba rápido, tanto como el Jeep, y le pateé tan fuerte como pude. Tampoco fue blando el aterrizaje.

—¿Cómo lograste volver por el pantano con la pierna así? Ibas corriendo a más no poder, te vi.

Llama se encogió de hombros.

—Hace mucho tiempo aprendí que cuando no hay opción, uno puede aguantar cualquier cosa. Whitney no me derrotó, Raoul, aprendí muchas lecciones valiosas. —Lo miró a los ojos—. No va a capturarme otra vez. Prefiero morir. Si tú o cualquiera logra llevarme allí, derribaría su casa y a todos los que estén en ella. Lo digo en serio. Piénsatelo largo y tendido antes de que decidas intentar llevarme de vuelta.

Bajó la mirada a su pierna amoratada. Desde la rodilla hasta la cadera, su muslo estaba negro y azul y cubierto con feos hematomas que podrían indicar un derrame interno.

—*Fils de putin* —dijo de nuevo por lo bajo levantándole la pierna y poniéndola sobre su regazo como si pudiera eliminar el dolor mágicamente.

—¿Me escuchas?

—Te escucho. Tienes que ver a un doctor, Llama

—Lo he dicho en serio. No puedo pasar por eso otra vez. No estoy para bromas.

—Lo sé. ¿Qué demonios vamos a hacer con tu pierna? —Le acarició la piel hacia abajo con un toque ligero como una pluma, apenas palpable, pero ella lo sintió hasta los huesos—. Te voy a llevar con *grand-mère*. Conoce al *treateur*, el curandero. Son amigos desde hace años.

—Llévame mañana. No puedo ver a nadie esta noche.

Le dolía el pecho. Sentía como si alguien hubiera dejado caer un peso de cien kilos sobre ella. Una parte de ella quería gritar y gritar, otra quería inundar el mundo con lágrimas, pero su peor parte, esa fría, oscura y fea, quería salir de caza.

¿Le has dicho a Lily que me encontraste? Fue ella la que te envió detrás de mí, ¿verdad? Si tú o tu amigo le habéis dicho...

—Lily no sabe que hemos tenido ningún contacto. Nadie le ha dicho nada. Si Whitney está vivo y está al tanto de tu presencia aquí, no vino de ninguno de nosotros.

Le creyó. Raramente creía a nadie, al menos no del todo. Pero con Raoul, sentía como si lo conociese íntimamente, el Raoul real, no el que todos veían. Y que Dios la ayudase, porque realmente le creía.

—Tal vez solo estoy cansada —murmuró las palabras en voz alta.

—No fue culpa tuya, Llama. No provocaste la muerte de Burrell.

—¿Cómo lo sabes? Whitney es capaz de todo, incluso de matar a un viejo encantador solo para conseguir los resultados finales de su experimento. Debe haber cambiado mucho a lo largo de los años para que pienses que no haría algo así, o tal vez ha escondido muy bien ese lado de sí mismo.

—A mí no me gustaba. A ninguno de nosotros. Era frío. Inhumano. —La movió tan suavemente como pudo hasta que ambos quedaron tendidos—. Túmbate. —Esperó hasta que su cabeza estuvo sobre la almohada para echarle una manta por encima—. Nunca pude entender por qué Lily lo quiso. Ella no sabía que no era su padre biológico. Se enteró después de que muriera.

—No está muerto.

—Tal vez no lo esté. Para serte honesto, casi me creo que ese hombre está en alguna parte registrando cada movimiento que hacemos.

Gator apagó la luz y se estiró a su lado en la cama, con mucho cuidado de no tocarle la pierna.

—Debería marcharme.

Raoul oyó el latido de su corazón acelerarse. Sabía que ella lo oía también. En el aire se alzó una protesta provocando un fuerte maremoto de negación. Las paredes se ondularon con un pulso bajo de desacuerdo. Llama puso una mano sobre la de él.

—Yo no me voy. Tengo que averiguar quién le hizo esto a Burrell. Creo que es la opción más inteligente. Y está lo de Joy. Alguien le ha hecho algo. Desearía pensar que está muerta, pero no puedo.

Él volvió la cabeza en la oscuridad para mirarla.

—¿No crees que esté muerta? ¿Por qué? ¿Qué te hace pensar que aún está viva?

Nunca se lo habría contado a nadie. Nunca. Se habría ido a la tumba sin habérselo dicho a nadie.

—Algunas veces cuando voy por ahí escucho ecos de sonidos.

Llama esperó que Raoul se riera por lo bajo. Que bromeara. Que le dijera que estaba loca.

Él curvó los dedos sobre los suyos y llevó la mano sobre su pecho, sobre su corazón.

—Continúa.

—Creo que las plantas a veces absorben el sonido. Se mantiene atrapado en algunas y yo puedo oírlo.

—¿Crees que el sonido está atrapado en las plantas? —le dijo mientras le acariciaba el dorso de la mano con la almohadilla del pulgar—. Lo había oído también. Como el eco de los gritos, las risas o el murmullo de las voces. Al principio pensé que era porque mi oído era muy agudo, pero entonces comprendí que estaba oyendo algo que había tenido lugar en el pasado, minutos o meses antes. Pensé que podrían ser burbujas en el espacio, como las bolsas de aire en un coche cuando se hunde bajo el agua. Pero el sonido se dispersa. Esto no tendría sentido para nada. Y las plantas no tienen oídos. ¿Cómo demonios podrían oír si no?

—El eco del pasado en ciertos lugares realmente me afecta.

Suspiró, todavía intentando controlar sus emociones.

Le había hecho bien que Gator hubiera bromeado un poco con ella, pero todavía quería llorar un río de lágrimas por Burrell. Por Joy. Por ella misma. Quería controlarse, pero deseaba compartir algo con Gator, solo porque él se había preocupado de consolarla. La fricción de su pulgar sobre su mano debería haber sido algo trivial, pero en realidad no lo había sido.

—Te prometo que llegué a considerar que Whitney había conseguido volverme loca —continuó—, pero entonces recordé que ya me había pasado un par de veces cuando era muy joven, antes de que comprendiera la clase de monstruo que era él realmente, por eso investigué un poco al respecto. Cada vez que oía los sonidos los apuntaba y trataba de recordar todo lo que hubiera a mi alrededor en ese momento. La única cosa que cada incidente tenía en común era que había plantas en el lugar. No una planta sola, sino un gran grupo de plantas.

—Nunca pensé en las plantas. ¿Cómo oirán?

Ella era sumamente consciente del pulgar que acariciaba su mano, hacia delante y hacia atrás. No era sexual. Casi lamentaba que no lo fuera. Había algo cálido e íntimo en ese pequeño gesto que la ataba a él. Cualquier otro tipo de contacto podría haberla alejado. Miró al techo, asombrada de estar hablando de las cosas que le importaban, revelando secretos que nunca se había atrevido a decir a otra alma, cosas que nunca quiso decirle a nadie.

—Hay una planta asiática con las hojas transparentes llamada *Hydrilla Verticillata*. Bajo el microscopio se ve el protoplasma en movimiento. Y antes de que pienses en una científica brillante, alguien más había llevado a cabo el experimento. En la investigación que leí, Huxley usaba un diapasón para acelerar el protoplasma con el sonido.

—Y esto cómo se relaciona con las voces que oímos.

—Me encanta el sarcasmo en tu voz. Eres tan escéptico...

Se rió suavemente y a pesar de que por dentro estaba llorando su risa contenía humor.

A Llama le costaba entender por qué había querido compartir sus teorías con Gator y que él pudiera hacerla reír en medio de su aplastante pena. No sabía siquiera la razón por la que le parecía bien estar tumbada en la oscuridad al lado de su cuerpo sólido, cálido y tan consolador que la hacía querer acurrucarse contra él como una niña pequeña. El sonido de la lluvia golpeaba el techo añadiendo una sensación surrealista al momento.

—Bien, continúa.

—Podemos destruir cosas con sonido, ¿por qué no hacerlas crecer? Durante años los científicos han creído que los trinos de los pájaros al amanecer contribuían al crecimiento de las plantas. Un físico francés dirigió un experimento muy exitoso exponiendo cómo las plantas respondían a las ondas de sonido. Compuso secuencias de notas musicales que ayudaban a las plantas a crecer. Cada nota se elige para que corresponda con el aminoácido de una proteína y el tema completo corresponde a la proteína entera. Se hace con energía electromagnética...

—Ondas de sonido.

—Exacto. También advirtió a los músicos no tocar ciertas notas porque podrían ponerse enfermos.

Llama adoraba el sonido de su voz, el modo en que arrastraba las palabras. Podía estar tumbada en la oscuridad y escuchar la combinación de su voz y la lluvia para siempre.

—Frecuencias bajas, por lo tanto. ¿Crees que las plantas absorben y posiblemente retienen notas de baja frecuencia en sus hojas?

—Así como sonidos acústicos altos. Como la risa o los gritos. Aquellos murmullos bajos que escuchamos y que están al borde de la violencia.

Raoul llevó su mano a la boca y le mordisqueó los nudillos suavemente. Parecía hacerlo de manera inconsciente, pero Llama lo sintió hasta los dedos de los pies. Su estómago dio una serie de pequeñas e interesantes volteretas. Trató de ser analítica con esa extraña sensación, pero todo en lo que pudo pensar fue en el tacto de sus dientes y su lengua sobre su piel.

—Entonces, ¿captaste algo repitiéndose desde el pasado que tenía que ver con Joy? ¿Dónde? ¿Qué fue?

Sus dientes pellizcaron la yema de su dedo, y el leve dolor que le provocó desapareció en el instante en que arrastró su índice entero dentro del calor de su boca.

Ella se quedó sin aliento pero no consiguió obligarse a sí misma a retirar la mano. Escuchó su corazón acelerado, lo cual significaba que estaba viva, viviendo, capaz de experimentar todo lo que pudiera antes de que el tiempo se agotase. Quería estar con Raoul Fontenot, esa noche, cuando su mundo se había vuelto a quebrar otra vez y había fallado a otro ser humano. Quería estar a su lado y sentir su calor y su cuerpo sólido, dejar que la consolara en la oscuridad.

—Oí chillar a Joy. Pedía a alguien que no le hiciera daño. Mucho de lo que decía era muy inteligible, pero capté algo acerca de que iba a pasarlo bien con las cosas que le iban a hacer. No creo que quien se la llevara quisiera matarla, al menos no enseguida. Creo que si trabajamos lo suficientemente rápido, tenemos una oportunidad de encontrarla viva.

—Pero ¿no tienes una pista de quién era el hombre?

—Ninguna. Mientras más intentaba escuchar, menos oía. Lo esencial es que tenemos que encontrar a Joy Chiasson. No seré capaz de vivir conmigo misma si no lo hacemos. Creo que está viva y pienso que está en manos de un monstruo.

—Entonces tenemos que buscarla juntos. ¿Dónde escuchaste eso?

—Fuera del Huracán, antes de que entrara para cantar. Estuvo allí.

—Todo el mundo sabe que nunca llegó a casa desde el club. Y tú no vas a volver al Huracán para tentar a cada pervertido de modo que te siga hasta casa.

—No estaba tentando pervertidos.

—Eso era exactamente lo que estabas haciendo. —Le mordió el dedo un poco más fuerte, pero antes de que pudiera protestar, su lengua se arremolinó alrededor de él para aliviar el leve dolor—. Estabas intentando sacar a quienquiera que cogió a Joy y hacer que fuera tras de ti. No tenías apoyo, un plan real, ninguna ayuda en absoluto.

—Entonces, ¿cuál es tu gran plan? No veo que pasar el tiempo en los clubes te fuera de mucha ayuda. Tenías menos información que yo.

—Averigüé que James Parsons mintió a los policías como le dio la gana. No está ni lo más mínimamente afectado por la desaparición de Joy, a no ser por la atención que todo eso ha atraído sobre él.

Ella lanzó un pequeño resoplido de desdén.

—No te enteraste de eso en el club. Te encontraste con él y discutisteis.

—Brevemente. Fue una discusión breve. Tengo una percepción aguda cuando se trata de leer a la gente, *cher*.

—Solo después de que yo te dijera que era un buen sospechoso —le recordó—. ¿Hubo un fuego aquí? Tienes marcas de quemaduras sobre los alféizares y alrededor de la puerta. ¿Qué pasó?

—Dahlia estuvo aquí. Después del ataque al sanatorio, Nico, uno de los hombres de la escuadra de los Soldados Fantasma, la trajo a la cabaña. Ella tiene ese pequeño problema con la energía, aunque está trabajando para controlarlo.

Dahlia. Llama recordaba a Dahlia, una rebelde, tanto como ella. Whitney las había despreciado desde que tenían apenas cinco años. Como Dahlia sufría tanto que no dejaba de mecerse hacia delante y hacia atrás de dolor, las enfermeras le habían pedido a Whitney que la dejara estar con ella o con Lily. Cualquiera de las dos podía aliviarle el dolor, pero Whitney la había aislado, igual que había aislado a Llama. Los terribles recuerdos de esa insoportable soledad, miedo e ira la acorralaron. Recordó cuando por fin se dio cuenta de que Peter Whitney, el hombre que tenía el poder absoluto sobre ella, era un monstruo. Y peor aún, recordó el momento de su adolescencia en el que tomó consciencia de que un monstruo había empezado a crecer dentro de ella también. Se le escapó un pequeño sonido de desesperación. Nunca abría aquellas puertas, nunca miraba hacia atrás. Pero estaba todo allí, extendiendo la mano con garras, ávida de sumergirla en un agujero oscuro que recordaba demasiado bien.

Llama apartó la mano de Gator y lo empujó.

—Vete. Tienes que irte. —Iba a llorar otra vez, podía sentir el nudo en la garganta, la quemazón en sus ojos y un peso presionando fuerte sobre su pecho—. Deprisa. Sal de aquí.

Porque si se hundía en aquella oscuridad, no podía confiar en sí misma y no iba a arriesgarse a herir a Raoul.

—*Maudit!* Deja de empujarme. No me voy a ir a ninguna parte.

Llama enterró la cara en la almohada.

—Tienes que hacerlo. No entiendes lo peligroso que es para mí perder el control. No puedo parar de llorar y estoy muy enfadada con Whitney. Trato de no pensar en él porque no sé si puedo mantener la disciplina. Tienes que irte. Por favor, te pido que te vayas. No sabes lo que he hecho. Ni lo que soy capaz de hacer. No quiero herirte.

—¿Piensas que eres la única persona peligrosa aquí, Llama? Soy como tú. Soy peor que tú. Whitney me desarrolló como un arma letal y me mandó al campo para probar los resultados sin tener ni idea de lo que pasaría. Fui como un buen soldadito e hice lo que me dijeron que hiciese. Maté a cinco personas. Uno era un amigo mío. Herí a otros diecinueve. Trata de vivir con eso en tu conciencia. Cualquier cosa que hayas hecho no es nada, nada comparado con eso. —Levantó la almohada de su cara poniendo las manos a cada lado de su cabeza para mirarla a los ojos—. Los asesiné. Eran hombres a los que había jurado proteger. No me hables de disciplina o peligro. Sonrío, me trago la ira y me alejo de cualquier cosa que pueda hacerme perder el control. Ahora no. No en este momento. Estoy aquí para quedarme. ¿Lo has entendido? ¿Me estás escuchando? No voy a marcharme esta vez. No voy a abandonar algo que quiero tan desesperadamente como te quiero a ti porque ese *fils de putin* nos haya hecho esto.

Ella sacudió la cabeza y le acarició la cara con los dedos, ligeramente, con ternura. Había arrepentimiento en su expresión.

—No me importa si él hizo algo para que quisiéramos estar juntos. Eres una persona increíble, pero eres un hombre de familia, Raoul. Sabes que lo quieres todo. Quieres una esposa y una casa llena de niños. Te lo mereces. Wyatt se casará y sus hijos y los tuyos serán buenos amigos. No puedes quererme de la manera en la que me estás mirando. Ni siquiera me conoces.

—Llama. —Había un dolor agudo en su voz, calor y deseo a la vez. No había querido a una mujer de la manera en que la quería a ella—. No digas que no te conozco. Te he conocido desde siempre. Me ves. El verdadero yo. Me ves cuando nadie más lo hace, donde nadie jamás podría hacerlo. No puedes pedirme que me olvide. Y yo te conozco. No tienes que estar asustada o esconderte de mí.

—Tuve cáncer. No una vez, sino varias veces. No puedo tener niños, Raoul. No tengo un futuro con una familia.

—Encontraremos la manera.

—No hay una manera y lo sabes. Y Whitney no va a dejarme tener un final feliz. Invirtió demasiado tiempo y dinero en todas las chicas que compró en los orfanatos. Y si piensas que Lily no está implicada, dime por qué no se ha dado cuenta aún. Es lista. Muy lista.

—No cuando tiene que ver con sus emociones.

Raoul se inclinó hacia adelante bajando la cabeza. Solo lo justo para rozarle los labios con su boca. No sabía si la estaba consolando o consolándose él. Era imperativo que la besase y sentir la suavidad de su boca. Para sentir su respuesta a él, tan natural como respirar. Quería cogerla en sus brazos, sujetarla contra él y protegerla.

Llama lo besó tentándolo, levantando un poco la cabeza para completar el contacto entre ellos. Sintió el calor de su boca extendiéndose a través de su cuerpo. Era solo un roce, pero fue suficiente para calentarla, para alejar la muerte, el dolor y el miedo de ser un monstruo. Deslizó los brazos alrededor de su cuello para acercarlo más a ella.

Gator hundió los labios en el calor de la su boca. Su cuerpo cubrió el de Llama lentamente y sintió cada una de sus suaves curvas. Tenía la cara húmeda por las lágrimas y su boca estaba ardiente.

—No llores más. No va a pasar nada ahora.

—Tal vez por eso estoy llorando. —Lo besó de nuevo, descansando la frente contra la suya—. No quiero ser como ella ni como él, ni tener nada que ver con ella, o con él.

—Llama. No eres para nada como él. O como Lily. ¿Cómo se te ocurre decir eso? –protestó sorprendido Raoul.

Levantó el peso de su cuerpo y se puso al lado de ella, la rodeó con los brazos y la sujetó contra él al sentir que se le iba.

—¿Por qué crees que nos escogió, Raoul? Incluso entonces éramos diferentes. Él pudo verlo en nosotros.

—Tú tenías dotes psíquicas.

—Era más que eso. Soy un genio, Raoul. No hay mucho que no entienda. Tengo una necesidad de conocimiento que adoro y que me lleva a alimentar esa necesidad. Tengo que tener respuestas. Soy inteligente en todas las áreas menos en mis emociones. Es donde cometo todos mis errores. ¿Cómo lo supo? ¿Cómo pudo intuir solo mirando a los bebés que podía controlar sus vidas y quedarse con ellas para siempre?

—No podía saberlo, Llama. Y no eres como él en absoluto. Puede haber sido inteligente, pero no vi mucha emoción en su persona.

—¿No? —Sacudió la cabeza—. Había mucha rabia en él. Lo consumía. Tenía un terrible dolor, y quería que todos a su alrededor sintieran lo que él sentía. Tenía emociones y no las controlaba en absoluto. Era lo que más odiaba.

—Nunca lo había pensado así.

—Peter Whitney es mi enemigo. Lo estudié. Estudié todo lo que había que saber de él. Encontré cada artículo de periódico sobre sus abuelos, sus padres y sobre él. No fue un niño deseado, de la misma manera en que las chicas no fuimos deseadas. A su familia solo le importaba la política y el dinero. Lo tuvieron porque era lo que se esperaba que hicieran, no porque fuera querido. Nada de lo que hizo era lo suficientemente bueno para ellos. Lo ignoraron y lo dejaron de lado a pesar de su talento. Y él odiaba eso. Quería hacer algo para que se despertaran y le hicieran caso. Tal vez quiso avergonzarlos y para eso nada mejor que comprar huérfanas en ultramar y experimentar con ellas. Especialmente porque sus padres desaprobaban sus creencias sobre las habilidades psíquicas. Tenía mucha rabia. Y sembró esa misma rabia en mí. En muchas de las chicas. Probablemente en todas.

—¿Cuánto tiempo te tuvo, Llama? Nunca hablas de ello. ¿Por qué?

Sintió cómo a Llama se le atascaba el aliento en la garganta. Se dio la vuelta, colocó la cabeza sobre la almohada y estiró la pierna magullada con cuidado, dándole la espalda.

—¿Qué te puedo decir? También te tuvo a ti, ¿no? ¿Hablas de lo que te hizo? ¿De lo qué tú hiciste? ¿El entrenamiento que te dio? Probablemente pude haberme escapado más pronto, pero tenía esa necesidad terrible de más conocimiento. Hasta que comprendí que él contaba con eso. Me estaba volviendo como él. Tenía toda la rabia y todo el dolor enterrados tan profundamente que no podía encontrarlos. El objetivo era siempre el entrenamiento y el conocimiento.

—¿Cómo te escapaste?

De repente, como si le hubiera dado a un interruptor, ella se retiró, retrocedió físicamente con su cara en blanco, y los ojos nublados e ilegibles. Soltó un pequeño suspiro forzado y se frotó las sienes como si palpitaran apartando la cara.

—Estoy muy cansada, Raoul, necesito dormir.

Gator quiso protestar, pero vio que no le serviría de nada. Se había cerrado completamente. Le dio un beso en la nuca y se quedó tumbado escuchando el ritmo estable de la lluvia. Finalmente el cuerpo de ella se relajó y él escuchó su suave respiración indicando que se había dormido. Llama no quería contestarle. Estaba exhausta, era verdad, pero cuando le había hecho la pregunta había cortado la comunicación inmediatamente. Él había sentido su retirada inmediata. Estaba empezando a conocer sus matices más leves, y ella no estaba preparada para decirle cómo escapó.

Fuera de la cabaña, las ranas establecieron un coro y un caimán rugió. Dentro, él permaneció despierto, preguntándose cómo iba a conseguir que la mujer que tenía en sus brazos, la única que jamás había querido, se quedara con él.

Capítulo 11

Essayez-vous de vous echapper de moi, ma petite flamme?

Llama hizo una pausa mientras salía con todo cuidado de la cama. Debería haber sabido que lo perturbaría.

—No me estoy escapando. Tampoco soy tu pequeña llama. Tengo cosas que hacer esta mañana.

Gator gruñó y hundió la cabeza en la almohada, la agarró por la muñeca y la dejó fuertemente sujeta.

—¿Ya es por la mañana? Todavía está oscuro.

—Tienes los ojos cerrados. No eres madrugador ¿verdad?

—Podría serlo si remoloneas conmigo un rato —dijo esperanzado.

—No es mi estilo. Ni siquiera sé cómo hacerlo. —Se inclinó y le dio un beso en la frente—. Gracias por lo de anoche. Generalmente no soy tan... quejica.

—Llorabas por Burrell. Eso es humano, Llama. Eres humana, ¿verdad?

Ahora tenía los ojos abiertos. Un beso y una ligera caricia, y ya estaba completamente despierto.

Ella frunció el ceño.

—¿Cómo voy a saberlo? Lo único que sé es que tengo el ADN de un tigre. Déjame ir. Tengo trabajo que hacer y no tengo mucho tiempo. Creo que quien quiera que enviara a aquellos hombres va a preguntarse qué les pasó. La policía lo sabe todo sobre Burrell y la casa barco, pero no tienen ni idea de los cuatro hombres asesinados. Por lo que alguien los buscará. Y buscarán pruebas antes de que demasiada gente se ponga a revolver el asunto.

—Es demasiado temprano como para matar a alguien. Además, no irás sola.

—Puedo arreglármelas. —Movió la muñeca para recordarle que quería que la aflojara—. Solo es una misión de reconocimiento. Quiero a la persona que está detrás de todo esto, tanto si es Whitney o quien sea. Solo los seguiré y veré dónde van.

—Los seguiremos —corrigió soltándola de mala gana.

Observó cómo salía de la cama, buscaba sus vaqueros por alrededor y los recogía. Aprovechó para mirar fugazmente sus suaves curvas y su cuerpo reaccionó con una ráfaga de deseo.

—Podías haber mirado a otro lado.

—Sí. Podía haberlo hecho. —No se arrepentía en absoluto. Había sido un santo toda la noche. Se había mantenido despierto con ropa que sentía demasiado apretada, junto a su piel desnuda, su sedosa cabellera y su suave respiración. Había estado todo lo caliente y adolorido que podía estar un hombre sin hacerse añicos. Y después ella lloró en sueños y eso bastaba para que un hombre duro se convirtiese en gelatina—. Pero la vista era agradable. Tienes una piel muy bonita.

Pero su pierna le preocupaba. Estaba muy amoratada y por alguna razón eso levantó una bandera roja en su mente. Quiso llevarla a ver a su abuela inmediatamente.

—Gracias. Buenos genes, ya sabes —dijo destilando sarcasmo.

Gator gruñó otra vez y hundió la cara en la almohada.

—Necesito un café.

Ella suspiró con desdén.

—Me tengo que ir. Ahora mismo. Si vas a venir, ponte en movimiento. —Cogió el petate—. Después tengo que ir a comprarme algo de ropa.

—Después te llevaré a ver a mi abuela para que le pida a su amigo que te revise la pierna —le gritó desde el cuarto de baño.

Gator la miró a través de la puerta abierta. Ella se estaba atando las correas de los cuchillos. Verla funcionar tan casual y eficientemente mientras se armaba, le provocó otra ráfaga de deseo. Era alguien con quien luchar, una mujer con la que contar en medio de una crisis. Agradeció haber pensado en proporcionarle sus armas favoritas después de que ella hubiera sacrificado las suyas.

—Podrías cerrar la puerta.

—Podría, pero entonces te perderías esta buena vista, ¿verdad, *cher*?

—No te halagues a ti mismo, y será mejor que no me retrases porque no te esperaré.

Salió indignada de la cabaña y cerró la puerta de golpe. Fue una buena salida, pero el petate se quedó atrapado entre la puerta y el marco. Gator la siguió.

—Yo conduzco.

Lo miró por encima del hombro.

—No tocarás mi hidrodeslizador. Ya destruiste mi moto.

—Mujer, olvida la motocicleta. Te conseguiré otra.

Agachó la cabeza y su brillante cabellera le tapó la expresión de la cara.

—Oculté cosas en la moto. Un par de tonterías. Imagino que no son demasiado importantes. Mi dinero para la huida estaba allí, pero tengo más.

Levantó el petate que había llenado de dinero.

La siguió al hidrodeslizador, le cogió el petate y lo lanzó a bordo mientras ella desataba la cuerda. El «par de tonterías» no eran en absoluto tonterías; todas eran importantes para ella. Significaba ir al pantano y buscar la moto para recuperar sus cosas aunque él no estuviera de acuerdo. Raoul cogió la cuerda que ella le lanzó y le ofreció una mano para ayudarla a subir a bordo.

Llama vaciló antes de cogerle la mano. Una sonrisa burlona apareció en su cara y se le reflejó en los ojos.

—Te gusto. —La levantó hacia él hasta que sus suaves pechos se aplastaron contra su tórax—. No quieres admitirlo, *cher*, pero te gusto. Piensas que soy encantador. Y guapo. Y sexi.

Le hablaba lentamente al oído acercando su aliento caliente y sus suaves labios al pequeño lóbulo de su oreja.

Ella respiró hondo, sus pechos se movieron al rozarse directamente contra la fina barrera de sus ropas, y él de pronto sintió que sus vaqueros estaban incómodamente apretados, lo que le hizo querer gemir de deseo. La quería con cada fibra de su ser. Deslizó los brazos a su alrededor, alineando sus cuerpos más estrechamente, y ella percibió la dolorosa erección que levantaba la parte delantera de sus vaqueros. La boca de Gator fue a su cuello, a su garganta, y la fue besando con suaves mordisquitos.

—Podría devorarte.

—Mejor que no lo hagas. —Su voz no estaba tan controlada como le hubiera gustado—. Guarda un poco la compostura.

—Un día, te lo juro, Llama, me pedirás que no guarde ninguna compostura.

—Bien, pero no será esta mañana.

—Si no puedo tomar café, tal vez el sexo resolvería el problema.

Ella no se había apartado de él. De hecho, su cuerpo se movía impaciente contra el suyo. Él se inclinó un poco hacia adelante, lo justo para usar su peso y doblar el cuerpo de ella hacia atrás, separándola ligeramente. Entonces sus dedos se deslizaron por debajo de la tela de la vieja camisa para llegar hasta su estrecha caja torácica. Su piel era sin duda tan suave como parecía.

—Estoy seguro de que tenemos un montón de tiempo. ¿No crees?

Lo decía sólo para provocarla, se juraba a sí mismo que era así como había empezado todo, pero *Dieu*, la verdad es que la deseaba. Tal vez incluso la necesitaba. Su cuerpo estaba tan malditamente duro que tenía miedo hasta de dar un paso y moverse. No podía recordar haber tenido jamás una erección tan salvaje, o una necesidad tan dolorosa de aliviarse.

El sol estaba subiendo, derramando su luz sobre los cipreses y la superficie del agua. La cara de ella estaba bañada por la temprana luz de la mañana que se diseminaba a través de los árboles y que resaltaba la turbación de sus ojos. Ella seguía sin apartarse de él, y permitió que sus nudillos acariciaran la parte de abajo de sus pechos.

—Eres tan hermosa, Llama.

Sus manos sopesaron el suave peso de estos y sus pulgares se deslizaron sobre sus tensos pezones. A ella se le escapó un ruidito de la garganta y él sintió que ese sonido vibraba a través de él. Gator bajó la cabeza muy despacio hacia la pura tentación de su cuerpo, dándole tiempo para protestar. Sintió su primera reacción. Ella se puso rígida y apoyó las manos sobre sus hombros como si quisiera apartarlo, pero la mitad inferior de su cuerpo se acercó a él, lo rozó sutilmente produciéndole pequeñas descargas eléctricas. Sus vaqueros estaban a punto de explotar, pero aún así su cuerpo se tensó y se endureció aún más.

Ella soltó el aire en un jadeo al sentir cómo los labios de Raoul descendían desde su garganta desnuda hacia la elevación de sus pechos, donde el botón estaba abierto. La sujetó posesivamente cuando su boca encontró su piel bajo la tela de su camisa y sus dientes la rasparon con suavidad, disparándole todo tipo de sensaciones por el torrente sanguíneo. Se le apretó el útero, y un agradable líquido caliente bañó su entrada. Él puso su boca sobre uno de sus pechos y chupó con fuerza deslizando las manos por su piel desnuda. Trazó la forma de su cintura y sus caderas hasta encontrar la curva de su trasero. Sin dejar de apoderarse de su pecho, la levantó para que el palpitante calor de su pubis se encontrara con el gran paquete que tenía entre las ingles.

—Raoul. —Dijo su nombre como si fuera a la vez una súplica y una invitación. Sus brazos le agarraron el cuello y acunaron su cabeza—. Pensaba que no ibas a seducirme —dijo arqueando la espalda para empujar su pecho más profundamente en su boca.

—Desabotónate la camisa.

Murmuró la orden pegado a su pecho. Llama tenía la camisa mojada por sus atenciones y un pezón adolorido y duro por las sensaciones que le producían su boca y la áspera tela.

Ella abrió un botón, después otro y enseguida llevó las manos a su cabello. El pelo de Gator era suave y sedoso, tan negro como la noche, y se rizaba aferrándose alrededor de sus dedos igual de fuerte que Llama a él. Cerró los ojos cuando el caliente aliento de Gator provocó su piel desnuda. Y cuando su boca se cerró alrededor de su pecho ella gritó, e hizo que se acercara y lo agarró del pelo con más fuerza. A Llama se le debilitaron las rodillas y una oleada de calor atravesó su cuerpo como una bola de fuego que iba directa a su entrepierna; sólo podía buscar alivio frotándose con fuerza contra él.

—Llevas demasiada ropa —susurró Gator—. Los dos llevamos demasiada ropa.

—Bésame otra vez.

Necesitaba sus besos, se moría por ellos con la misma terrible ferocidad con que ansiaba que la tocara. Tiró de su cabello intentando levantar su cabeza y así volver a la realidad. Los dientes de Gator tiraron de su pezón, y su lengua lo lamió calmando el agudo dolor acrecentando el fuego que se apoderaba de ella.

—Quiero que te quites la ropa.

Sus dientes mordisquearon y rasparon sus senos hasta que estuvo tan desesperada por él que pasó una pierna alrededor de su cintura como si intentara montarlo.

Las cosas que podía hacerle a su cuerpo con su boca y sus manos eran fantásticas. Sensaciones increíbles que nunca había experimentado, o nunca había pensado que podían hacer que aumentara tanto su placer. Unas veces era brusco y otras tierno, sus manos eran a ratos duras y otras calmantes, su boca la mordisqueaba y enseguida se convertía en seda caliente. Se podía perder en él, perder su cordura de deseo. Lo necesitaría. Llama se puso tensa, se echó hacia atrás tambaleante y por poco se cae del hidrodeslizador.

—¿Qué estoy haciendo?

Había terror en la cara de Llama. En sus ojos. Gator tenía la respiración entrecortada e intentaba obligar a su cuerpo a controlarse. Ella temblaba, negaba con la cabeza, y lo miraba como si de pronto se hubiera convertido en su enemigo. Tenía el cabello despeinado y salvajemente derramado alrededor de su cara, tenía los labios hinchados por sus besos, y sus pechos brillaban entre la apertura de la camisa que mostraba las leves marcas rojas que había dejado su incursión en ellos. A él le era imposible controlar su cuerpo cuando todo lo animaba a poseerla allí mismo, en el fondo de la embarcación.

—No ha pasado nada, *cher* —le aseguró manteniendo baja la voz.

—¿A qué te refieres con que no ha sucedido nada? Aquí ha pasado algo y no podemos negarlo —dijo ella con la voz temblorosa.

Tenía razón. Él sabía que la tenía. Nunca jamás, mientras viviera, dejaría de desear la sensación que le provocaba, y su sabor. No podría quedarse satisfecho con otra mujer. Quería a Llama. Solo a Llama. Todo lo de Llama. Su corazón, su cuerpo, tal vez incluso su alma, todo lo que pudiera llevarse y conservar. La misma sensación se reflejaba en los ojos de ella, y parecía tan asustada que él no pudo evitar acercarse más.

—Es adicción. Obsesión. Todo lo que debería ser.

No podía separarse de él, pero se encogió en el asiento.

Él le acarició los pechos con las yemas de los dedos con mucha calma.

—¿Qué podría ser si no?

—Simple atracción física. Una atracción física normal.

—Preferiría tener eso. Preferiría tenerte a ti. —Sus manos se apoderaron de sus pechos y sus pulgares estimularon sus pezones—. Lo normal nunca va a ser bastante para ti, Llama, ni tampoco para mí.

Gator se inclinó para reclamar su boca.

En el momento en que sus labios acariciaron los suyos, su lengua jugó con la comisura de la boca, y ella sintió una descarga eléctrica que bajó a sus pechos y de ahí a su ingle. La mano de Gator llegó a su cabello y la sujetó con fuerza mientras sus dientes tiraban de su labio inferior, solicitando que abriera la boca. El cerebro de Llama se fundió cuando permitió que su lengua se metiera dentro de su boca y se enredara con la suya. Parecía que se iban a fusionar. Estaban tan calientes y entusiasmados que no podía dejar de besarlo. Sus pechos desnudos se aplastaron contra su tórax y Llama sintió los latidos de sus corazones y el olor almizclado de su deseo.

La boca de Gator se volvió más brusca, más exigente y una mano se aferró a su cabello. Eso hizo que aumentara la intensidad de su deseo por él. El fuego corría desde su vientre hasta sus pechos, y se expandía por todo su cuerpo hasta que quiso gritar de deseo. Sabía caliente y salvaje, y era más de lo que ella podía soportar. Quererlo. Estar hecha para quererlo. Esa debería ser su opción. *La suya.*

Llama le empujó los hombros hasta que le permitió escaparse. Cerró los bordes de su camisa y se limpió la boca. Eso no ayudó. Aún así podía saborearlo. Su cuerpo se sentía inflamado, adolorido e insatisfecho.

—¿Por qué?

Gator apenas podía respirar. Apenas podía pensar. Hizo acopio de cada gramo de voluntad, disciplina y control para evitar tomar lo que ella no le daría. Aunque sabía que ella no sería capaz de oponerse si insistía.

—Whitney —susurró ella.

También podría haberlo gritado. Muerto o vivo, el hombre los rondaba. Gator hizo un gran esfuerzo para llevar aire a sus pulmones mientras la miraba luchando contra la necesidad de invalidar su decisión. Ella había cerrado la camisa sobre sus pechos, pero los hombros le quedaron expuestos. Él veía las manchas oscuras que le oscurecían la piel. Se le acercó con el ceño fruncido.

—¿Llama?

Ella miró sus hombros y se colocó la camisa tapando su piel.

—No es nada.

—Esto es algo. ¿Cómo te has hecho estas contusiones?

—Ya te lo he dicho, me contusiono fácilmente. Me di un golpe conduciendo el Jeep por un terreno muy agreste.

Llama se abotonó la camisa e hizo un gesto de dolor cuando la tela acarició sus apretados y sensibles pezones. Gator le miró los pechos, observando su contorno. Enseguida se lamió los labios y se dio la vuelta para arrancar el hidrodeslizador.

Entonces ella cruzó los brazos alrededor de su cintura y se negó a mirarlo mientras la embarcación se iba deslizando sobre el agua hacia la isla de Burrell. Nunca más la volverían a utilizar como un experimento. Y menos aún para algún pervertido experimento sexual. Nunca había respondido a nadie como lo había hecho con Raoul. Nunca había querido o deseado a nadie de esa manera. El dolor de su cuerpo se negaba a disminuir y simplemente no confiaba en la intensidad de su deseo por él.

Raoul no creía que Whitney estuviera vivo. En realidad no creía que hubiera encontrado una manera de hacerlos adictos el uno al otro. Pero ella sabía lo que era capaz de hacer el doctor.

Miró los paisajes que pasaban. El pantano era un lugar hermoso. Ni siquiera le importaba demasiado la humedad. Le gustaba la naturaleza salvaje y el modo cómo se sentía allí, alejada de la civilización y de todo lo que generaba la ciudad. Normalmente no le gustaba estar en las ciudades, rodeada de tanta gente y sin poder detener el continuo asalto de ruidos, pero le gustaban Nueva Orleáns y el Barrio Francés. Pensó en que los cementerios parecían ciudades en miniatura, hermosas, diferentes y perfectas para Nueva Orleáns. Sobre todo le gustaba la gente con sus caras sonrientes, sus diferentes acentos y las risas fáciles. No quería dejar nada de aquello y, sobre todo, no quería abandonar a Raoul.

Como si leyera su mente, los dedos de Gator le acariciaron el brazo y se deslizaron hacia abajo hasta agarrarle la mano.

—No me voy a ninguna parte.

—Tenías todo esto. ¿Cómo pudiste pensar que fuera lo que fuera lo que hiciera Whitney, valía la pena el trato?

Ella casi se atoró por la pregunta. Quería la vida de él. Su abuela, sus hermanos y su maravillosa casa.

—Entonces no pensé que estaba negociando. Tenía algún talento psíquico y un enorme sentido de la responsabilidad. Pensaba que con más formación podría salvar más vidas. Ya había tenido tantos entrenamientos especiales en distintas áreas, Llama, que pensé que sería una más. Y después todo se fue al diablo.

Encogió sus amplios hombros con la mirada fija en el canal.

Con un pie sobre el acelerador y una mano sobre la palanca que controlaba el timón, tenía que estar muy alerta. El camino era estrecho y las plantas se deslizaban sobre la superficie del pantano. No se atrevió a levantar el pie del acelerador cuando se acercaron al barro, porque no quería quedarse atascado. Mientras navegaba con el hidrodeslizador iba vigilándolo todo: los otros barcos, los caimanes, los troncos de los cipreses, o cualquier cosa que pudiera dañar el fondo de la embarcación. Los hidrodeslizadores eran pesados y podían volcarse fácilmente. Era muy consciente de que Llama iba con él. No quería que le pasara nada.

Gator mantuvo los dedos agarrados a los de Llama mientras avanzaban a gran velocidad sobre el canal y el pantano para llegar a la pequeña isla que tanto había querido Burrell.

—¿Lamentas tú decisión?

La miró de reojo.

—No, ya no. No.

Llama tomó aliento. Él aceptaba lo que había entre ellos. No le preocupaba si Whitney los manipulaba o no. No tenía ni idea de lo protector que podía parecer, lo posesivo e intenso que era el deseo que transmitían sus ojos cuando la miraba. Ella detestaba a Peter Whitney y todo lo que significaba. Whitney creía que el fin justificaba los medios y que aquellos humanos no eran más que pequeños sacrificios que había que hacer para mejorar el conocimiento. Llama había visto tanto dolor infligido a las otras muchachas que había comprado en los orfanatos como el que había experimentado ella misma.

Desechos, las había llamado. Todavía se estremecía por dentro cada vez que pensaba en ello. Siempre recordaba su manera despectiva de hablar. Joy Chiasson no era un desecho. Tampoco lo era Burrell. Llama defendía a los que eran como ella, aquellos que nadie defendería nunca. Whitney con sus miles de millones podría salirse con la suya con sus experimentos monstruosos, pero ella acabaría con todos los que pudiera.

—Llama.

Ella sacudió la cabeza.

—No, Raoul. Tengo que pensar en esto. Dame tiempo para pensarlo todo detenidamente. Aquí pasa algo y tengo que entenderlo.

—¿Por qué? ¿Qué importa si nos ha manipulado sexual o emocionalmente, o si solo nos sentimos atraídos porque nos conocemos como nadie nos conoce? Tenemos una posibilidad de algo que pocas personas tienen alguna vez en su vida.

—¿Qué? ¿Buen sexo? Nos meterá en una jaula y nos mirará.

Sus dedos se apretaron alrededor de los de ella. Había estado en una jaula, esperando a ser asesinado.

—No voy a dejar que pase. Para los militares valemos millones de dólares. Voy a las misiones cuando me envían, vuelvo, informo y me dan un permiso. Esa es mi vida. No tiene nada que ver con Whitney. Nadie va a encerrarnos si necesitan usarnos. ¿Cuál podría ser el problema?

—Sigue creyendo lo que quieras.

Se acercaban a la isla, Gator redujo la velocidad y llevó el hidrodeslizador directamente hacia el denso cañaveral.

—Aquí es donde nos bajamos. Vas a llenarte de barro.

—Tengo que comprarme ropa nueva de todos modos. —Llama saltó hasta un pequeño trozo de lo que parecía tierra sólida, pero se hundió hasta los tobillos—. Puf. ¿Por qué cada vez que vamos de reconocimiento acabamos en el barro o en el agua?

—También va a llover.

—No me digas eso.

Caminó con cuidado por el lodo hasta que llegó a una tierra más sólida; luego comenzó a adentrarse en la isla hacia la pequeña dársena donde Burrell guardaba siempre la casa barco.

Quedaba poco de ella más que el olor a madera quemada y los restos ennegrecidos de una parte de la cubierta. Vio la silla favorita de Burrell parcialmente quemada entre las cañas cerca de la tierra. Llama trastabilló y se llevó una mano a la boca.

—Puedo hacerlo yo, Llama —se ofreció Gator—. No hay ninguna necesidad de que estemos los dos aquí. Ni siquiera sabemos si va a aparecer alguien.

Ella levantó la barbilla.

—Burrell era mío. No lo tuve mucho tiempo, pero era mío. No merecía ser perseguido por el pantano, tiroteado y lanzado a los cocodrilos. Acabaré con esas personas, y si estoy un poco incómoda, me da igual.

Gator mantuvo la cara completamente inexpresiva. Ella provocaba algo tanto a su cuerpo como a su mente cuando hablaba como una guerrera. La respetaba, la quería y admiraba su valentía. La pierna le tenía que doler horrorosamente, pero apenas cojeaba. Tenía la triste idea de que se estaba hundiendo, de que estaba empezando a enamorarse. A juzgar por el aspecto de su cara, a ella no le iba a gustar que lo admitiera, de modo que se quedó en silencio.

Para hacer un barrido limpio del área circundante, Gator se subió a una zona elevada. No tuvieron que esperar mucho tiempo. Un coche avanzaba lentamente por el estrecho camino que se dirigía a la isla de Burrell. El conductor aparcó en una pequeña área ensanchada donde todavía estaba el viejo camión del capitán. Tres hombres abrieron las puertas, siempre mirando cautelosamente a su alrededor.

Los dedos de Llama se aferraron a la muñeca de Gator.

—He visto a ese hombre de la camisa de tela escocesa antes. Trabaja como segurata para Saunders.

¿Podría Saunders haber matado a Burrell? No podía saber que ella se había llevado su dinero. No había nada que la relacionara con el robo. ¿Qué le había dicho Burrell aquella mañana? Que se reuniría con Saunders por la tarde para pagarle con un cheque en vez de con dinero en efectivo.

Ella se hundió, sin importarle sentarse sobre agua fangosa. No la sostenían las piernas. Nunca consideró que Saunders pudiera matar a Burrell si el capitán hacía el último pago y tomaba posesión de la isla. Miró a su alrededor.

—Mira esto, Raoul. Es un pedazo diminuto de tierra, la mayor parte inhabitable. La tierra es esponjosa, y el nivel del acuífero alto. No tiene valor. No hay bastante fauna para cazar y poder vivir de ello, o árboles que cortar. Saunders no lo puede desear tanto como para matar por ello.

Gator le acarició el cabello.

—Tengo la sensación de que Saunders no quiere perder. Es un jugador de grandes apuestas. Parsons ha estado tratando de conseguir algo de él desde hace mucho tiempo y, por lo que sé, saben que Saunders no es trigo limpio, pero no lo pueden atrapar. Y no es porque sea tan cuidadoso. Su gente está demasiado atemorizada como para testificar en su contra, y todos los que han tratado de hacerlo alguna vez, han acabado muertos.

—¿Qué pasa con Parsons? ¿Su cobertura es realmente buena? Descubrí que era de la brigada antidroga, la DEA. Si yo pude, ¿por qué no iba a poder Saunders? Un buen hácker puede encontrar casi cualquier cosa.

—Parsons vive aquí. Realmente no oculta lo que hace. Es un hombre de negocios y vive en la misma zona que Saunders. Se hicieron amigos e iban a los mismos clubes. A Saunders le gusta dar palmaditas en el hombro a los políticos y a los personajes más importantes de la ciudad. Parsons no es más que uno de ellos. Saunders conoce al alcalde, e incluso al gobernador.

—Pero ¿por qué Parsons investiga aquí, en Nueva Orleáns, a un hombre que no solo podría matarlo a él, sino también a toda su familia? —Se frotó la frente y frunció un poco el ceño—. Si está haciendo como que son amigos, está jugando a un juego muy peligroso y estúpido. Y si son amigos, entonces es igual de corrupto que Saunders.

—¿A quién tenía además la agencia? No podían poner a nadie cerca de Saunders; Parsons ya estaba aquí, y lo conocía socialmente. No tenía otra elección.

Deslizó su mano desde la nuca al cuello de Llama, y le alivió la tensión con sus fuertes dedos. Mantenía la mirada fija en los tres hombres que intentaban leer las señales sin mucho éxito. La lluvia había sido intensa durante la noche y ya comenzaba a lloviznar otra vez. Era evidente, por la manera en que se movían sobre el barro y el modo como golpeaban a los insectos, que esos hombres no estaban acostumbrados al calor y al fango del pantano. No iban a durar mucho allí.

—Obtuviste toda la información de Lily, ¿verdad?

La miró sorprendido por el tono recriminatorio de su voz.

—Vamos a tener que acordar que discrepamos sobre Lily, cariño. Peter Whitney puede quemarse en el infierno por lo que te hizo, pero Lily es tan víctima como tú, tal vez más. Ella creía que lo quería. Incluso pensaba que era su padre biológico.

Llama volvió la cara. La lluvia caía más fuerte y los estaba empapando a pesar del toldo que formaban las ramas de los árboles. Los tres hombres regresaron al vehículo, obviamente consultándose entre ellos antes de subir por el camino una corta distancia, pasando por delante de los restos quemados de la casa flotante. Los hombres miraron los restos ennegrecidos y después giraron en U para dirigirse de vuelta a la autopista.

Llama comenzó a levantarse. Los dedos de Gator le hicieron una seña en la muñeca para que viera que negaba con la cabeza mientras le sostenía la mano en silencio. Levantó dos dedos y señaló hacia el interior del pantano.

Llama seguía agachada en el barro, escuchando. Había estado tan concentrada en los tres hombres que no había prestado atención a nada más. El familiar ritmo del pantano desafinaba. Estaba el zumbido de los insectos y el canto de las ranas, incluso el rápido correteo de los lagartos, pero algo se hallaba ligeramente descentrado. Cerró los ojos y escuchó el suave susurro del roce de una tela contra la corteza de un árbol. Alguien bajaba sigilosamente de un árbol. Le costó unos minutos captar los firmes latidos de su corazón.

—¿Ahora quién supones que ha venido a buscarnos? —preguntó ella suavemente.

—No saques conclusiones, *cher*. Voy a dar un rodeo para ver si puedo divisarlo. No quiero matar a nadie antes del desayuno.

—Sabes que probablemente está reforzado, Raoul. Está aquí tratando de averiguar qué le pasó a su colega. Podemos seguirlo cuando se marche. Si va le darás un objetivo. Y es mejor no darle pistas de que sabemos que está aquí.

Gator se puso una mano sobre el corazón.

—No tienes una buena opinión de mis capacidades. Puedo ser encantador, *cher*, pero conozco mi trabajo. No va a verme.

La opresión en el pecho de Llama aumentó diez veces. Le agarró el brazo para que se quedara con ella. No podía ni quería perderlo.

—No puedes ir, Raoul.

Lo dijo de manera entrecortada y eso fue su perdición. Siempre estaba en alguna misión, la mayor parte de las veces en las zonas calientes más mortíferas del mundo, pero aquí estaba ella, mirándolo con miedo en los ojos, miedo por él, y eso le impedía moverse.

—Bésame.

—¿Qué? —Llama frunció el ceño—. ¿Estás loco?

—Aquí. Ahora. Bésame.

—¿O qué? ¿Vas a ir a jugar al escondite con más asesinos? No seas ridículo.

Gator la cogió por los brazos, la levantó hacia él y acercó su boca a la suya.

—Nos ha descubierto y viene hacia nosotros. Por Dios, no lo mates. ¿Puedes dar un buen salto con tu pierna? —le susurró en la boca, respirando su aire, jugueteando con la lengua aunque estuviera haciendo una advertencia.

—Iré por la izquierda —dijo ella.

—Necesitamos que escape y que nos lleve hasta quienquiera que lo haya enviado —le recordó agarrándola con más fuerza.

Ella respondió a su beso y se inclinó sobre él fingiendo que había olvidado al hombre que se aproximaba. No podía evitar disfrutar de la boca de Raoul ni de la sutil manera en que su cuerpo se movía pegado al suyo. Todo el tiempo estaba oyendo que se acercaba el hombre que los acechaba.

Estaba justo delante de ellos cuando ella sintió, más que escuchó, que Gator decía «ahora» pegado a sus labios. Simultáneamente se agacharon y saltaron, se empujaron el uno al otro, se elevaron en el aire y dieron una vuelta hacia atrás, Llama a la izquierda, Gator a la derecha, dando un salto mortal en perfecta sincronización para aterrizar detrás de su enemigo. Llama vio el arma en su mano e instintivamente se giró hacia Gator, pensando que era la amenaza más grande. Se volvió a lanzar al aire, esta vez colocando sus piernas alrededor del cuello del hombre como si fueran unas tijeras.

Ambos cayeron con fuerza. El hombre perdió el rifle, pero se dio la vuelta para intentar acabar con ella antes de que lo estrangulara. Pero Llama cerró las piernas, y aumentó su presión intentando someterlo rápidamente. Él le golpeó una pierna con el puño. Le dio tres golpes breves y muy fuertes que la dejaron sin aliento. Su pierna ya tenía una herida el día anterior y no podía ignorar el dolor lo bastante como para seguir manteniendo la presión sobre él.

Raoul dio una patada a su atacante en la cabeza con fuerza y tiró de ella para ponerla de pie.

—Tiene compañeros. Sal de aquí. Hay más. —La empujó hacia el canal—. Corre, maldita sea.

Ella no oyó nada, pero sintió la reveladora prisa de sus sentidos, un gran temor que señalaba muchos más peligros. Llama corrió, pero la pierna le palpitaba, y cada paso le daba una sacudida. Intentó ocultarlo, saltando sobre los troncos caídos que había en su camino mientras corría a la búsqueda de un lugar seguro. Gator se mantuvo detrás de ella, cubriéndole la retirada mientras zigzagueaban a través de los árboles y las malezas antes de saltar al canal ahogado por las cañas. La empujó al agua cuando ya caían balas a su alrededor. Manteniendo el contacto, se zambulleron tan profundamente como les fue posible, y usando los troncos podridos y las plantas del fondo se alejaron de la isla y salieron a aguas más abiertas.

Con el refuerzo de sus cuerpos, podían mantenerse debajo del agua más tiempo de lo normal, por lo que nadaron alejándose de la isla y los restos de la casa barco. Gator le hizo señales con la mano sobre el cuerpo y ella lo siguió hasta que sus pulmones no pudieron más. Le dio un toque en el hombro para indicarle que tenía que subir a tomar aire. Estaban en una zona muy profunda. Él le señaló que tenían que nadar unos metros más hacia delante.

Llama sabía que Raoul tenía un punto específico en mente, algún sitio seguro, pero su cuerpo se agotaba. Había notado que últimamente no tenía su resistencia normal. Se agarró a su cinturón por miedo a intentar emerger antes de que estuvieran a salvo y la pudieran matar. Siempre trabajaba sola y tener a alguien más de quien preocuparse era espantoso..., especialmente cuando le gustaba tanto. Demasiado.

Cuando salieron jadeó, inspiró aire y lo arrastró a sus pulmones ardientes. Gator se puso detrás de ella y le pasó un brazo por la cintura. Estaban ocultos de la isla tanto por la elevación de su contorno como por las plantas que poblaban el borde de la dársena en la que se encontraban.

—¿Estás bien?

Ella asintió con la cabeza, controlando el latido de su corazón y la adrenalina que inundaba su cuerpo.

—¿Por qué diablos no los oímos? Deberíamos haber sabido que estaban allí. ¿Qué pasa?

No había tenido miedo del primer cazador, pero algo de la fantasmagórica quietud y el completo silencio de los otros le ponía los pelos de punta. Ni siquiera había sido el mismo sentimiento que con el francotirador del día anterior. Sabía que estaba allí. El pantano lo sabía. Pero estos hombres habían sido capaces de ocultar su presencia no solo a Raoul y a ella, sino también al propio pantano.

Gator estudió la orilla que rodeaba la isla. Solo había un hombre que podría ser tan silencioso, tan aterrador, tan fantasma: Kadan Montague. Él sí que podría moverse por el mundo como si fuera invisible. Nadie sabía realmente cómo lo hacía... ni siquiera los otros Soldados Fantasma. Era tranquilo y peligroso, un poderoso telépata y hombre de pocas discusiones. Dones que ninguno de ellos podía realmente entender; tampoco Lily hablaba mucho de ellos. Uno de los talentos más fuertes de Kadan era su capacidad de proteger al equipo entero de ser detectados. ¿Había sido duplicado ese talento en otro hombre? Gator tenía el triste presentimiento de que podría ser así.

—¿Los conoces? —preguntó Llama.

Ella temblaba en el agua. La lluvia había comenzado otra vez y caía un implacable aguacero que aumentaba su desesperación.

—No lo sé. No llegué a ver ninguno de ellos. ¿Y tú?

Ella negó con la cabeza.

—El grande se dirige hacia el camino. Puedo oírlo. Cojea —dijo ella muy satisfecha.

No podía ser Kadan. Gator estaba casi seguro de eso, pero el hecho era el mismo: quienquiera que estuviera en el pantano había sido entrenado por las Fuerzas Especiales, y estaba muy reforzado.

Capítulo 12

*V*enga, Raoul. Va a huir. Vamos al hidrodeslizador.

La sujetó con el brazo para que estuviera a su lado.

—Es un cebo. Los otros no han salido con él. Están ahí fuera, observando cualquier pequeño cambio en la superficie del agua, o un movimiento extraño en las cañas. La *única* cosa que tenemos a nuestro favor es la lluvia.

—Puedo ir hacia el hidrodeslizador y seguir al otro para ver a dónde va. Nadaré bajo el agua. No voy a perder mi oportunidad de averiguar quién está detrás del asesinato de Burrell. Tú te quedas y luchas contra el fantasma, yo me largo de aquí.

El brazo le apretó con fuerza el costado.

—Ya sabes que Saunders mató a Burrell. Solo quieres ver a quién informa, y ambos sabemos que no va a ser Saunders. Te estoy diciendo que es demasiado peligroso movernos hasta que consigamos la dirección de sus socios.

Durante un momento se puso rígida pegada a él, pero luego se relajó lentamente, y permitió que su respiración silbara entre sus dientes.

—Entonces, ¿crees que Whitney está vivo?

—Tal vez. Algo está pasando aquí y no está relacionado con Burrell o con Joy. Hemos tropezado con algo... —Gator dejó de hablar. Quizá no tenía que ver con ninguno de ellos, ni siquiera con Llama. La miró. No parecía intimidada sino decidida... y furiosa como el infierno—. Si supiera dónde están podría usar el sonido para atraerlos, pero no tengo la menor idea de su ubicación.

Lo dijo más como una advertencia que como una opción.

—Ni siquiera puedo encontrarlos con ecolocación, lo mismo que con el primer francotirador. Estos hombres tienen que estar reforzados, Raoul.

Había algo en la voz de ella que no le gustaba. Cada vez más suspicaz, quizás. Había comenzado a confiar en él. No la podría culpar si de pronto pensaba en una conspiración..., él también empezaba a pensarlo.

—Voy a intentar algo.

Gator no era el telépata más fuerte del escuadrón de Soldados Fantasma, pero si era necesario, podría alcanzar a alguien más fuerte. O creía en Kadan o no lo hacía, pero la verdad es que era un Soldado Fantasma. Y siempre lo sería. Nadie lo compraría, lo chantajearía, o lo amenazaría. Kadan permanecería con los suyos. Llama no lo veía de esa manera, pero él sabía que ella jamás iba a cambiar de opinión voluntariamente sobre la idea de pertenecer a los Soldados Fantasma. Y no le iba a permitir que influyera en él cuando sabía perfectamente que sus amigos estaban por encima de cualquier sospecha.

Kadan. Estoy en problemas. Estamos inmovilizados y necesitamos ayuda.

Esperó, atrajo el cuerpo tembloroso de Llama un poco más cerca. Los brazos de ella se deslizaron por su cuello e inclinó su cuerpo para apoyarse contra él. Gator volvió la cabeza para restregar la cara contra su cuello.

—Hay que tener paciencia. La mayoría de las veces quien se mueve primero, muere primero.

—Lo sé. Estaba pensando en Burrell. Esos tres hombres que vinieron a mirar eran de Saunders. Sé que lo eran. No cabe duda que está implicado en esto. Y pobre Joy, realmente no estoy más cerca de encontrarla que antes. No he hecho mucho por nadie, y ahora tú estás atrapado aquí conmigo. —Echó la cabeza hacia atrás, lo miró a los ojos y una pequeña sonrisa curvó su boca—. No te preocupes, nene, no dejaré que te suceda nada.

Él no supo si reírse o fruncir el ceño. Cualquier otra mujer estaría bromeando, pero tenía la sensación de que hablaba en serio.

—Ante todo, *soy* el hombre y hago cosas de hombres, como cuidar de mi mujer en una situación complicada. —Ignoró sus grandes ojos y continuó—: En segundo lugar, siempre existe la posibilidad de que esos hombres no tengan nada que ver contigo y todo conmigo, de modo que todavía no debes asumir ninguna responsabilidad. He hecho unos cuantos enemigos aquí y allá; tiene que ver con el método de trabajo que estoy siguiendo. Todos están buscando todavía a Joy. Wyatt, Ian y yo estuvimos todo el mes pasado peinando el pantano en busca de indicios de su desaparición e intentando unificar nuestras informaciones. Creo que estamos más cerca de lo que pensamos, especialmente después de nuestra conversación de anoche. Quiero echar un buen vistazo al hijo de Parsons. Creo que tiene más que ver con su desaparición de lo que cualquiera de nosotros ha pensado.

Tuve un mal presentimiento cuando me desperté. Ya vamos a buscaros.

La voz salió de ninguna parte, tranquila, reconfortante, muy a lo Kadan.

Gator dio un suspiro de alivio. Era un sentimiento espeluznante saber que estaban atrapados en el agua y posiblemente el rifle de un francotirador ya estaba buscando su objetivo por donde ellos estaban. Un error podría matarlos a ambos.

Isla de Burrell. Dondequiera que esos canallas estén, están reforzados. Al menos uno de ellos es como tú... tiene tus talentos. No puedo divisar a ninguno de ellos, ni siquiera con ecolocación y eso significa que los protege de la misma manera como tú nos proteges a nosotros. Al principio ni siquiera pude detectar su presencia.

Hubo un momento de silencio mientras Kadan digería la información.

Bien. Bien. Es interesante.

Gator sentía que la tensión abandonaba su cuerpo. Kadan era así. Nada lo alteraba jamás. No sonaba sorprendido ni confuso y no discutía. Simplemente era así.

—¿Eres el hombre? ¿Qué significa eso? Espero que no signifique lo que creo. Soy soldado y puedo luchar tan bien como tú.

Llama sonó un poco enfadada por su comentario, pero estaba complacido de ver que era consciente de la situación, pues había bajado la voz de manera que solo la oyera él.

—Ahora estás admitiendo finalmente ser un soldado. *Cher*, sigue hablando tan dulcemente y me voy a poner cachondo y caliente justo aquí, en el campo de batalla.

—Estás loco, Raoul. *Estás* excitándote. Corremos peligro de que nos disparen y estás comportándote como un idiota. —Él estaba frotando la ingle contra ella, hacia adelante y atrás, mientras estaban en el agua con tiradores buscando un objetivo—. ¿Necesito recordarte que al menos uno de esos hombres es un francotirador? Mereces que te disparen.

—No nos podemos mover durante unos pocos minutos y podríamos aprovechar para sacar lo mejor de una mala situación. En todo caso, el contorno de la dársena nos proporciona cobertura. No nos pueden ver aquí. Tendrían que vadear y meterse al agua para vernos realmente. No te preocupes, cariño, tengo el ritmo de las olas y la mente afinada para la batalla.

Ella no se había dado cuenta de que el agua lamía la orilla. Una parte de ella quería reírse y otra parte se estaba excitando.

—Me estás convirtiendo en una pervertida. —Llama se apretó más a él, con cuidado de no cambiar el suave movimiento natural del agua que tenían a su alrededor—. Lo mejor es que mantengas tu mente afinada para la batalla.

—¿Mencioné que hueles muy dulce?

Restregó la cara por su cuello otra vez, y sus dientes mordisquearon suavemente su piel, lo suficiente para que todo el cuerpo de ella se estremeciera.

—Huelo como una rata de pantano. Estás loco. Solo tú podrías ponerte así en medio de la lluvia y el barro mientras nos persiguen.

Él cogió su pecho derecho con la mano a través de la camisa empapada, y acarició su pezón con el pulgar.

—¿Mencioné que tengo debilidad por tus pechos? Quiero acostarme a tu lado y chuparlos y juguetear con ellos hasta quedar completamente satisfecho.

—No solo eres un pervertido con los cuchillos, tienes una fijación oral.

—*Cher*, tengo muchas fijaciones. Simplemente decir la palabra *oral* me hace evocar tu hermosa boca en mi polla dura. —Le besó la oreja, y su lengua hizo una pequeña incursión que le provocó otro estertor por todo el cuerpo—. ¿Te dije que me encanta tu boca? Caliente, aterciopelada y muy húmeda. No sé si puedo sobrevivir pensando en tu boca, tu lengua y todo ese calor.

Llama rodeó la cintura de él con sus piernas, moviéndose con una lentitud infinita, muy consciente de que él estaba completamente alerta ante el peligro que estaban corriendo. Su mirada se movía incesantemente hacia la orilla opuesta, estudiando cada detalle de la arboleda de cipreses. Alineó cuidadosamente su cuerpo con el de él y apretó su dolorido pubis contra la protuberancia de sus vaqueros empapados. La encendía fácilmente, aunque ni siquiera estaba completamente atento a ella. ¿Qué sucedería cuando su energía estuviera exclusivamente volcada en ella?

—Esto no es justo, *cher* —la reprendió suavemente con la respiración un poco entrecortada—. Estoy concentrado en lo que pasa aquí.

Ella permitió que su boca se deslizara por su cuello, dándole suaves besos y provocativos mordiscos.

—Me estabas distrayendo, así que haré lo que querías y me quedaré aquí. No soy estúpida, Raoul, solo sensible a los encantos de un cajún.

—No cualquier cajún —corrigió—, solo yo.

—Pareces tan completamente seguro. ¿Qué te hace estarlo?

—Dejaste el GPS en el hidrodeslizador y no cometes errores como ese. ¿Por qué crees que lo hiciste, cariño?

—¿Por qué me llevabas a la casa de tu abuela? —replicó.

¿Estáis bien los dos?

Gator empezó a responder a esa voz lejana que hablaba en su cabeza, pero se detuvo: tenía los músculos congelados en la misma posición. Dio unos golpecitos a Llama en el hombro y le puso un dedo en los labios. Ella asintió, lo miró perpleja, separó las piernas y las dejó caer con cuidado apartándose de su cintura. Gator repitió la información en su cabeza, escuchó el sonido y la elección de palabras.

Ese no había sido Kadan. Pero era una orientación. Gator lo sintonizó inmediatamente y envió un estallido de notas de bajo nivel, lo suficiente como para enfermar a cualquiera que se interpusiera en su camino, pero con un poco de suerte no mataría a cualquier cosa viva. Sabía que no había otros humanos normales en los alrededores porque no oía sus latidos, pero sí había animales.

Obviamente su enemigo no era como Kadan. Kadan nunca habría abierto la boca y definido su ubicación.

Llama de pronto dejó caer todo su peso contra él y lo hundió bajo el agua. A su alrededor llovieron balas que perforaron el agua como abejas enfadadas. Los disparos venían de arriba, y su inclinación indicaba que el tirador estaba en la copa de un árbol. Ella apartó las cañas de una patada, y tiró de su mano para llevarlo con ella. Se hundieron hacia aguas más profundas, y fueron contra la corriente en medio del canal para buscar un lugar más seguro. Lo más fácil y lógico era hacer que la corriente los ayudara, pero los cazadores lo sabían y sería lo que esperarían.

El agua estaba oscura y era casi imposible comunicarse ni siquiera con gestos de las manos, así que usaron el tacto y tuvieron que nadar con fuerza para avanzar alrededor de la isla de Burrell. Nadaron varios minutos hasta que sus pulmones les obligaron a subir a la superficie. No había ninguna cobertura real, de modo que ambos se limitaron a asomar sus bocas y narices por encima del agua para aspirar el precioso aire antes de volver a deslizarse hacia las profundidades.

Dos veces salieron a tomar aire rodeando la isla hasta que estuvieron seguros de que podían acercarse sin que los cazadores lo supieran. Cuando comenzaron a moverse por aguas más bajas y atascadas por los juncos, Llama sintió que algo le agarraba el brazo. La apretó como una tenaza, la tiró hacia abajo, y la hizo rodar por los desechos podridos y el lodo del fondo. Entonces oyó el crujido de su hueso cuando por la fuerza del giro le rompió el brazo. Sin pensarlo sacó su cuchillo de la funda del cinturón y empezó a apuñalar aquella piel curtida todo lo fuerte que pudo con su mano libre. Golpeó la cabeza del animal apretando con fuerza la empuñadura del cuchillo. Lo hundió todo lo profundo que pudo y buscó su ojo, usando cada gramo de fuerza que tenía.

Gator vio la cola de un caimán subir a la superficie, entonces el agua se enturbió, y subieron desechos, sangre y lodo como un volcán en erupción. Inmediatamente sacó su cuchillo y se zambulló con el corazón en la boca. El caimán estaba terminando su mortífero giro en la superficie, todavía con el brazo de Llama atrapado entre sus mandíbulas arrastrándola con él. Ella jadeó buscando aire, golpeando su destrozada cabeza. Gator lo hizo desde abajo, y hundió con violencia su cuchillo varias veces en la barriga del animal. El caimán abrió sus anchas mandíbulas y Llama dio un tirón hacia atrás y se alejó del reptil que bramaba.

Gator la agarró por la cintura y la llevó a la orilla dando fuertes patadas a todo lo que se encontraba a su paso. Ella todavía estaba moviendo violentamente su brazo bueno, intentando dar un puñetazo al caimán, luchando aún con él.

—Déjalo —susurró Gator—. Estás a salvo, *cher*. A salvo.

—Voy a matar a ese condenado animal. Me rompió el brazo. Tiene que morir por eso.

Gator la arrastró hacia el fangoso dique, a través de la maleza y los matorrales, a una distancia segura del agua para poder examinar sus heridas. Ella se apartó de él dando un tirón, furiosa, en estado de *shock*, mientras su sangre se perdía por el suelo, pero avanzó a patadas hacia el agua como si fuera a atacar al caimán.

Él la atrapó con sus piernas, hizo que se quedara quieta, y se rasgó la camisa con los dientes.

—Deja de luchar contra mí, Llama. Estoy de tu parte.

Maldición, Kadan. ¿Dónde diablos estás? Aquí tenemos problemas. Necesito a un médico, ahora.

Ató su camisa alrededor de la herida. Había tenido suerte. El caimán era lo suficientemente grande como para haberle arrancado el brazo.

—Esto duele. El hijo de puta me rompió el brazo.

—Buscan comida a primera hora de la mañana. Era un muchacho grande y lo único que ocurrió fue que estábamos en el lugar equivocado en el momento equivocado. Quédate quieta. Estás sangrando por todas partes. Se va a infectar. Lo sabes. Te tengo que llevar a un hospital.

Llama, como si todavía pudiera empalidecer más, consiguió decirle:

—No. Una vez que esté en su sistema informático, Whitney me encontrará. De ninguna manera. Puedo arreglármelas con esto. Llévame con el amigo de tu abuela.

—No hay manera de que el ataque no haya sido oído en varios kilómetros. Yo no he estado mudo ni tú tampoco. Tenemos que movernos, y hacerlo rápido. ¿Puedes?

Usó el sonido direccional, lanzó voces como si vinieran del este, el sonido de correr y respiraciones pesadas, intentando así ganar tiempo.

Llama no respondió. Se balanceó hacia él, muy pálida y asustada.

Gator maldijo para sí mismo, soltó unas palabrotas en cajún tan rápido como las pensó, a la espera de una bala del francotirador en cualquier momento. Ella estaba temblando incontrolablemente, en estado de *shock* y ni siquiera se daba cuenta.

—Escúchame, Llama. —Le cogió la cara y la giró hacia él—. *Escúchame.* Aquí tenemos muchos problemas. Hay varios de esos cazadores y no nos permitirán salir de aquí así como así. Tengo que encontrarlos y hacer que salgan para poder sacarte de aquí de manera segura. Probablemente han manipulado el hidrodeslizador, así que no podemos usarlo. Quiero llevarte a un lugar más seguro y después iré por ellos.

Ella parpadeó rápidamente, su cuerpo se balanceaba contra él, casi sin poder luchar.

—Me duele horriblemente. ¿Llevas un botiquín? Si me tomo algo para el dolor, puedo apoyarte.

—Quiero que te quedes quieta. Kadan y los otros están de camino y recibiremos ayuda en pocos minutos.

Pudo sentir que el cuerpo de Llama se empezaba a tensar otra vez. Otra vez esa breve sospecha que no podía ocultarle. No podía culparla por ello. Sus acosadores eran fantasmas, no vistos, no oídos, solo sentidos, y eso era sospechoso. Había llamado a los otros sin consultarla y ella era extremadamente vulnerable.

Llama dobló los dedos para ver si podía moverlos a pesar del dolor. Pero su brazo y su mano estaban inutilizados.

—Vamos entonces. Me sentiré más segura un poco más lejos de la orilla.

Gator no esperaba que cooperara. Había perdido sangre y su brazo sin duda estaba roto. Los dientes del animal habían atravesado su piel, y entre el agua fangosa y la dieta del caimán a base de carne podrida, seguro que tendría una gran infección. Necesitaba atención médica inmediatamente tanto si quería como si no. No iba a esperar a que cambiara de opinión, pero la ayudaría. Ella apretaba los dientes, no emitía ningún sonido, y él se dio cuenta de que no había hecho ningún ruido durante el ataque.

—Vamos, *cher*. —Su tono era ronco, pero no podía evitarlo. Todo lo de Llama le atraía... incluso su gran independencia, su vena testaruda y su inagotable valor. Se movieron por un terreno muy desigual tan rápidamente como les fue posible; ella respiraba con dificultad y retorcía la cara de dolor, pero no decía ni una palabra—. Este parece un buen lugar. —Era un área pequeña cubierta de maleza.

Llama podría esconderse y él podría ir a atacar.

Gator la ayudó a sentarse en el suelo y se agachó a su lado.

—No me llevará mucho tiempo. ¿Vas a estar bien sin mí?

—Estaré bien. No te preocupes. —Lo despidió moviendo la mano—. Solo vigila tus espaldas.

No lo miró a los ojos, pero él la agarró por la barbilla.

—Volveré por ti, Llama.

—Lo sé.

Su voz sonó estrangulada y se inclinó hacia adelante para besar sus labios. No fue más que un beso breve, muy ligero, pero él lo sintió en todo su cuerpo.

Gator se puso de pie y miró a su alrededor. Observándolo, Llama advirtió que todo su comportamiento había cambiado. Parecía fluido, poderoso, y de pronto muy guerrero, en absoluto un cajún encantador. Su expresión era dura. Resuelta. Sus ojos eran fríos como el hielo. Se dio la vuelta y corrió muy ágil a través de la maleza... y ella no oyó ni un sonido.

El que va sin ser visto, sin ser oído y sin que lo conozcan. Gator se repetía el mantra a sí mismo. Era un Soldado Fantasma. Importaba poco que el cazador fuera un fantasma. Él también lo era. El pantano era su patio trasero. Había nacido y crecido en esos canales; había cazado en las islas y había ido al colegio en piragua. Pero lo más importante era que la mujer de la que se había enamorado estaba herida y necesitaba su ayuda. No iba a hacer más simulacros. Las cosas habían dado un giro serio y mortal.

Hizo un gran esfuerzo para volver al otro lado de la isla donde habían estado los cazadores; se detuvo varias veces para oír atentamente. A veces la falta de sonidos podía revelar una presencia. La lluvia caía constante, los animales pequeños corrían y las hojas crujían. No podía oír ni el latido de un corazón, ni siquiera el de Llama, y eso significaba que ella estaba poniendo un escudo de sonidos.

Se dejó caer en la maleza, usó tonos de deferencia y proyectó un murmullo de voces que procedían del lado opuesto del agua. El sonido era débil como si el suave viento hubiera recogido cuchicheos. Instantáneamente una lluvia de balas de varias armas semiautomáticas estallaron sobre el agua en dirección al sonido. Oyó atentamente, tratando de ordenar los diversos sonidos y de qué dirección venía cada uno.

Gator pulsó un poderoso sonido de muy baja frecuencia directo hacia los tiradores, manteniendo el campo limitado a las localizaciones donde pensaba que era más probable que estuvieran. Las ondas sonoras podían producir fácilmente un brusco traumatismo o matar todo lo que se encontrara en su camino. Había visto los resultados después de haber perdido el control una vez, y lo habían dejado asqueado. Se había prometido a sí mismo que nunca más volvería a matar usando el sonido, a menos que no tuviera otra elección. Nunca había superado las pesadillas, y ahora sudaría de miedo por la intensidad de sus terrores nocturnos después de usar el arma una vez más.

Oyó el sonido de repetidas arcadas, incluso cuando las balas chocaban contra los árboles que tenía a su alrededor. Después vómitos.

Toses. Otra ráfaga de balas. Los cazadores estaban disparando a ciegas, pero sus instintos eran buenos. Varias balas astillaron las ramas de un árbol junto a su cabeza. Unas astillas de madera se incrustaron en su piel. Gator se dejó caer sobre el vientre y empezó a arrastrarse a través de las hierbas y la maleza hacia la zona de donde provenían la mayoría de los disparos. Pensó que quizás había tres hombres, no más de cuatro, y al menos dos estaban muy cerca entre sí.

El sonido paró de nuevo. Los cazadores volvieron a tener el control de sí mismos, y uno de ellos los estaba escudando, enmascarando los latidos de los corazones de los miembros de su equipo de la misma manera como hacía Kadan con los Soldados Fantasma. El juego del gato y el ratón había comenzado a ponerse serio. Todos sabían que era a vida o muerte. No podían cometer errores. Gator se movió con infinita paciencia y cuidado, sin saber a qué iba a enfrentarse con los reforzados.

Peter Whitney había comprado huérfanos de varios países y fueron los primeros a los que reforzó. Nadie pensó que había vuelto a repetir su experimento hasta unos pocos años antes, cuando fue respaldado por el ejército..., pero se encontraron con que no eran los únicos. Había habido un segundo equipo militar. Tenía que haber un tercero. ¿Había creado Whitney su propio ejército privado? Comenzaba a pensar que sí. Y si Peter Whitney estaba muerto. ¿Quién estaba al mando y qué estrategia seguían?

Gator envío otra explosión de sonido, junto con una silenciosa oración para que Llama estuviera donde la había dejado y no en la zona del objetivo. Tenía que mantener a los cazadores desequilibrados, enfermos y en movimiento. No quería darles ninguna oportunidad de rodearlo y quería empujarlos hacia el pantano, fuera del interior de la isla. Las orillas exteriores de la isla eran mucho más esponjosas y traicioneras. Su familiaridad con el pantano le daba una enorme ventaja sobre sus enemigos.

Lanzó el sonido a través de la delgada capa que cubría el suelo buscando lo que necesitaba. Colocar una trampa para soldados psíquicamente reforzados era algo que se tenía que hacer con una coordinación muy precisa; el más leve cambio en el viento la desviaría y

podía suceder cualquier cosa. Cuando encontró el lugar que buscaba, donde el suelo era fino y apenas cubría el acuífero, avanzó unos
dos metros, torció una hoja y rompió la punta de una hierba. Arrastró levemente la suela de su zapato por el barro y salpicó una piedra
con lodo, dejando un leve rastro tras de él. Encontró una caña hueca
y cortó los extremos antes de enviar otro pulso de llamada, esta vez
en la dirección del agua y la costa en busca de caimanes.

Gator se tumbó en el barro y esperó estirando su cuerpo en el
lodo. La lluvia caía constante y hacía subir el acuífero que ya estaba
muy alto. Después de unos minutos oyó el roce de ropas contra las
plantas. El escudo se deshizo cuando dos hombres se movieron rápidamente hacia el centro de la isla. Casi inmediatamente empezaron
unos gruñidos y bramidos. Las patas de los reptiles golpeaban el suelo esponjoso. Ruidos de mandíbulas. De pronto una palabrota. La
protección se había desecho. Había tenido suerte. Uno de los hombres era el escudo y estaba distraído.

Gator envió otra onda de sonido, directamente a los caimanes
de la zona. El sonido viajó a través del agua y sobre la tierra, y dirigió
a varios reptiles directamente hacia dos de sus enemigos. Una vez
que estuvo seguro de que tenía a los reptiles en movimiento, envió
una onda de sonido de baja frecuencia tras otra para mantener a
los cazadores con náuseas y desorientados. Los hombres se movieron hacia el interior, con la atención dividida entre las poderosas
mandíbulas de los caimanes y el asalto continuo a sus sistemas nerviosos.

El primer hombre llevaba ropa de camuflaje para el desierto y
destacaba fácilmente entre la vegetación. Esto indicó a Gator que no
esperaban problemas; que había sido una misión de reconocimiento
y nada más, hasta que los divisaron a Llama y a él. El tipo se movía
siguiendo la pauta clásica de dos hombres, cubriendo y señalando hacia delante a su compañero. El segundo llevaba la ropa de camuflaje
normal, verde y marrón, y era mucho más difícil de reconocer. Gator
estaba seguro de que era el escudo. Era difícil verlo a través del aguacero y varias veces tuvo que luchar contra el impulso de limpiarse los
ojos y aclarar su visión.

Un pequeño caimán pasó rápidamente, apartándose del camino de sus hermanos mucho más grandes. Sin Gator conduciéndoles, los reptiles parecían estar tan desorientados como los cazadores: se detenían y gruñían mirando a su alrededor antes de deslizarse de vuelta al agua. Una larga cola cubierta de gruesas escamas barrió el suelo y casi golpea al hombre de verde y marrón. Este saltó hacia adelante y soltó un grito de espanto mientras se caía de la delgada corteza de tierra que lo separaba del acuífero. El suelo a su alrededor se hundió, cayó en el agujero y el agua burbujeó mientras el hombre desaparecía totalmente.

—¡Ed!

El primer hombre con ropa de camuflaje del desierto corrió hacia allí. Antes de que pudiera alcanzar el agujero, el gran caimán de pronto apareció frente a él, intentando volver al agua. Se lanzó al agujero de cabeza. Enseguida sonó un disparo amortiguado y el agua se volvió roja. El segundo hombre miró dentro del agujero, intentando ver y ayudar a su compañero, con miedo de disparar para no herirlo.

Gator se levantó del barro y dio un par de pasos empuñando el cuchillo. El hombre se dio la vuelta, movió su rifle con dificultad hacia él para hacer que se alejara y poder levantar el arma y dispararle. Pero Gator cogió el rifle antes de que pudiera alcanzarlo, y con la palma de la mano dio un fuerte golpe al cañón. Dio un tirón y el cazador salió volando por encima de su cabeza. Gator lo siguió, le hizo soltar el rifle con una patada mientras el hombre daba una voltereta, se volvía a poner de pie y lo encaraba agachándose en posición de combate.

Entonces le pareció que lo conocía. Gator contuvo el aliento.

—Te conozco. Hiciste el test psicológico al mismo tiempo que yo. Rick Fielding, ¿verdad? ¿Por qué diablos venías por mí?

—Porque eres un imbécil de mierda y estás jodiéndolo todo —gruñó Rick.

—Buena razón, Rick —dijo Gator dando un paso a la izquierda, con mucho cuidado de colocar su peso donde sabía que la superficie era esponjosa pero estable. El movimiento obligó a Fielding a dar un paso también—. Espero que pienses que vale la pena, porque tu triste culo me pertenece.

—No lo creo. Tú y tu putita sois los únicos que hay por aquí. Vas a estar muy muerto y ella va a estar entretenida esta noche.

Gator se rió con un sonido suave y burlón.

—Esa mujer te entretendría, Ricky, pero no de la manera que piensas. —Amagó con el cuchillo, se acercó más y obligó a Fielding a dar otro paso hacia atrás—. Si tonteas con ella se te pondrá una sonrisa feliz justo alrededor de tu garganta.

Se movió a la izquierda, presionando al soldado con otra pequeña maniobra con el cuchillo.

Rick bajó la mirada, siguiendo el movimiento del cuchillo, y dio otro paso a un lado. El delgado suelo cedió bajo su peso, metió una pierna en el agujero y se hundió hasta la ingle. Se aferró frenéticamente al barro que se desplomaba y se agarró al suelo intentando evitar resbalar bajo la superficie. El miedo remplazó a la cólera en sus ojos cuando el suelo siguió cediendo, el barro comenzó a caer en el agujero con él y su otra pierna también resbaló dentro del agua.

De pronto los ojos de Rick se abrieron como platos mostrando esperanzas, durante un breve instante, lo que obligó a Gator a darse la vuelta y a defenderse levantando las manos. Fue lo que le salvó la vida. Ed estaba detrás de él, empapado, cubierto de barro, con un cuchillo en el puño que empujó hacia sus riñones. Éste desvió la hoja, tropezó al intentar salir de la fina corteza de suelo y se vio obligado a saltar sobre Rick.

Rick se había hundido hasta la barbilla mientras el barro continuaba vertiéndose en el agujero que lo rodeaba dejándolo completamente enterrado.

—Ed —dijo tosiendo, tratando de liberarse, pero el barro lo tenía apresado, le atrapaba los brazos de modo que no podía hacer nada mientras continuaba hundiéndose en el fango.

Gator pulsó un sonido directamente al escudo, y lo empujó hacia atrás. Hubiera dejado a cualquier otro hombre inconsciente, o incluso lo hubiera matado, pero el escudo solo cayó de rodillas, se le retorció la cara y levantó una mano intentando desviar la onda de sonido de baja frecuencia que iba hacia él. Vomitó dos veces y luchó para volver a ponerse de pie. Desvió una vez su mirada hacia su compañero, pero era demasiado tarde para salvar a Rick; había desaparecido bajo el barro y ya no podía respirar.

Ed retrocedió otro paso, esta vez prestando atención al lugar donde pisaba. Gator estaba seguro de que Ed se había asustado cuando un enorme caimán se abalanzó sobre él. El caimán solo quería regresar al agua, no lo estaba atacando, pero Ed le había disparado y el animal, herido, se había revuelto y había arrebatado el rifle de las manos del escudo.

—¿Por qué has venido por nosotros? —preguntó Gator, esperando una respuesta mejor que la que le había dado Rick.

El escudo lanzó su cuchillo con una velocidad deslumbrante, lo que sugería una mejora genética. Gator torció el cuerpo intentando evitar la hoja, pero sintió cómo le cortaba la camisa y le levantaba piel de su bíceps izquierdo. Respondió lanzando otra onda de sonido, esta vez más fuerte que la última. Por encima de todo oyó el sonido de unas pisadas corriendo, todavía lejos, pero acercándose rápido.

El escudo giró la cabeza mientras la onda le golpeaba y Gator dio un salto aterrizando con fuerza con ambas botas contra la fina corteza de tierra que separaba el suelo del agua. Se hundió rápido, el agua se cerró sobre su cabeza, y la lluvia torrencial hizo que el barro lo cubriera. Pero consiguió llevarse a la boca una caña dejando salir la punta a la superficie, lo que le permitió respirar bajo el agua y el fango.

Bajo la superficie, sintió la vibración de unas pasos pesados. Gator esperó a que se acercaran hasta el borde de la fina corteza. Un pulso de sonido podría romperla y enviar al grupo entero al agua, pero el escudo debió haberlos advertido. Las vibraciones terminaron justo a unos pasos de la capa más delgada de tierra, después se retiraron, dirigiéndose hacia el interior de la región pantanosa.

Gator estaba seguro de que dos hombres se habían acercado y que otros tres se habían marchado. Usando las manos, rompió la capa de barro que tapaba el agujero para poder sacar la cabeza. Nunca había sentido que fueran tan agradables la lluvia y el aire. Giró su boca abierta hacia arriba para permitir que entrara la lluvia. Se enjuagó, escupió varias veces y empezó lentamente a luchar contra el espeso barro que lo atrapaba.

Un pájaro cantó y otro le respondió. Gator escudriñó los sonidos del pantano y oyó múltiples latidos de corazones. Ian. Tucker. Quizá Wyatt o Kadan, aunque Kadan podía enmascarar el sonido. La caza se había vuelto aún más mortífera. Luchó para salir del agujero, teniendo cuidado de distribuir su peso uniformemente para no romper más la superficie. Le llevó un tiempo arrastrarse fuera del espeso barro. La suciedad y el barro cayeron al agua ensanchando el punto de ruptura, pero trabajó pacientemente para salir hasta que consiguió quedarse tumbado, con los brazos y las piernas extendidos mientras tomaba grandes bocanadas de aire fresco.

Gator. Dame una señal para localizarte.

He acabado con uno de ellos. Hay tres más por lo menos. El escudo está herido y están intentando huir.

Podía sentir a los Soldados Fantasma ahora. Se movían con sigilo, pero Kadan no los escudaba para que Gator supiera que estaban yendo hacia él. Sabía que Kadan lo había localizado en el momento en que hablaron telepáticamente. Se sintió muy aliviado. No había pasado demasiado tiempo desde que había dejado a Llama, pero le parecía toda una vida. Quería llevarla a un hospital inmediatamente. Con los otros Soldados Fantasma aquí, podían peinar el área muy eficientemente para que Llama consiguiera atención médica.

Llegarán por el norte, noroeste.

Estamos yendo hacia ti.

La voz de Kadan era segura.

Gator se dio la vuelta y miró fijamente hacia la lluvia que caía, lavándole la mayor parte del fango de su cara. Se tumbó durante un momento para controlar el horrible dolor de cabeza que siempre acompañaba al uso de su talento psíquico, después se volvió sobre el vientre y se escabulló como un lagarto. Paraba y volvía a avanzar manteniendo siempre su peso uniformemente distribuido hasta ganar terreno sólido.

Entonces se puso de pie de un salto y comenzó a buscar a los otros soldados. Nadie había contestado a su pregunta, pero estaban reforzados, y sin duda Rick Fielding había estado en la misma habitación que él mientras hacía el test para determinar el talento psíquico. Gator había asumido, evidentemente por error, que Fielding no había pasado el examen.

Los Soldados Fantasma salieron lentamente de los árboles y se acercaron a él para comprobar su estado. Ian MacGillicuddy, Tucker Addison, Kadan Montague. Llevaban puesto el uniforme de combate completo. Le lanzaron un rifle y varios cargadores de munición.

—¿Estás bien? —preguntó Kadan—. He traído un equipo médico.

—Llama lo necesita. La ha atacado un caimán y le ha roto el brazo, pero ella se defendió. Tenemos tres hombres por aquí. Uno de ellos seguro que es un escudo. Estoy usando ondas de sonido de baja frecuencia para mantenerlos enfermos y desorientados, de manera que no puedan luchar. Solo quieren salir de aquí de una vez. Necesitamos que alguno quede vivo para que podamos seguirlo y ver quién les da las órdenes.

Se mantuvieron en movimiento, cubriendo el terreno tan rápidamente como era posible.

—¿Estás seguro que esos hombres no son parte del equipo de Jack Norton?

Gator sacudió la cabeza.

—El equipo de Jack trabaja principalmente para el NCIS cuando no está de operaciones especiales. Estos hombres son más bien mercenarios. He estado con uno de ellos. Se llama Rick Fielding. Hizo la prueba en el mismo grupo que yo. No sé para quién trabajan, pero no son muy agradables. Y el muerto amenazó a Llama.

Kadan le dirigió una rápida mirada.

—No es de extrañar que esté muerto.

Los Soldados Fantasma se dispersaron a través de la pequeña isla manteniendo varios metros de distancia entre ellos para comenzar a acechar a su presa. Los hombres que iban delante de ellos no tendrían más elección que mantenerse en movimiento o volverse y luchar. Querían reagruparse. Y no querían enfrentarse a un ejército entrenado por pequeño que fuera. Gator continuaba enviando pulsos de ondas de baja frecuencia por delante de ellos, no lo bastante fuertes como para matarlos, sino para hacer que se enfermaran.

—Se están separando —anunció Tucker señalando los rastros—.
¿Puedes oírlos, Gator?

Gator sacudió la cabeza.

—El escudo es fuerte. Ha sido muy resistente a las ondas de sonido. Pensé que se separarían. Es la única posibilidad que tienen de escapar.

Con las ondas sonoras yendo hacia ellos, sabían que si se separaban, tendrían más posibilidades de eludir los pulsos de ondas que Gator les estaba enviando.

Ian indicó que iba a subirse a un árbol. Se colgó el rifle alrededor del cuello y se dirigió hacia el ciprés más alto de las inmediaciones. Mientras subía, Tucker, Kadan y Gator examinaron los rastros cuidadosamente.

—Ese es el escudo —dijo Kadan, indicando un sendero a su derecha—. Se mueve rápido. —Por primera vez había una nota de preocupación en su voz—. Ha sido localizado y está cazando.

Gator sintió de pronto que un escalofrío le bajaba por la columna.

—Llama está allí. —Indicó el otro lado de la isla—. Le llevaré el equipo médico.

El sonido del disparo de un rifle reverberó a través del pantano. Los pájaros alzaron el vuelo chillando molestos. Ian se unió al grupo en el suelo.

—Sabía que uno de ellos tendría la inteligente idea de tumbarse a esperarnos. Estaba sentado en un árbol a unos cientos de metros de aquí. —Dio un codazo a Tucker—. No debe gustarle tu aspecto. Tenía su vista puesta en ti. Me parece que te he salvado la vida.

Tucker dio un bufido burlón.

—Pues a mí me parece que eres un creído. Las balas rebotan en mí. Hoy llevo la camiseta de Supermán.

—¿Tú eras el que tenías mi camiseta? Ladrón. He estado buscándola desde que hice la colada.

Incluso mientras reñían sobre esto y aquello afablemente, escudriñaban el suelo buscando más pistas.

Kadan se agachó para examinar una huella. Era pequeña y justo por encima aparecía la huella del escudo.

—Hay sangre aquí, Gator, y no es de ninguno de su equipo —anunció Kadan.

Gator se agachó para tocar las manchas de sangre de las hojas.

—Me ha dejado. Maldita sea. Me ha dejado.

La tierra vibró bajo sus pies y sacudió los charcos más pequeños que se formaban en varias hondonadas, lo que atrajo su atención. Contuvo el aliento y luchó contra la necesidad de expresar su rabia y su miedo que iban en aumento. Hizo que se movieran los árboles que tenía a su alrededor. Respiró con dificultad.

—Uno de ellos la está rastreando. Cuándo la alcance, voy a zarandear a esa mujer hasta que le tiemblen los dientes.

—Seguro que le va a encantar —aportó Ian—. Apuesto a que así conseguirás muchos puntos. ¿De dónde has sacado tu reputación de encantador?

Gator le dirigió una mirada de advertencia. El estómago se le revolvió de preocupación por Llama. Ella se estaba escapando y perdía demasiada sangre. Había mantenido el control en cada momento de la caza, pero ahora se sentía herido: un terrible agujero le desgarraba los intestinos y no estaba tan seguro de que pudiera contener las intensas emociones que lo abrumaban, todas en conflicto unas con otras.

—No voy a dejar que se vaya —anunció apretando los dientes.

Ian encogió sus anchos hombros.

—Nadie esperaba que lo hicieras, hermano.

—Ella sí.

—No sabe lo terriblemente testarudo que eres —señaló Tucker.

—Vamos a buscarla —dijo Kadan.

Capítulo *13*

*L*lama se sentó sobre el barro con la espalda contra un árbol. Respiraba dificultosamente por el dolor que se le extendía por el brazo.

—Maldito cocodrilo. Poco importa que solo estuvieras buscando comida. Me debería haber hecho un bolso contigo. —Echó un vistazo a las botas enfangadas—. Y zapatos. Zapatos de auténtica piel de caimán.

Le dolía terriblemente la herida de su brazo, pero esa no era la razón por la que le ardían las lágrimas en los ojos y tenía la garganta apretada. Dejaba Nueva Orleáns y a Raoul Fontenot. No era seguro quedarse. No iba a ser capaz de encontrar a la pobre Joy Chiasson o de vengar el asesinato de Burrell. Y no iba a hacer el amor con Raoul Fontenot. Cerró los ojos brevemente llena de dudas. Nunca había querido a un hombre de la manera en que lo quería a él. El simple sonido de su acento cajún arrastrado calentaba su cuerpo. Incluso le gustaba cuando soltaba palabrotas.

Gimió. Ella era una causa perdida. Raoul era un sueño, una vida fuera de su alcance y no iba a morir por algo que sabía que no podía tener. Whitney estaba demasiado cerca. Podía olerlo. La estaba cercando y enviaba tropas para recuperarla.

Raoul nunca había sido su enemigo e intentaría protegerla. Después de pasar un tiempo con él, sentía que solo podía hacer lo correcto para ambos. Mientras la tuviera cerca, estaría dividido entre la gente que quería y ella. Creía en los Soldados Fantasma, y tal vez incluso tenía razón, pero ella nunca estaría cómoda con ellos.

Gator quería y se merecía un hogar y una familia, una mujer para llevar a casa de su abuela, una que tuviera bebés que pudiera poner en sus brazos. Y esa mujer nunca podría ser ella. Si se quedaba con él tendría la necesidad de defenderla y dejaría de lado su sueño de tener una familia, pues nunca la abandonaría. Esa era la clase de hombre que era. Llama apretó los dientes y se obligó a ponerse de pie, apoyándose en un tronco para estabilizarse. Sintió unas fuertes oleadas de vértigo. Luchó contra esa sensación y miró a su alrededor, intentó orientarse y eligió el camino más seguro en la carretera de enfrente. No podía tropezarse con Raoul. Él estaba obligado a usar ondas sonoras de baja frecuencia y le afectarían a ella igual que a sus enemigos.

—Puedes hacer cualquier cosa durante un corto periodo de tiempo. Control. Disciplina. Paciencia.

¿Cuántas veces había recitado ese mismo mantra de niña cuando Whitney había provocado que enfermara tanto? ¿Cuántas veces se había arrodillado sobre el frío suelo del cuarto de baño junto al inodoro, balanceándose hacia delante y hacia atrás para aliviar las náuseas provocadas por los tratamientos de quimioterapia?

Había dormido sobre el suelo del cuarto de baño sobre una gruesa manta entre Dahlia y Tansy, acurrucadas las tres. No había pensado en esos días en años, no se había permitido pensar en las otras chicas. Le hacía daño recordarlas. Sus voces y sus risas. El sonido de sus llantos cuando el dolor de trabajar con sus talentos psíquicos llegaba a ser demasiado intenso.

Tansy le cepillaba el cabello cuando les permitían estar juntas, y cuando todo se hundió, había llorado junto a ella. ¿Quién más había estado allí? Dahlia. Había sido muy buena amiga de Dahlia, la otra chica «mala». Y Lily. Llama inspiró bruscamente. Recordó cuando apoyaba la cabeza sobre el regazo de Lily mientras le acariciaba la cabeza calva y la mecía con cuidado susurrando que todo iba a ir bien.

En esa época creía en Lily. Y tal vez era por eso que le llegó tan hondo su traición. Llama trabajó durante meses en su primer plan de fuga, guardó el secreto estrictamente sin confiar en nadie. Hasta aquel momento de debilidad. Había estado levantada toda la noche con arcadas por los efectos secundarios de la quimioterapia, llorando impotente por la pérdida de su cabello, y las otras chicas que se sentaron con ella sosteniéndole las manos, le lavaron la cara y compartieron sus lágrimas. Y entonces ella, como una tonta, confió en ellas. Lily protestó con energía, alegando que podría morir sin el tratamiento..., pero a ella no le importaba. Imaginaba que Whitney iba a matarla de todas formas.

Y Lily no se lo permitió. Había ido a su padre y le había contado su plan. Los hombres de Whitney la esperaban cuando se escapó. Fue castigada y encerrada durante semanas sin ver a las otras chicas. Había estado muy enferma, y Whitney la había obligado a tomar la medicina, incluso se la había inyectado mientras unos hombres fuertes la sujetaban. Lily había entrado a hurtadillas una vez para admitir lo que había hecho y susurrarle que estaba arrepentida, pero Llama le apartó la cara y nunca le volvió a dirigir la palabra.

El dolor de su recuerdo le hizo olvidar momentáneamente el dolor del brazo. La dejó sin aliento y doblada, y tuvo que llenar lentamente sus pulmones para evitar desmayarse. Esto era raro, pero siempre asociaba el dolor con sus recuerdos de las otras chicas. Intentaba no pensar nunca en ellas cuando eran niñas y estaban con ella.

Un destello limpió su mente, e hizo como si fuera una pizarra en la que podía borrar sus pensamientos. No pensaría en su pasado. No pensaría en Raoul y su deprimente futuro, y no sentiría las huesos rotos de su brazo o la carne abierta que le había desgarrado el caimán. Se concentraría solo en caminar.

La lluvia parecía infinita, como si la tormenta se hubiera instalado directamente sobre la isla. Estaba empapada y cubierta de barro, le corría sangre por el brazo y tenía el pelo pegado a la cara. Tropezó otra vez y se detuvo, el intenso dolor la mareaba. Miró a su alrededor con cuidado y frunció el ceño con todos sus sentidos absolutamente alerta.

Realmente todo lo que quería hacer era acostarse y dormir. De pronto alguien le dio una patada desde detrás de un árbol, y el golpe fue tan fuerte que la lanzó hacia atrás y la hizo aterrizar sobre su trasero, acunando su brazo de manera protectora. Vio las estrellas mientras luchaba por no desmayarse. Cuando pudo controlar el dolor se obligó a levantar la mirada hacia su asaltante. Un hombre vestido con ropa militar de camuflaje estaba de pie apuntándola a la cara con un rifle.

Ella comenzó a reírse de forma ligeramente histérica.

—Sabes, esto me duele como el infierno. Me vas a hacer un favor. Sigue adelante y dispara.

—Levántate.

El hombre miró a la derecha y a la izquierda, y después se agachó y la agarró del brazo bueno para ponerla de pie.

Estaba totalmente blanda, convertida en una muñeca de trapo desvalida. El hombre bajó el cañón del rifle para usar su fuerza y levantar el peso muerto de su cuerpo. La sangre goteaba continuamente por su brazo inutilizado y salpicaba las cañas. Se concentró en el dibujo de las gotas para no sentir el dolor que la atravesaba y le producía náuseas mientras el hombre le movió sus huesos rotos. Y en cuanto pudo apoyar los pies la emprendió a golpes, dando una patada al rifle que tenía él en las manos con la suficiente fuerza como para lanzarlo dando vueltas al agua.

El hombre la maldijo y la rodeó manteniendo una distancia de seguridad.

—Estás perdiendo mucha sangre. Finalmente te cansarás y tendré que arrastrar tu culo por el pantano.

—No puedes esperar. Te cazarán y esta vez son un pelotón. No tienes ninguna posibilidad y lo sabes.

Ella se llevó una mano a sus omóplatos y sacó un cuchillo. La empuñadura le era familiar y sujetarla le resultó extrañamente reconfortante.

—Creo que tengo más tiempo que tú. Vas a desmayarte.

Ella inspiró, lenta y equilibradamente, mirándolo, girando en un lento círculo para mantenerse de cara a él, usando la menor cantidad de energía posible.

—Los hombres siempre subestiman a las mujeres. —Observó el centro de su pecho, también sus brazos y piernas, y todo su cuerpo mientras él continuaba dando vueltas en su lento acecho—. No deberías haber venido por mí. Puedes alejarte ahora mismo. Whitney nunca lo sabrá. Si no lo haces, tendré que matarte.

El hombre escupió en el suelo.

—Entonces eres una chica dura.

—No te imaginas cuánto.

Él se movió muy rápido y le dio un golpe en el brazo roto intentando acabar rápidamente con el punto muerto en el que se encontraban.

Ella se apartó solo lo justo para evitar por un pelo su bota. Y mientras daba un paso le acuchilló la pantorrilla y le hizo un corte profundo a través de su dura ropa.

—¡Puta!

—Así soy yo siendo agradable —lo contradijo.

Se abalanzó sobre ella con los puños apretados y una promesa de muerte en los ojos.

Pero ella se mantuvo firme, y lo dejó venir sosteniendo el cuchillo bajo y cerca del cuerpo. Sabía que él estaba esperando a que lo levantara cuando estuviera cerca, pero él era demasiado grande y ella estaba en baja forma. No iba a permitirle que le pusiera las manos encima. Cuando estuvo a unos setenta centímetros, le lanzó el cuchillo recto y con fuerza, usando todo el refuerzo que le otorgó Whitney. Se quedó inmóvil cuando él sujetó el cuchillo y la sangre le borboteó por el largo mango. Tenía cara de sorpresa. Se le doblaron las piernas, cayó con fuerza y se le enterró la cara en el fango.

—Y así soy yo siendo una puta —dijo ella.

Se tambaleó y quiso recuperar el cuchillo, pero sabía que no tenía fuerza para darle la vuelta y sacárselo del pecho.

Tenía que alejarse de la isla antes de que Raoul descubriera que se había ido. No podía ir al hospital. Había lanzado el nombre de Whitney al cazador y él ni siquiera se había acobardado; no le había preguntado nada. El hombre conocía a Whitney y evidentemente era parte de los experimentos del doctor.

—Lo siento, Raoul —susurró—. Pero nunca voy a volver allí. Nunca. Ni siquiera por ti.

Empezó a andar hacia la pequeña franja de tierra que conectaba con el camino de enfrente. Si pudiera encontrar a alguien del pantano, alguien mayor, alguien que tal vez supiera tratar las heridas, se escondería allí hasta que pudiera salir de Nueva Orleáns. Era una tentación ir a su hidrodeslizador. Tenía todo lo que necesitaba en él, pero si alguien la veía, o lo había preparado para volarlo, no tendría ni fuerza ni tiempo para averiguarlo. Tendría que confiar en la hospitalidad del pantano para que la ayudara en su fuga.

La mayor parte de los amigos de Burrell la conocían, le tratarían las heridas y le darían un lugar donde quedarse, pero lamentablemente Raoul era parte de esa comunidad, y dudaba de que le ocultaran su presencia a su abuela o a él. Tendría que encontrar una manera de impedir que se difundiera el rumor hasta que pudiera marcharse.

Mareada, tropezó con varias rocas y plantas antes de encontrar el estrecho sendero que conducían a la franja de tierra. Había perdido demasiada sangre. Reconocía las señales. Tenía que darse prisa para llegar al camino donde quizás alguien pararía para llevarla antes de que Raoul saliera del pantano.

Vomitó dos veces mientras se dirigía a la carretera del otro lado. Pero siguió avanzando, paso a paso, hasta llegar allí. Caminó hasta el puente tambaleándose, haciendo un gran esfuerzo por mantenerse en pie, rezando para que un coche la llevara.

No fue una vieja furgoneta abollada o uno de los coches viejos que pasaban, sino un reluciente coche de ciudad nuevo con un chófer. El coche negro frenó de golpe y retrocedió hasta que llegó a su lado. La puerta del chófer se abrió a la vez que la puerta del pasajero. James Parsons y su chófer corrieron a su lado. James la cogió del brazo bueno para estabilizarla y el chófer le rodeó la cintura para impedir que cayese.

—Deja que te ayude a entrar en el coche —le dijo el chófer—. Soy Carl. Carl Raines, el chófer del señor Parsons. Me recuerda. Dios mío. ¿Qué le ha pasado?

Llama oyó su voz que intentaba calmarla como si llegara de lejos. Negó con la cabeza. No podía ir al hospital. No tendría ninguna manera de protegerse si la cogían allí. Pero estaba demasiado débil para evitar que los dos hombres la metieran en el coche. James Parsons se deslizó a su lado y cerró la puerta de golpe.

Sin energía e incapaz de girar la cabeza, Llama solo miró la puerta cerrada. Todo a su alrededor era de buen cuero y caoba. Se fue hundiendo en el asiento incapaz de ponerse recta. Su línea de visión estaba por debajo del asiento. Tardó un rato en fijarse en los pequeños detalles. Correas de cuero ancladas a los asientos. Arañazos en el cuero. Había tres, uno profundo y dos más superficiales. Su mano cayó pesadamente hasta el suelo entre el asiento y la puerta. Sus ojos la siguieron. Había un pequeño pendiente muy especial que estaba segura de haber visto antes. Era un aro de oro con incrustaciones de plata. Los mismos pendientes que llevaba Joy Chiasson en la fotografía que su madre le había dado a ella. Le había contado todo acerca de quién le había entregado esos pendientes a su hija.

Llama consiguió levantar la cabeza. Sus movimientos eran lentos y descoordinados. Al otro lado del asiento de cuero se encontró con los ojos de James Parsons. Estaba sonriendo. Ella se dio cuenta de que olía a sexo rancio. Tanto James como el chófer llevaban ropa de noche, como si regresaran de una fiesta.

Llama le devolvió la sonrisa, hundiéndose más profundamente en el asiento. Miró alrededor del coche y se fijó en la limpia barra y la pantalla de plasma. El reproductor era un diminuto mini DVD. A su lado había un disco que se parecía a un CD, pero más pequeño.

—Gracias por ayudarme —dijo y dirigió la mirada al frente.

Una pequeña luz roja parpadeó hacia ella.

—James, dale algo para beber.

La orden vino del conductor con un característico tono de mando en la voz. James enrojeció cuando se inclinó para verter el líquido ámbar sobre el hielo en un pequeño vaso Waterford.

—Sé lo que hay que hacer —replicó James entre dientes y le pasó el vaso—. Bebe esto. ·

Llama removió el líquido con hielo. Hubiera apostado hasta su último dólar a que había droga en la bebida.

—Estoy llenando de sangre todo el asiento. ¿Tiene una toalla?

No importaba cuán fuerte intentara elevar la voz, apenas se la oía.

La sonrisa de James se amplió, pero no se reflejó en sus ojos. Su expresión continuó siendo impasible, fría y vacía.

Llama apartó la vista de él y la dirigió hacia donde estaba sentado el chófer. Éste la miró fijamente a través del espejo retrovisor. La mirada no era fría. No era impasible. Incluso no era vacía. Mostraba crueldad, y algo peor, malignidad. Y tenía una lujuria carnal que ella nunca había visto. Que no era normal, ni siquiera un poco pervertida. Era simple depravación.

James se inclinó hacia ella y empujó la bebida en su boca. Todavía mirándola fijamente a los ojos, dio un tirón a la camisa de tela escocesa y la rasgó para dejar expuestos sus pechos desnudos.

Ella le lanzó la bebida a la cara, y enseguida le golpeó con fuerza la cabeza con el vaso de cristal Waterford.

—Apártate, montón de mierda. —Llama intentó abrir la puerta, pero descubrió que estaba bloqueada, volvió a golpear con el vaso la cabeza de James una segunda vez y él se abalanzó sobre ella—. No soy la pequeña y dulce Joy drogada, ¿verdad?

Podía no estar drogada y no ser Joy, pero estaba volviendo a marearse otra vez. Los huesos de su brazo crujieron, y esta vez la dejaron sin aliento.

—¡Qué diablos! —exclamó Carl.

Llama lo miró y sus ojos se agrandaron cuando vio a los Soldados Fantasma materializarse bajo la lluvia gris.

Estaban en fila a lo ancho de la carretera, con sus rifles semiautomáticos al hombro, cubiertos de barro, mojados, y apenas se distinguían bajo la lluvia torrencial. Detrás de ellos, había un helicóptero que hacía imposible que pasaran. Carl frenó de golpe al instante.

Se asomó abriendo la puerta.

—Tengo a una mujer herida. Intento llevarla al hospital.

Gator y Kadan se separaron del grupo y avanzaron uno a cada lado del coche con los rifles preparados.

—¿Dónde está? —preguntó Gator.

—Atrás —dijo el chófer—. Está soltando sangre por todas partes.

—¿Han llamado a una ambulancia? —preguntó Kadan—. Abre la puerta trasera —añadió cuando Gator tomó impulso como si fuera a golpear la ventana con la culata de su arma.

—Solo la recogí. Estaba llamando cuando os he visto.

—Nos la llevaremos. La llevaremos por aire al hospital.

Kadan no bajó en ningún momento el cañón de su rifle.

Gator abrió la puerta de un tirón y vio a Llama. Estaba cubierta de sangre y barro. Su camisa abierta y rasgada, y tenía los pechos al aire. Estaba tan pálida que pensó que se debía estar desangrando.

—Dios, cariño —susurró él.

Ella giró la cabeza haciendo un movimiento evidentemente doloroso.

—Estoy bien. Deberías haber visto al otro tipo.

—Lo vi. —La cogió y la sacó del coche con mucho cuidado para no tocar su brazo roto. Solo cuando la apoyó contra él se dio cuenta de que el hombre del asiento trasero era James Parsons, y que tenía una herida abierta encima del ojo. Llama todavía agarraba el vaso de cristal ensangrentado—. Hijo de puta. ¿Qué le has hecho?

—Nada. —James levantó las manos—. Lo juro. Estaba histérica. Tenía la ropa desgarrada y estaba sangrando. La metimos en el coche y la llevábamos al hospital más cercano. Intenté darle algo de beber, pero se volvió loca contra mí.

—El asunto es, James —dijo Gator—, que sé dónde vives.

Cerró la puerta de golpe y se llevó a Llama al helicóptero.

Kadan se quedó atrás, apuntando al conductor del coche con su rifle. Los otros Soldados Fantasma permanecieron inmóviles hasta que Gator estuvo seguro en el helicóptero y después los siguieron, uno a uno, siempre apuntando con sus rifles a los ocupantes del coche negro.

Gator cubrió a Llama con una manta, con la garganta apretada y el corazón palpitando con fuerza contra su pecho.

—Estoy muy cabreado contigo, *cher*. Deberías haberte quedado donde te dejé.

La mano de Llama le retorció débilmente la camisa.

—Whitney vendrá por mí al hospital, Raoul. No seré capaz de protegerme. Júrame que no le dejarás que se me lleve. Júralo.

La miró a la cara. Llama tenía los ojos cerrados y la respiración lenta. Unas gotas de sudor aparecían en su cara bajo el barro. Pero todavía tenía fuerza en la mano que le agarraba la camisa. Gator se acercó más y llevó sus labios a su oído.

—Tienes mi palabra, Llama. Te lo juro.

Su puño se relajó lentamente, giró la cabeza hacia su pecho y dejó de luchar para no perder el contenido.

Lo primero que olió fue la fetidez del hospital. Podía escuchar el murmullo de las conversaciones de las enfermeras. Alguien se inclinó y le ajustó la vía intravenosa del brazo. El miedo la ahogaba y luchaba por mantenerse despierta. Escuchó gemidos y otra vez un suave murmullo, esta vez era la voz de un hombre. Quería abrir los ojos, pero la orden entre su cerebro y los ojos no parecía funcionar.

—¿Llama? ¿Puedes oírme, *cher*? Te operaron el brazo, te lo han vuelto a colocar y te han inyectado un montón de antibióticos. Todo ha ido bien. —Sabía que la voz que arrastraba las palabras era la de Raoul—. Estás en la habitación de recuperación. —Se inclinó acercándose a ella—. No te hemos dejado sola. Estábamos en la sala de operaciones contigo.

—No recordará nada de lo que le está diciendo —le advirtió la enfermera—, pero es bueno que hable con ella. La ayudará a salir de la anestesia.

Llama sintió que él la tocaba y una parte suya se relajó. Raoul estaba allí con ella, tal y como le había prometido.

—¿Está segura de que no lo recordará? —preguntó Gator.

La enfermera debió haber negado con la cabeza, porque Raoul se inclinó más sobre ella y le dio un beso en la oreja.

—¿Puedes oírme?

Llama asintió con la cabeza.

—Creo que me he enamorado de ti.

Llama se quedó muy quieta. Contuvo el aliento mientras esa suave voz que arrastraba las palabras llegaba directamente a su corazón. No había sido dominante, ni la estaba halagando, era una voz llena de temor y asombro.

—¿Está segura de que no recordará nada de lo que le digo?

Gator elevó otra vez la voz.

—Nunca lo hacen.

Ella esperó mientras el corazón le latía con fuerza, esperanzado. Sintió el calor de su aliento contra el oído y cómo sus labios la tocaban.

—Me asustaste enormemente, *cher*. Si alguna vez vuelves a hacer algo como esto, te voy a poner encima de mis rodillas y voy a golpear tu bonito culo hasta que no te puedas sentar y me supliques clemencia.

Llama se rió tontamente. Sonreía como si hubiera sucumbido a las drogas que llevaba en el cuerpo.

La segunda vez que se despertó sabía que estaba en la habitación de un hospital. Tenía el mismo miedo a ahogarse, aunque se había incrementado y casi se había convertido en terror. Olía a Whitney, a sus drogas y a sus experimentos. Todo estaba a su alrededor. Quería irse. *Necesitaba* irse.

—¿Raoul?

Susurró su nombre. Su ángel de la guarda. Se había saltado sus barreras, y ella lo había dejado entrar. ¿Cuándo había pasado de pensar en él como en su gran enemigo a creer en él con todas sus fuerzas?

—Todo va bien, estás a salvo.

Era Raoul.

Intentó abrir los ojos. Frunció el ceño. Nada tenía sentido. Podría jurar que el enfermero era Wyatt. Parecía ir a la deriva como si estuviera atrapada en un sueño.

El enfermero se acercó a ella y habló en voz alta.

—¿Dijiste Wyatt? No puedes estar susurrando mi nombre con mi hermano en la habitación.

No había duda en su mente de que la voz era la de Wyatt. Se concentró en él.

—¿Qué estás haciendo vestido de enfermero?

Tal vez en realidad estaba soñando. Estaba vestido con ropa de hospital verde.

Le hizo un guiño, y le recordó mucho a Raoul. Sus oscuros rizos le caían por la mitad de la frente.

—Voy de incógnito.

—Te ves ridículo.

—Me veo súperatractivo. Gator estaba todo enfadado por si te despertabas y te enamorabas de mí.

—Te ves ridículo —repitió ella.

—Todos mis pacientes piensan que soy mono —argumentó él.

Gator se rió disimuladamente.

—No tienes ningún otro paciente.

Llama siguió concentrada en Wyatt. Nada tenía ningún sentido.

—Me estás dando dolor de cabeza. ¿Cuál es exactamente tu trabajo?

—Soy tu guardián, cariño.

Llama se dio la vuelta y se encontró mirando a los ojos de Gator, que se sentó a su lado, y le cogió las dos manos con las suyas. Uno de sus pulgares le rozó la piel hacia adelante y hacia atrás en una larga caricia. Sus ojos estaban ensombrecidos y oscuros. Se inclinó hacia adelante y le dio un beso en la comisura de la boca.

—Me asustaste.

—Lo siento.

—No lo hagas nunca más. —Le retiró los mechones de cabello de su cara—. Lo entiendes, *cher*, nunca más me lo vuelvas a hacer.

—Sácame de aquí, Raoul. A cualquier sitio. A la cabaña. Sácame de aquí.

—No me hagas esto, Llama. Necesitas más antibióticos. Y te están dando unos analgésicos muy fuertes. Créeme, *cher*, los necesitas. El equipo está aquí y te estamos protegiendo. Nadie te va apartar de mí. Vuélvete a dormir.

Intentó tranquilizarse, pero la idea de encontrarse con Whitney la aterraba.

—Sabrá que estoy aquí. Los ordenadores...

—Nos hemos encargado de eso. Duérmete y déjame llevar esto. Eres un fantasma, cariño, igual que el resto de nosotros.

Soñó con las otras chicas. Chicas jóvenes meciéndose hacia adelante y hacia atrás de dolor. Muchachas riéndose juntas, momentos de felicidad robados. Soñó con una habitación sin ventanas, ni comodidades, completamente sola. Soñó con traiciones... y con Lily.

Estaba oscuro la siguiente vez que abrió los ojos. Miró por toda la habitación. Una pequeña mujer con el cabello negro le ajustaba los sueros intravenosos.

—No me gusta cómo se ven estas magulladuras, Ryland. Pronto estas tienen que llegar los análisis de sangre. Se ve muy agotada.

Un hombre apareció en su campo de visión; sus dedos fueron a parar a la nuca de la otra mujer.

—Estará bien. Gator no dejará que le pase nada, Lily.

A Llama se le cortó la respiración. Miró rápidamente alrededor de la habitación hasta que lo encontró. Estaba sentado cerca de la cama con las piernas extendidas delante de él. Se veía cansado y ya le aparecía la sombra de la barba.

—No me gusta que estés aquí, Lily. No deberías haber venido.

Ryland se volvió al oír el tono de voz de Gator.

—No hay necesidad de ponerse así. Lily tenía que venir. Llama es su hermana, igual que Dahlia y las otras chicas. Por supuesto que tenía que venir.

—Llama no confía en ella.

—No tiene ninguna razón para no confiar en ella —soltó Ryland.

—Shhh —advirtió Lily—. No la despertéis. Y sí tiene razones para no confiar en mí. —Se acercó al lado de la cama para tocar el brazo de Llama—. Estaba sometida a un tratamiento de quimioterapia y planeaba escaparse. Se lo dije a él. Habría muerto sin el tratamiento.

Llama abrió los ojos para mirarla, preguntándose por qué había crecido.

—Quería morir. Quería alejarme lo más posible de él.

Lily contuvo el aliento. Su mirada se encontró con la de Llama.

—Sabía que te querías morir, pero no podía dejarte. Eras mi familia. Te quería, Llama. Sé que te sentiste traicionada por contárselo, pero tenía que salvarte la vida.

Llama cerró los ojos.

—No puedo recordar aquellos días. Fueron demasiado dolorosos y los he borrado de mi memoria.

—No, Llama. No lo hiciste. *Él* lo hizo. No quería que estuviéramos cerca. No quería que tuviéramos recuerdos la una de la otra. Es por eso que duele mirar nuestro pasado o intentar recordarnos la una a la otra. Por eso no lo hacemos. Incluso nos arrebató esto. —Lily hablaba sollozando—. No lo comprendí hasta que intenté recordar por qué nunca te gusté. Sabía que había algo entre nosotras, pero no podía recordarlo. Me dolía recordar.

—No voy a volver. —Llama sonaba cansada hasta para sus propios oídos. Tal vez realmente estaba soñando, porque de lo contrario le diría a Lily lo que realmente pensaba de ella—. ¿Cómo te podías poner de su parte cuando sabías lo que nos estaba haciendo? ¿Le dijiste que estaba aquí?

—Está muerto, Llama —le aseguró Lily con su voz más tranquilizadora—. Estás perfectamente a salvo ahora.

Llama se volvió apartando su mirada de Lily para encontrarse con la de Raoul. Era su única esperanza, incluso si se quedaba atrapada en un sueño.

—No está muerto —susurró ella.

Raoul le cogió la mano y se la sostuvo.

—Lo sé, cariño. Lo sé. Todo está en su sitio. No podrá acercarse a ti.

—No puedes creer que Peter Whitney está vivo, Gator —dijo Lily entrecortadamente. Estiró la mano hacia Ryland, quien inmediatamente se la cogió—. Está muerto. Sentí cómo se moría. Lo vi a pesar de que no estaba allí. Desapareció y nadie ha encontrado ni el menor rastro de él.

—No creo que esté muerto, Lily —dijo Gator—. Lo siento, te lo podría haber dicho de otra manera, pero algo no encaja. Los hombres que nos atacaron estaban entrenados, igual que nosotros. Todos estaban reforzados genética y psíquicamente. Creo que Whitney tiene un ejército privado y que nos pusimos en su camino cuando intentaba recuperar a Llama o estaba dirigiendo una pequeña operación de campaña para ver cómo los muchachos se nos echaban encima.

Poniendo una mano de manera protectora sobre su estómago, Lily buscó detrás de ella una silla.

—Esto no puede estar pasando. Me siento como si se lo estuviera llevando todo de mí. Todo.

Tenía que estar soñando, decidió Llama. Lily lloraba tan silenciosamente, tan desesperadamente, que casi le rompió el corazón. Pero no se compadecía de ella. No volvería a confiar en Lilly nunca más, nunca sería su amiga, y jamás la llamaría hermana. Pero si no dejaba de llorar, iba a tener que encontrar el modo de arrastrarse a los pies de la cama para consolarla.

—Los hombres son tan monstruosamente inútiles —refunfuñó ella.

—Estoy embarazada, Ryland. Es demasiado tarde para dejar de intentarlo. Estoy embarazada. ¿Qué pasará si está vivo? Esto es una pesadilla.

Ryland se agachó al lado de la silla de su esposa.

—Escúchame, cariño. Esto no cambia nada. Tenemos una misión. Vamos a encontrar a las otras muchachas para protegerlas. Las encontraremos.

—Pero ¿qué pasa si todo esto es por la siguiente generación? ¿Qué pasa si...?

Se calló y de nuevo se puso a llorar, esta vez tapándose con las manos.

Llama sintió que aumentaba su terror.

Whitney era tan monstruoso como para haber creado un experimento así. Esto explicaría por qué se sentía tan atraída por Raoul. Por qué estaba en sus pensamientos en cada momento, por qué soñaba con él por la noche. Por qué su cuerpo ardía por el suyo. No podría tener hijos, ya que los tratamientos la dejaron estéril, pero todos los demás tendrían que ser protegidos.

—¿Raoul? —Deslizó una mano bajo la almohada, necesitando sentir que se podría defender. Sus dedos se encontraron con el suave borde de la empuñadura de su cuchillo envainado en una funda de cuero. Miró a Raoul, le sonrió, y se relajó un poco la tensión de su cuerpo—. Gracias.

Miró la puerta abierta de la habitación y vio a un hombre fregando el suelo. Le pareció conocerlo. Estaba segura de que era Ian, el amigo de Raoul, pero ¿por qué estaba trabajando de auxiliar del hospital? Tenía que estar soñando.

Gator se estiró a su lado en la cama teniendo mucho cuidado con su brazo roto, y le pasó el suyo alrededor de la cintura.

—De nada. Me gustas con cuchillos.

—Eres un pervertido.

Se acurrucó pegada a él, y se dejó llevar, sin importarle si estaba soñando o si Lily era real. Solo le importaba el calor de los brazos de Raoul.

El sonido de un silbido la despertó. Era desafinado y hacía que le dolieran los oídos. Abrió un ojo cautelosamente. Raoul estaba dormido a su lado; aunque no sabía cómo podía dormir con ese ruido. Era por la mañana y ni Lily ni Ryland estaban en la habitación.

—Wyatt, ¿qué estás haciendo ahora? —preguntó Raoul, con voz gruñona—. Me haces daño en los oídos.

—Te estaba advirtiendo. Tenemos compañía. No querrás que nadie te vea como un calzonazos, ¿verdad?

—¿Parezco un calzonazos?

Raoul se sentó despacio, con cuidando de no mover a Llama.

—Estás embobado. Pringado. Alucinado. No has podido dejarla sola ni siquiera después de la cirugía.

—¿Quién viene?

—*Grand-mère.* —Wyatt se arregló su ropa de hospital—. Fue de compras para Llama y le trajo todo tipo de ropa. Y Kadan fue a buscar el hidrodeslizador, recuperó su petate y lo dejó en la cabaña. Todo se ha hecho de la manera que pediste. ¿Nos vamos a mover esta noche?

—Estoy despierta —declaró Llama—. Quizá podríais preguntarme. Y tengo que ir al cuarto de baño antes de que entre tu abuela. ¿Alguien tiene un cepillo de dientes?

—Te ayudaré —le dijo Gator.

—Yo soy su enfermero —dijo Wyatt—. No hay ninguna necesidad de que hagas mi trabajo.

—Lárgate, Wyatt —dijo Llama—. Tengo algo que preguntarle a tu hermano y puede que le clave un cuchillo en el corazón cuando me conteste. No quiero testigos.

—Esa es la parte más divertida de mi trabajo —dijo Wyatt e hizo un guiño a su hermano mientras salía.

Llama se sentó despacio bastante mareada.

—Me dan medicación para el dolor, ¿verdad? Tienes que impedírselo. Tengo que ser capaz de funcionar.

Gator deslizó un brazo por su espalda.

—Siéntate un minuto a un lado de la cama.

—¿Estaba Lily aquí anoche? ¿Lily Whitney?

Volvió la cabeza y lo miró directamente a los ojos.

Gator le miró las manos, asegurándose de que no tenía el cuchillo y no estaba a punto de sacarlo de debajo de la almohada.

—No pude mantenerla alejada. Quería verte y Ryland la trajo. Le dije cómo te sentías, pero vino de todos modos.

—¿Era necesario decirle que yo estaba aquí? ¿No podías haber esperado?

—Ryland es mi oficial al mando y mi amigo. Yo estaba usando el equipo privado de Lily y él le preguntó a Kadan qué diablos estaba pasando. No podía dejar a Kadan en una posición que lo obligara a mentir por mí. Le dijimos la verdad, pero tomamos precauciones. No estuviste nunca, en ningún momento, sola. Estuve en la operación y en la UCI. Los demás protegían las puertas. Una vez que te trasladaron a la habitación, tuvimos mucho cuidado. Y no estás en sus ordenadores.

—Se llevó sangre mía.

—Le preocupa que el cáncer haya vuelto. —Vaciló un momento—. Igual que a mí, Llama.

—Deberías haberme preguntado. Claro que ha vuelto. Se suponía que volvería ¿recuerdas? —Se bajó de la cama, intentando taparse con la fina bata del hospital—. No mires. Puede que esté débil, pero todavía puedo darte una patada en el culo. Es humillante y ya estoy enfadada contigo. No tenía ningún derecho a venir a mi habitación cuando estaba inconsciente.

Él todavía estaba estremecido por su casual respuesta afirmativa a la pregunta del cáncer mientras miraba cómo se dirigía al cuarto de baño.

—Llama.

Gator no podía recuperar el aliento.

Ella se detuvo delante de la puerta.

—No quiero hablar de nada importante aquí.

—Vamos a hablar sobre esto.

—Me encanta cuando te pones como un macho alfa conmigo, Raoul —le sonrió—. Una mujer más débil podría sentirse intimidada. —Desapareció en la pequeña habitación y cerró la puerta detrás de ella—. ¿Golpeaste a aquella repugnante comadreja de James Parsons hasta convertirlo en una papilla sangrienta por mí?

—Aún no, pero está en la lista. ¿Qué diablos estaba pasando en aquel coche?

Gator se miró las manos. Quería romper algo. James Parsons le servía.

—Creo que intentó drogarme, como si ya no estuviera suficientemente destrozada, pero lo recuerdo muy vagamente.

—Le rompiste la cabeza con un vaso.

Gator saltó de la cama cuando su abuela entró en la habitación.

—¿Yo? Bien. —La voz de Llama vibró de satisfacción—. Es un cerdo asqueroso. —Abrió la puerta y salió tan fresca, al menos hasta que vio a Nonny y se puso pálida—. Nonny, no sabía que estaba aquí. —Miró a Gator expresando un voy-a-estrangularte-con-mis-propias-manos antes de sonreír cautelosamente—. Lamento mi lenguaje.

—No te preocupes. Crié a cuatro muchachos y he escuchado de todo. ¿De qué cerdo asqueroso estabas hablando?

Capítulo 14

Alguien había intentado arreglar la cabaña para convertirla en un hogar más que en un pabellón de caza. Llama sospechaba que Nonny había hecho una visita mientras estuvieron fuera. Una colcha hecha a mano hermosamente artesanal cubría la cama, y había un mantel en la pequeña mesa improvisada.

—¿Estás cansada? ¿Necesitas ir a dormir? —preguntó Gator.

—Es un brazo roto. He estado más tiempo que nunca en la cama. —Se acercó a la ventana y miró hacia fuera—. Adoro este lugar. El pantano es tan tranquilo. Creo que lo que más me gusta son las noches como esta.

—Estamos solos —anunció Gator.

Lo miró por encima del hombro.

—Soy muy consciente de eso. Todavía estás enfadado conmigo.

—Maldita sea, claro que estoy enfadado. Saliste disparada. —Tiró los guantes y todo lo que llevaba en las manos sobre la mesa y cruzó la habitación hasta quedarse detrás de ella—. ¿Sabes lo despreocupada que parecías cuando me dijiste que sabías que estabas enferma otra vez?

Llama se volvió hacia él y apoyó la espalda contra la pared.

—No había ninguna duda de que el cáncer volvería. El doctor Whitney se aseguró de eso.

A Gator se le oscureció la mirada.

—¿Lo sabías?

—No al principio, no hasta que me di cuenta de que él mismo había organizado mi escapada. —Se encogió de hombros—. Oh, no fue fácil en absoluto. Me tuvieron años en un laboratorio de Colorado. Escapé a los diecinueve años. Se aseguró de que mi huida fuera difícil para así poder registrarlo y ver qué era capaz de hacer y qué no. Lo insonorizó todo para que yo no pudiera usar el sonido contra él. Me lo puso bastante difícil, pero cuando conseguí escapar, se me ocurrió que él mismo quería que huyera. ¿De qué otra forma me podría probar en el mundo? ¿Sobre el terreno? Pero a diferencia de su querida Lily, yo no cooperaba. No me enfermó de un cáncer común; inventó uno propio. Necesitaba encontrar una manera de asegurarse que tuviera que volver a él. No se le ocurrió que estaba dispuesta a morir.

Había una determinación absoluta en su voz. Gator sintió una fuerte opresión en el corazón, tan intensa que llegó a pensar que su pecho podía explotar.

—Esa no es una opción.

Se obligaba a hablar a pesar de que le ardían los pulmones por falta de aire.

—Es la *única* opción. Nunca regresaré para que vuelva a ponerme las manos encima. Es un malvado. No me importa cuántas veces diga que su trabajo es valiosísimo para la ciencia y que salvará miles, tal vez millones, de vidas. Es un malvado.

—Llama...

—No —lo interrumpió, su cara seguía inflexible—. Sopesé mis opciones antes de escapar. Sabía que quería algo de mí y que si me iba, quizá se lo daría. Nunca pensó que sería lo suficientemente inteligente como para imaginármelo. Colocó un microchip en mi cuerpo para seguirme. Estaba aquí. Se bajó los tejanos de cintura baja que la abuela le había comprado hasta que se pudo ver el arco de llamas que aparecía a lo largo de su cadera. El tatuaje cubría una fea cicatriz.

Gator oyó un ronco aullido de protesta que resonó en su mente, y por un momento temió gritar en voz alta. Se obligó a respirar hondo.

—Te sacaste tu misma el chip del cuerpo.

—Maldita sea, claro que lo hice.

Gator quería golpear algo. Hacerlo añicos. Lanzar sus puños contra algo sólido hasta sentir dolor físico. Quizás eso podría quitarle su enorme rabia y el terror que tenía de perderla.

—Raoul. —Llama se inclinó hacía él, y puso su mano delicadamente, casi con ternura, en su pecho, sobre el corazón. Su voz era suave, tanto que él apenas oyó sus palabras—. La cabaña está temblando. Tienes que calmarte.

Gator soltó el aire, cubrió con una mano las de ella y las apretó con fuerza.

—Lo siento. No me di cuenta de que estaba perdiendo el control. Estabas a punto de marcharte, de irte a pie por esa carretera y salir del pueblo, ¿verdad? Sabiendo que podrías morir de una infección o de cáncer. Ibas a dejar que eso ocurriera.

—Te estaba protegiendo. En realidad a ambos, pero estás en una posición imposible. Eres tan... —Buscó la palabra correcta—. Galante. No puedo hacerte perder todo cuando no hay salvación para mí. No es lógico.

—A veces tengo ganas de zarandearte hasta que te tiemblen los dientes.

—Bien, intenta controlar ese impulso. —Llama se movió a su alrededor y comenzó a pasearse incansablemente por la cabaña. Sabía que los analgésicos la ponían nerviosa, pero no podía evitarlo—. Hay demasiadas cosas que necesito hacer. Los asesinos de Burrell. Mantenerme alejada de Whitney. Encontrar a Joy o al menos descubrir qué le ha sucedido.

—Hemos estado buscando a Joy, pero aún no ha aparecido ninguna información que nos pueda ayudar. —Se metió las manos en los bolsillos como si eso evitara que la agarrara—. No hemos terminado de hablar de esto.

—Bien, habla lo que quieras. Yo he terminado. Estoy realmente furiosa de que hayas dejado que esa mujer entrara en mi habitación mientras estaba... —Se interrumpió.

—¿Vulnerable? Estabas vulnerable. Dilo. Nos pasa a todos alguna vez que otra. No voy a dejarte morir porque seas tan horriblemente terca como para no ver la verdad que está delante de tus ojos.

Tuvo que hacer un esfuerzo para mantener su respiración lenta y regular. Ella conseguía hacer que se enfadara más que cualquier otra persona en la faz de la Tierra.

—¿Qué verdad? ¿La tuya? Ni siquiera sabías que Whitney estaba vivo. Eres demasiado confiado, Raoul, y eso va a hacer que te maten.

—Tal vez, *cher*, pero la falta de confianza sí que te matará a ti.

—De todos modos me voy a preparar para ir a la cama. Hace calor aquí.

Hacía calor con solo estar en la misma habitación que él. Y por alguna razón, cuando estaba enfadado ella se humedecía de deseo. Incluso le dolían los pechos. Quizás era ella la pervertida.

Gator cogió una cerveza y la abrió contra el borde de la mesa. Se arrellanó en un buen sillón y tomó un largo trago del frío líquido, deseando que enfriase su temperamento. Pasara lo que pasara, ella no iba a morir delante de él. Y no podía sacarse de la cabeza la imagen de la cicatriz debajo del tatuaje. Realmente quería besarla. Simplemente lo deseaba. Se apretó la botella contra la frente. Iba a ser una noche larga.

—¿No quieres saber por qué golpeé a James Parsons en la cabeza con el vasito de cristal? Ese maldito canalla.

Gator volvió la cabeza y deseó no haberlo hecho. Estaba de espaldas a él y llevaba una camisa a cuadros de hombre. Esta vez estaba seguro de que era suya. ¿La versión de la abuela del pijama? Ella estaba sacándose torpemente los vaqueros, se los bajaba con una mano y se ayudaba con los pies para terminar de retirar la tela de su cuerpo.

—¿Te vas a quedar ahí sentado o me vas a ayudar?

Lo miró enfurecida.

—Oh, *cher*. Voy a quedarme aquí sentado. No quiero estar cerca de ti cuando estás de tan mal humor. —Se recostó en la silla y estiró las piernas frente a él—. Me gusta bastante el espectáculo.

—Seguro.

Dio una patada a los vaqueros y salieron volando.

—Cuéntame lo de Parsons. No creí en su historia, pero no tuve tiempo de sacarle la verdad.

Ella negó con la cabeza.

—No eres el tipo de hombre para sacarle la verdad a nadie. Eres demasiado simpático.

Tomó otro trago de cerveza y la miró por encima de la botella.

—No pienses que soy tan simpático, *cher*. Si ese hombre hizo lo que pienso que hizo, va a morir accidentalmente. Te rompió la camisa, ¿no?

—Sí.

Algo profundo que mantenía escondido en su interior para el resto del mundo comenzaba a esclarecerse. Sintió rabia. Fría. Una absoluta rabia fría. Dejó la botella cuidadosamente en el suelo y se miró las manos.

—Raoul.

Escuchó cómo decía su nombre suavemente, desde una gran distancia. Apretó los puños. El hombre había estado tan cerca y de alguna forma, Gator lo había sabido. Llama nunca se habría sentado en un coche con los pechos al aire por más sangre que hubiera perdido. Si algún otro hombre le hubiera desgarrado la camisa en el pantano, se hubiera tapado antes de entrar en el coche. Tuvo el aplomo de golpear a Parsons, por lo que sin duda alguna se hubiera tapado. Iba a matar a ese hombre con sus propias manos.

—Raoul. —Esta vez su voz sonó incisiva—. Lo estás haciendo otra vez. La cabaña es vieja. ¿Quieres que se venga abajo? Es un cerdo asqueroso.

—Es un muerto viviente.

Ella suspiró suavemente.

—Hay más. Vi arañazos en el cuero y había un pendiente. El pendiente era muy especial. La madre de Joy encargó un par de ellos cuando los vio en una revista. Tenían incrustaciones de plata sobre oro. Las incrustaciones representaban un poema que a Joy le gustaba sobre Cristo apoyándola en tiempos de necesidad. —Frunció el ceño intentando recordar más detalles—. Fue extraño. Estaba muy mareada y todo parecía un sueño. —Se restregó la cara—. Todavía no puedo recordar demasiado.

—Perdiste mucha sangre y te dieron unos analgésicos muy fuertes.

Su voz tenía un tono duro y cortante. Se tragó la rabia y levantó la botella de cerveza, intentando distraerse del recuerdo de ella cubierta de sangre, de barro, amoratada, magullada, y a su rescatador desgarrándole la camisa. No podía beber lo bastante para borrar eso.

—Ahora estoy bien. Llegaste a tiempo. Mi brazo está bien.

Gator dio otro trago y señaló la mesa porque no podía pensar en eso ahora. Tenía que cambiar el rumbo de la conversación y de sus pensamientos o acabaría en la cárcel por la mañana.

—Echa un vistazo a esas fotos. Las sacó Kadan y dijo que les echaras un vistazo. Pensó que podrías ver algo que el resto no vemos.

—¿Fotos?

—En la mesa junto a los guantes.

Llama se inclinó sobre la pequeña mesa improvisada para estudiar las fotos esparcidas sobre el mantel, donde cayeron al sacarlas del sobre de papel manila. Se le subió el faldón de la camisa y dejó descubierta la parte inferior de su trasero, sus nalgas firmes y suaves con su curva deliciosa. Gator cambió las piernas de posición para aliviar el creciente dolor que sentía en la ingle. No quería avisarle que le estaba enseñando su piel desnuda y le había provocado una enorme erección.

—La madre de Joy dijo que era una fotógrafa maravillosa y tenía razón. Estas deben ser las fotos que Joy tomó del pantano y la fauna silvestre. ¿Las has visto? Son bastante buenas. Joy sacó estas fotos justo antes de desaparecer.

—Sí, *grand-mère* me contó que la familia las reveló y las llevó a la policía con la esperanza de que pudieran encontrar algunas pistas sobre su desaparición. Las otras fotos fueron tomadas en las habitaciones de las otras chicas desaparecidas. Lily las duplicó para nosotros.

La voz de Gator se había vuelto ronca y sintió que su cuerpo comenzaba a latir a conciencia.

—Hay algo aquí que no me cuadra, Raoul. Puedo sentirlo. —No miró hacia atrás pero se inclinó más hacia las fotos—. Quizá podríamos ampliar estas. Hay un pequeño trozo de papel rasgado en la esquina de esta mesilla de noche.

Gator no podía apartar la mirada de ella. Estaba mucho más expuesta ahora. Captó destellos de su incitante entrada entre las piernas apenas cubierta con un trozo de encaje negro. Levantó el pie y distraídamente se frotó la pantorrilla con él antes de volver a bajarlo, alargando un poco más su postura. El dobladillo de la camisa estaba subido por encima de su trasero y dejaba a la vista las nalgas, lo que le cortó la respiración e hizo que le ardieran los pulmones.

—¿Sabes qué creo que es? ¿Recuerdas cuándo el conductor de Parsons le entregó su tarjeta de visita para que me la diera? Creo que es parte de esa tarjeta. Solo había un número y puedo descifrar una parte del él en ese trozo de papel. Eso significa que otra chica desaparecida contactó con Parsons, su hijo o el chófer en algún momento.

—Tiene sentido, especialmente si esa serpiente tiene las pelotas de romperte la camisa. Buena puntería, por cierto. —Su voz era ronca—. Le rompiste la cara.

—Con la bebida. Pensé que intentaba drogarme. —Apoyó los codos en la mesa para estudiar varias fotografías—. No puedo creer lo nublada que tengo la mente. Sigo intentando recordar los detalles de lo que sucedió y, para ser honesta, no puedo recordarlo todo. Es tan frustrante que me dan ganas de gritar. Tengo que dejar de tomar analgésicos. Me dejan la mente nublada.

—Date tiempo, *cher*, recordarás. —Dejó la botella a un lado y se puso de pie, atraído por la suave tentación de su piel. Tenía la respiración entrecortada y la voz ronca. Se quedó directamente detrás de ella hasta que sintió el calor de su cuerpo. Llevó una mano a la parte inferior de su columna y deslizó la otra sobre la piel desnuda de su trasero. La sensación que le provocó volvió a dejarlo sin aliento—. Tengo que ver este tanga negro.

Ella no protestó. Oyó su respiración entrecortada y se quedó muy quieta permitiendo sus caricias exploradoras. Le levantó aún más la camisa hasta que pudo ver las tres tiras de cuerda negra enrollada con diminutos lazos en el medio que desaparecían entre los firmes globos de su trasero.

—¡*Mon Dieu*! ¿Esta es tu idea de ropa para dormir?

No podía alejar sus manos de ella, la acariciaba y masajeaba casi compulsivamente.

No tenía ni idea de que la mantenía virtualmente sujeta con su otra mano.

—No exactamente. Recuerda que quemaron toda mi ropa.

—*Grand-mère* no te compró esto —declaró mientras tiraba de la delgada tira de encaje que cubría todo lo que él deseaba.

—Claro que sí.

Llama cerró los ojos, repentinamente asustada por las cosas que podría hacerle a su cuerpo cuando ni siquiera había empezado. No podía moverse, no quería que parara, aunque paradójicamente, estaba aterrorizada de adónde los llevaría.

—¿Te compra estas bragas sexi y te da una camisa de hombre para dormir?

Hubo un pequeño y elocuente silencio.

—Es que no puedo ponerme lo que me mandó.

—¿Te mandó un camisón?

La mano que tenía en su columna empezó a trazar pequeños círculos, igual que las caricias que le hacía en el trasero.

Llama cerró los ojos, empujó contra su mano, y sintió que le bajaba un calor líquido y húmedo en respuesta.

—No exactamente. —Fue la única respuesta que logró decir.

Su cerebro se estaba derritiendo al igual que su cuerpo.

La mano amplió el círculo que masajeaba, subió por la espalda y de pronto se detuvo. Una llamarada de excitación se levantó entre ellos.

—*Femme sexy*. Llevas un cuchillo.

—Siempre llevo un cuchillo.

Le levantó la camisa hasta encontrar la pequeña funda de cuero pegada en su espalda. Gator se inclinó hacia adelante y le besó la columna.

—Sabes cuánto me excita.

—Todo te excita.

—Cariño, estoy tan excitado que estoy a punto de reventar los pantalones. —Se inclinó hacia adelante, justo por encima de ella, y su endurecida entrepierna apretó sus nalgas mientras sacaba el cuchillo de la funda y lo colocaba sobre la mesa—. Quiero ver el conjunto.

Su voz era tan sexi cuando susurraba arrastrando las palabras. Llama pensó que sus piernas se habían vuelto de goma. Sentía que estaba colorada desde los dedos de los pies al resto de su cuerpo. Gator se apartó y ella se tensó casi asustada de volverse, pero no podía parar.

Gator abrió la bolsa con las compras y sacó un minúsculo trozo de malla y cuero.

—¿Es esto? ¿Esto es lo que *grand-mère* te mandó para dormir? Ella asintió sin decir nada, con una mano en la garganta.

Él siguió mirando dentro de la bolsa.

—¿Qué más hay aquí?

—No mires. Por lo que más quieras, no mires —dijo ella con voz ahogada.

Abrió aún más la bolsa y sacó una pequeña paleta forrada con piel de leopardo falsa. Llama gruñó y se sonrojó aún más. Gator sacó tres bolas chinas vibradoras inalámbricas con un pequeño control remoto y unas esposas forradas en piel. Ella se cubrió la cara.

—Dios mío. Parece como si fuéramos a tener una larga noche de juego y diversión, *cher*.

—¿En qué estaba pensando tu abuela?

—Pensaba que debía hacer que avanzáramos en nuestra relación. Evidentemente quiere que tengamos sexo. —Le pasó las bragas—. Póntelas.

—Pero míralas. No puedo ponérmelas, tienen un agujero.

Le sonrió burlón.

—Lo sé. Las escogió porque no tienen tirantes y puedes ponértelas fácilmente.

—Eres un pervertido.

—Póntelas para mí, *cher*.

Gator llevó una mano hacia la parte delantera de sus vaqueros. Ella la siguió con la mirada, él se acarició desinhibidamente y se le escapó un suave gemido de excitación.

Llama se quedó inmóvil mirando el increíble trozo de cuero y malla que le pasaba. Su descarnado deseo era tan intenso, tan crudo, que se le oscurecieron los ojos hasta casi quedar negros como la medianoche. Sacudió la cabeza, sabiendo que iba a entregarse a él, sabiendo que lo único que le importaba en ese momento era complacerlo.

Tomó el conjunto y se retiró al baño, negándose a luchar para ponérselo con una sola mano delante de él. Si miraba dentro de la bolsa iba a encontrar la nata montada, los aceites y las velas aromáticas. Y sabía que iba a mirar dentro de la bolsa. Por qué eso la excitaba, no tenía idea, pero quizá ser pervertido era contagioso. Le estaba dando vueltas a eso mientras se vestía, o más bien, se desvestía. No tenía dudas de que cada vez estaba más excitada pensando en su reacción al verla con ese conjunto tan atrevido y subido de tono.

—¿Vendrás pronto o tengo que ir a buscarte?

Llama miró el pequeño montón de ropa, la enorme camisa a cuadros, el tanga negro, la funda y el arnés del cuchillo, y respiró hondo. Una vez que saliera por la puerta no habría marcha atrás.

—*Cher*. —Gator sonaba impaciente, sexi, ronco de deseo—. El suspense me está matando. ¿Quieres que vaya a buscarte?

Llama abrió la puerta y se paseó lentamente, fingiendo sentirse segura y despreocupada, como si un millón de hombres la hubieran visto vestida tan solo con un trozo de cuero y malla. La parte de cuero de su bustier le realzaba los pechos dentro de la malla negra que acababa justo debajo de sus pezones, de modo que estaba prácticamente desnuda. La malla se abría alrededor del ombligo, la entrepierna y las nalgas, pero se ajustaba a la cintura y a las costillas.

La habitación estaba oscura salvo por el resplandor de varias velas. Se sintió agradecida por eso, especialmente cuando vio que Raoul estaba completamente desnudo. Estaba muy bien dotado. No podía evitar mirarlo. Había un par de cosas que tenía que haberle mencionado antes de ponerse el cuero y la malla, pero ahora, cuando la miraba atentamente, tenía miedo de que fuera demasiado tarde. Se encontraba de pie junto a la cama y había dejado en la mesa rinconera los tontos juguetes sexuales como si pretendiera usarlos todos. El corazón de Llama se aceleró al verlos, y supo que él pudo oírlo porque le ofreció una mano.

Gator se humedeció de pronto sus labios resecos.

—*Mon Dieu*. Tienes un cuerpo hermoso —dijo haciendo un pequeño círculo con los dedos.

Ella se obligó a darse lentamente una vuelta para él, enseñando el conjunto y su cuerpo desnudo de debajo. Cuando la observaba, se le endurecieron los pezones como si fueran unas puntas apretadas y le dolieron los pechos necesitados de atención. Entonces observó cómo él se agarraba con la mano su rígido miembro erecto mientras decía algo en francés, que ella deseó haber entendido.

—Ven aquí —dijo y su cuerpo se estremeció de deseo.

Había estado con otras mujeres, pero nunca había sentido nada como eso. Nunca había deseado de esa manera. En el momento en que ella salió del baño se veía tan tremendamente sexi que se dio cuenta de que había estado aislado mucho tiempo. Ella era la luz del sol. La risa. Un buen vino y sábanas de seda, o cerveza en el pantano con una puesta de sol. Era secretos y sexo, y su propia guerrera. Ella era su igual. Era todo lo que podía desear tener frente a él.

Llama apenas podía respirar, pero no era una mujer que reculara una vez que tomaba una decisión. La miraba con la cara cargada de deseo y el cuerpo todo lo excitado que podía estar. Le extendió la mano y ella se la cogió, permitiéndole que la acercara hacia él.

Teniendo mucho cuidado con su brazo roto, Gator agarró un mechón de cabello en la mano, hizo que inclinara la cabeza y atrapó un leve suspiro de ella con su boca. Las duras puntas de sus pezones se apretaron con fuerza contra su pecho cuando su cuerpo se fundió con el suyo. Enredó su lengua con la de ella, caliente y húmeda hasta que explotó un río de deseo. La deseaba tanto que no podía ni respirar, ni pensar correctamente. Su piel era increíblemente suave pegada a la suya, y sus pequeños gemidos guturales casi lo enloquecieron.

La besó una y otra vez, duro por el deseo, hasta que ella apretó su cuerpo contra el suyo, frotando su suave vientre contra su erección. La malla rozaba su ultrasensible entrepierna haciendo que él tuviera miedo de explotar. Dejó su boca, descendió por su garganta y le mordisqueó el cuello hasta que se encontró con los montículos de crema que dejaba fuera el atuendo. Echó un vistazo a los pezones, y observó sus ojos ensombrecidos de deseo.

Ella chilló cuando su boca se cerró sobre un pezón y lo succionó con fuerza mientras sus dedos se ocupaban de su otro pecho a través de la malla. Arqueó su cuerpo hacia él, ardiendo de deseo. Gator deslizó una mano entre sus piernas, cubrió su zona húmeda, y ella tembló abrazada a él, con un deseo casi tan fuerte como el suyo. Gator se tomó su tiempo, prodigó atención a sus pechos, frotó la malla contra su piel con su barbilla y jugueteó con el ombligo con la lengua, mientras la llevaba de vuelta hacia la cama.

Cuando el borde de la cama le golpeó la parte de atrás de las rodillas, volvió hacia ella, le besó la boca, duro e insistente, evitando dejarle un instante para pensar. Ella lo había llevado hasta el mismo límite de su autocontrol y tan solo estaban empezando. Llama le devolvió el beso, igual de ansiosa que él, pero sus ojos mostraban un poco de miedo. Sin embargo, gimió entre sus brazos y movió su cuerpo con naturalidad contra el suyo, pero lo tocaba insegura.

—Me deseas. —Sus labios volvieron a sus pechos, jugueteó con la lengua y con los dientes y los chupó con fuerza, mientras sus manos les daban tirones y los masajeaban. Adoraba los sonidos animales que salían de su garganta. Miró su cuerpo enrojecido de deseo, con los pechos hinchados y los pezones duros, y la respiración tan entrecortada como la suya. Bajó su mano errante a los músculos del estómago que se contrajeron mientras sus caderas se movían incansablemente—. Pero deseo más de ti, Llama. Quiero hacerte gritar. Quiero que me desees como yo te deseo a ti. Necesito más.

Llama no podía imaginarse más. Más podría matarla. ¿Quería que gritara? Si estaba a punto de pedir misericordia entre sollozos. Su boca era tan caliente y le estaba dejando un camino de fuego a lo largo de su barriga. Prestó especial atención al tatuaje, lamió las llamas y besó la cicatriz volviéndola loca. Gator deslizó una mano más arriba de su muslo, y ella se ahogó en sensaciones que nunca había experimentado.

Sus ojos se encontraron con los de ella mientras su lengua prestaba una intensa atención a su ombligo, y entonces empezó a descender, dando besitos y provocadores mordiscos por todo el camino hasta el final de la malla. Le acarició el monte de Venus con los dedos, y ella se estremeció y se le escapó un gemido, lo que provocó que él se endureciera brutalmente casi hasta la agonía. Quería hundirse en su calidez inmediatamente, pero no antes de que ella estuviera retorciéndose sin sentido. Llama era una guerrera y necesitaba mantenerla involucrada, porque si cambiaba de idea, tendrían una pelea. Agachó la cabeza e inhaló su esencia.

—Raoul.

Había algo en su voz. Un temblor. Lo percibió mientras revoloteaba suavemente con la lengua a lo largo de su floreciente y húmeda grieta. Ella casi se apartó cuando le abrió los muslos para acomodar sus hombros. Empujó la lengua en su interior con una lenta y decidida caricia. Llama enredó sus manos en su cabello y empujó su cuerpo hacia su boca.

Sabía dulce como la miel y no podía evitar bucear más profundamente, hasta quedar satisfecho. Revoloteaba con la lengua y se la ensartaba, chupaba y jugueteaba hasta que ella se estremeció pegada a su boca, sollozando por la liberación.

Llama trató de encontrar un ancla, algo, alguna cosa que la sujetara a la tierra. No estaba preparada para su maestría y Raoul la estaba dominando antes de que pudiera recobrar el aliento, o pensar, o analizar, o hacer cualquier cosa para la que le hiciera falta tener el control. La boca de Gator era insistente, bebía de ella, se la comía, acababa con cualquier fantasía erótica y la reemplazaba por algo mucho más real. Parecía disfrutar de su sabor, gruñía de pasión, caliente, ansioso y desesperado por llegar a más.

Llama no podía recuperar el aliento mientras la atravesaban oleadas de deleite, ola tras ola de placer, su cuerpo ya no era suyo sino de él, y podía hacer lo que quisiera. Gritó mientras su estómago se contraía, así como su vientre, sus pechos y sus muslos.

—No puedo más —dijo jadeando, deseando más, necesitando más, pero con miedo a que eso pudiera matarla.

—Hay mucho más —susurró él—. Quiero estar dentro de ti, Llama. No puedo esperar más.

El sonido de su voz, el aspecto de su cara, el enorme deseo que sentía por ella casi hizo que ella llegara al límite. Llama abrió más las piernas y él se arrodilló entre ellas. El corazón le empezó a latir con

264

fuerza y el miedo se apoderó de su garganta. No se iba a entregar a él. No era así en absoluto. Se lo repitió una y otra vez, esperando. Sintió la gran cabeza de su rígida erección que se apretaba contra ella. Empujó suavemente, pero no entró, haciéndola esperar.

—Mírame.

Tragó con fuerza y sus ojos se encontraron con los de él. Ni siquiera estaba dentro de ella y ya lo sentía demasiado grande. Debería haber empezado con algo mucho más pequeño.

—No lo has hecho antes, ¿verdad?

Su voz era dura porque luchaba para controlarla.

Llama negó con la cabeza.

—¿Con quién lo iba a haber hecho?

Tenía un puño apretado en la colcha. Si se detenía, no tenía ni idea de lo que iba a hacer. Sabía mucho en teoría, pero él estaba a años luz por delante.

No debería hacer que se sintiera más posesivo por saber que ningún otro hombre la había poseído antes. Era una forma primitiva de pensar, pero estaba más allá de toda razón, y parecía que siempre era así cuando se trataba de Llama.

—Somos nosotros. Tú y yo, Llama. Y es mi elección. Te quiero por quién y qué eres, no por un experimento. Estás en mi corazón. Tienes que entender esto. Esto es solo entre nosotros.

Ella apenas podía pensar o respirar. Su cuerpo ya no era suyo. Las facciones de Gator eran inflexibles y decididas. Esperaba una respuesta. Pero ella no tenía ninguna, no sabía qué sería real cuando entrara en su vida. Nunca tuvo un hombre que la amara de la manera en que lo hacía Raoul. Su deseo era tan descarnado, tan intenso que casi no podía creer que fuera por ella. Consiguió asentir con la cabeza, levantó las caderas y buscó más, intentando aliviarse. Lo necesitaba dentro de ella ahora.

La miró a la cara cuando empezó a empujar hacia ella.

—Estás tan estrecha que me estás matando, Llama.

Y su caliente, pegajosa y aterciopelada suavidad se agarró a él como un puño. La abrió lentamente, aterrorizado de hacerle daño, siempre demasiado cerca de perder el control.

Ella pensó que estaba tomando el camino equivocado. La estaba matando, abriéndola hasta lo imposible. Picaba y ardía, pero se sentía demasiado bien. No sabía si quería rechazarlo o estrecharlo aún más.

—No te muevas.

Entonces ella se dio cuenta de que se estaba moviendo, lo apretaba con fuerza, intentando conseguir más de él, deseando todo lo de él. Sentía que sus músculos se agarraban intensamente a él, lo apretaban, y comenzaba a tener espasmos provocados por el duro deslizamiento de su miembro. Se siguió moviendo haciendo un pequeño contoneo que no podía detener. Él gemía y empujaba, traspasando la delgada barrera para alojarse profundamente en ella. Una punzada de dolor se mezcló con un estallido de placer y exhaló todo el aire en una sola ráfaga.

—Ahora todo va bien.

La voz de Gator sonaba tensa. Se movía hacia adelante y hacia atrás, y ella contenía el aliento al empezar a sentir su ardiente fricción. Entró en ella profunda y duramente, haciéndola gritar. Pasó los brazos por debajo de sus muslos para tener un mejor ángulo cada vez que bombeaba contra sus apretados pliegues, y siguió oyendo su gemido entrecortado una y otra vez. Parecía vibrar a través de su cuerpo y en el centro de su entrepierna aumentando su placer.

Su cuerpo se apretó a su miembro hasta que Gator sintió que la frente se le perlaba de sudor por la intensidad de las sensaciones que lo atravesaban. Ella estaba tan caliente, y verla tumbada debajo de él, con el cuerpo entregado exclusivamente para darle placer era suficiente para dejarlo fuera de sí. Cada vez que empujaba dentro de ella, sus pechos redondos se balanceaban y sus pezones se endurecían de deseo... por él. Ella tenía los ojos ligeramente vidriosos y la respiración entrecortada. Sus pequeños y suaves gemidos lo enloquecían, vibraban a través de su cuerpo, e hinchaban su miembro más de lo que nunca había experimentado.

Gator no quería parar, quería estar siempre así, era su idea del paraíso, empujando adelante y atrás su apretado cuerpo con duras y profundas embestidas, observando el efecto de su cuerpo cuando se acercaba el éxtasis que se iba a apoderar de ella, pensando que era suya. Solo suya. Se estaba abriendo en cuerpo, mente y corazón cuando nunca había dejado acercarse a nadie. Solo eso le producía una enorme excitación.

Las paredes de su canal se apretaron de forma imposible a su miembro con fuertes y profundos espasmos, contrayéndose y estrujándolo, hasta que a los dos les llegó el orgasmo, dejándolo sin el pequeño control que le quedaba. Se hinchó de una manera imposible, sus testículos ya no aguantaron más y entonces eyaculó con fuerza, palpitó dentro de ella, y una única y larga nota de éxtasis se escapó de su garganta. El orgasmo parecía interminable, un despiadado volcán manaba a través de su cuerpo y dentro del de ella que sollozaba y se agarraba a la colcha intentando soportar ese exquisito tormento.

Llama no podía creer que su cuerpo fuera a poder detener sus increíbles espasmos. Ola tras ola de puro placer se apoderaba de su cuerpo, y cuando creyó que amainaban, él se movió, solo un poquito, y una serie descargas inmediatamente la atravesaron, estremeciéndola y haciéndole sentir que todo temblaba. Se aferró a él, sorprendida de que pudiera hacer que su cuerpo se volviera tan receptivo, tan sensible y tan increíblemente caliente.

Gator la miró sobrecogido.

—*Mon Dieu, cher*. Mátame ahora y me iré feliz. —Se derrumbó encima de ella y deslizó la parte superior de su cuerpo a un lado para evitar hacerle daño en el brazo—. Eres increíble.

—¿De verdad? —dijo Llama, sonriendo con satisfacción—. Y no dejes que se me olvide decirle a tu abuela que la malla no es para nada cómoda.

Él le besó en el cuello.

—¿Qué me dices del cuero?

—Pica cuando está húmedo.

—De todas formas yo duermo con nada. Tú tampoco necesitas nada.

Gator se apoyó en un codo y se dispuso a arrancar el trozo de cuero. Este quedó en su mano tras un pequeño contoneo por parte de ella para poder sacarlo, y dejó su tórax envuelto en cuero.

—Ahora parezco una salchicha —anunció Llama y estalló en risas.

Gator restregó su cara contra sus pechos, y su mandíbula con un poco de barba le raspó los pezones.

—No deberías decir eso. Creo que te ves muy sexi

Ella no podía parar de reír, a pesar de que el movimiento le producía estremecimientos por todo el cuerpo.

—Estás loco. Abre la cremallera.

—No sé, *cher*. —Su acento se volvió espeso. El cuerpo de Llama se liberó de mala gana de su cómoda funda y él suspiró suavemente—. Creo que te queda bien el cuero.

Revoloteó ligeramente sobre sus pezones con la lengua y hundió la boca en el valle de sus pechos.

Todavía riéndose, Llama alcanzó el cuchillo de la mesa que estaba al lado de la cama en el mismo momento en que él recogió el bote de nata.

—Eres un monstruo, Raoul. ¿Qué crees que vas hacer con eso?

—Ampliar mis horizontes. —Trazó con los dedos las llamas del tatuaje mientras agitaba el bote—. ¿Qué crees que vas a hacer con ese cuchillo?

El tono de su voz era más bajo, ronco y francamente sensual.

Llama deslizó la punta afilada de la navaja a lo largo del borde del cuero y se liberó del transgresor material.

—Nada emocionante, créeme. —La risa empezó a superarla otra vez. No podía evitarlo. Él parecía tan ansioso—. Deja la latita de nata, voy a dormir. Me voy a dormir.

Gator trazó el contorno del tatuaje con la nata, se agachó y lo lamió.

—Buena marca.

—Bien, entonces está bien.

—Deja de retorcerte. Estoy dibujando una obra maestra. Esto es arte. —Usó la nata para dibujar una cara feliz en su bajo vientre. Esta vez cuando la lamió ella cerró los ojos y él pudo sentir el estremecimiento de placer que recorrió su cuerpo—. Tengo montones de cosas para jugar, Llama. Sigue a lo tuyo, ponte a dormir, y cuando crea que necesito despertarte, encontraré una manera de hacerlo que te gustará.

—No puedo dormir si me estás untando de nata por todo el cuerpo.

Esta vez dibujó la parte de arriba del bikini sobre sus senos y se inclinó a lamerlos. La lengua le raspaba la piel y la aureola de su pezón. Le dio un suave tirón con los dientes. Su útero se contrajo y se apretó con fuerza en respuesta. Llama enredó los dedos en su cabello y cerró los ojos, entregándose a las sensaciones de su lengua y sus dientes, el húmedo calor de su boca y sus manos exploradoras.

—No estarás pensando utilizar esos ridículos juguetes, ¿verdad?

—Diablos, pero si ya los estamos usando.

Ella abrió un ojo.

—Hablo de las esposas y la paleta.

—No hay nada que hacer, *femme* sexi, soy más fuerte que tú. —Le acarició el trasero—. Tengo mis propios planes.

—Eres tan ganso. —Por primera vez en su vida, Llama se sentía verdaderamente feliz. Y esperaba que fuera una noche muy larga—. Solo recuerda quién tiene el cuchillo.

Capítulo 15

*L*lama despertó con el corazón retumbando en los oídos. Las pesadillas habían invadido sus sensuales sueños y la habían dejado sin aliento. Estaba quieta y mirando hacia el tosco techo cuando faltaba más o menos una hora para que amaneciera. Nunca se había permitido a sí misma estar tan cerca de nadie. Tenía antiguas amistades, se permitía disfrutar con la gente, pero nunca había tenido una relación seria ni había necesitado a nadie. Nunca se arriesgó a querer algo tanto que no lo pudiera dejar atrás, así que para ella no tenía sentido que querer estar con una persona pudiera ser lo bastante importante como para arriesgar su libertad.

Se frotó distraídamente el brazo roto mientras escuchaba la respiración de Raoul. Su brazo le rodeaba el cuerpo posesivamente, y tenía una mano sobre un pecho. Podía sentir el roce de sus nudillos e incluso ese pequeño contacto hizo que se excitara. Tenía poder sobre ella tanto si lo sabía como si no. Llama intentó ser despiadada al analizar sus propios sentimientos. No quería dejar a Raoul. Intentó ser analítica y lógica.

¿Qué futuro podrían tener juntos? Podía solicitar la ayuda de un médico convencional. Eso significaría comprar tiempo, pero no le curaría el cáncer. Solo Whitney podía hacerlo. Y acudir a un médico podría revelar su refuerzo genético y todo lo que Whitney había hecho. Eso podría ponerla bajo los focos y el gobierno caería en picado sobre ella y la recuperaría. Valía demasiado dinero y, evidentemente, pensarían que sería demasiado peligroso dejarla suelta.

Salió de debajo de Raoul y se deslizó hasta el borde de la cama. En el momento en que se incorporó fue consciente de su cuerpo, deliciosamente dolorido, extrañamente estimulado, como si muy profundamente en su interior algo se hubiera movido en sus partes más sensibles. Raoul había estado tan ansioso por conseguir su cuerpo, por no dejar nada entre ellos, que sus manos seguían vagando por ella incluso cuando su apetito sexual estaba temporalmente saciado. Y nunca parecía estar satisfecho durante mucho tiempo, por lo que la había despertado una y otra vez durante la noche.

Como si leyera sus pensamientos, el brazo de Raoul serpenteó alrededor de su cintura.

—Todavía no hay luz.

Ella cerró los ojos al oír el sonido de su voz, disfrutó de su acento cajún y de su tono aterciopelado.

—Casi.

—No terminamos de jugar con todos los juguetes, *cher*. —La sedujo dándole un beso en la cicatriz de su cadera, justo en medio de las llamas—. Estaba pensando que podríamos jugar un rato con las esposas.

Llama giró la cabeza para mirarlo con lo que esperaba fuera una mirada severa. Lamentablemente, siempre hacía que se quisiera reír. Él parecía pecaminosamente sexi, un poco pícaro, aunque su expectación era casi la de un muchacho.

—Ni en tus más salvajes sueños.

—Vale cariño. El concepto en que se basan las esposas es una cuestión de control. A mí me gusta el control. Y la idea de tenerte arrodillada delante mío, con las manos a la espalda, indefensa, de manera que pueda hacer todo lo que quiera con tu cuerpo, me pone duro y caliente como el infierno.

Ella se echó a reír.

—Realmente eres un monstruo pervertido, Raoul, y honestamente, cualquier cosa te pone caliente como el infierno.

—No sabes ni la mitad, *cher*.

Raoul cogió casualmente el pequeño mando de la mesita de noche y giró el interruptor.

A Llama se le atascó la respiración en la garganta y enseguida se dio la vuelta con los ojos muy abiertos, pues las pequeñas bolas chinas profundamente introducidas en su cuerpo empezaron a vibrar.

—¿Qué me hiciste?

—Estabas durmiendo tan profundamente y cansada después de todos los juegos que hicimos y no quería despertarte. Fue tan tremendamente erótico meterte las bolas. ¿Se sienten bien? —Lamió la cicatriz, y siguió dando mordisquitos hasta llegar al tórax—. Dime cómo lo sientes. —Se echó atrás nuevamente y sus oscuros ojos vagaron taciturnos por su cara, observando su expresión—. Hasta cuando duermes estás húmeda y sabes a miel. Deseaba hacer tantas cosas anoche pero no quería asustarte.

Cada movimiento de su cuerpo hacía que las bolas chinas rebotaran hasta que se pusieron a vibrar sobre su punto más sensible, desencadenando un torrente de calor líquido. Se le contrajeron los músculos del útero y del estómago, y un inesperado orgasmo comenzó a poseerla y a hacer que jadeara.

—Oh, sí, lo sientes bien —susurró Gator y deslizó la lengua sobre un pezón—. Mira esto. —Su mano rodeó su gruesa erección y la levantó hacia ella—. Cada vez que te veo, o te huelo, o incluso cuando oigo tu voz, esto es lo que me provocas. Cógela con las manos, con la boca. Quiero que te la metas a la boca.

—No sé cómo.

—No te preocupes, *cher*, soy un muy buen maestro. —Usando el control remoto cambió la posición del interruptor de forma que las bolas vibraran suavemente entre las paredes de su apretado canal. Sus manos se enredaron en su cabello y guiaron su cabeza hacia abajo. Cerró los ojos cuando su lengua le lamió las perladas gotas de su miembro—. Joder, Llama. Tal vez no sea capaz de sobrevivir a la lección.

Llama lo miró a la cara, y soltó el aliento. Tenía tanto poder sobre él. Era sorprendente y lo que él deseaba era algo que le producía curiosidad. Él ya conocía su cuerpo íntimamente, y ahora ella quería conocer el de él de la misma forma.

Gator usó las manos que le sujetaban el cabello para guiar sus movimientos, y ella lentamente lamió, besó y mordisqueó, y se armó de valor antes de introducirlo profundamente en el calor de su boca. Él gruñó, incapaz de evitar emitir ese sonido. Llama tenía un buen instinto y no le costaría mucho imaginarse observando sus reacciones, qué era lo que le gustaba y lo que le encantaba.

Gator echó la cabeza atrás, y un lento y ahogado gemido salió de su garganta. Llama nunca hacía nada a medias y aprendía rápido. Empezó dulce y vacilante. Era una mezcla de inocencia y sirena, y ya se lo había metido muy profundamente, lo succionaba con fuerza y usaba la lengua para atormentarlo y juguetear con él. Él había planeado solo una lección muy corta, pero su mano acariciaba y apretaba sus testículos, rodeaba su miembro y hacía lo mismo mientras su boca trabajaba mágicamente sobre él. Dos veces sintió el apretón de la garganta de Llama mientras ella se deslizaba lentamente hasta sentir que casi se le paraba el corazón. Podía sentir que sus testículos se apretaban cada vez más hasta que estuvo seguro de que iba a explotar.

Hizo lo único que se le ocurrió hacer para evitar acabar demasiado pronto. Quería estar dentro de su cuerpo y darle tanto placer que ella no pensara nunca en dejarlo. Tenía tiempo para todo lo demás. Años, esperaba. Años de su boca y cuerpo, y su suave y sexi risa y de su frescura. Movió el interruptor del control remoto de las bolas chinas para que vibraran intensamente y se movieran, palpitaran y presionaran sus sensibles terminaciones nerviosas.

Llama se balanceó apoyada en los talones, gritando mientras sus músculos sufrían espasmos y se contraían. Un temblor recorrió su cuerpo.

—Raoul.

La agarró por la cintura y tiró suavemente de ella hasta que quedó doblada a un lado de la cama.

—Cuida tu brazo, *cher*. Quiero que estés cómoda. —Se puso detrás y le acarició el trasero—. Amo tu culo. Fantaseo sobre él todo el tiempo.

—Deja de hablar y haz algo.

Casi dio la orden entre sollozos, incapaz de estar quieta con su cuerpo encendido orgasmo tras orgasmo.

Apagó el control remoto y se agachó para tirar del cordón. Ella jadeaba mientras una por una las bolas se deslizaron por sus sensibles terminaciones nerviosas provocándole una segunda sacudida de placer.

—Estás tan mojada, Llama, tan caliente. —Se apretó contra ella, cogió sus caderas, la atrajo hacia él y empujó hacia delante—. Tan tremendamente apretada.

Enseguida volvió a sumergirse en ella, empujó su miembro a través de sus apretados pliegues, completamente duro, la llenó y frotó sus estimuladas terminaciones nerviosas, y ella no pudo evitar intentar tomar el control del ritmo. Estaba frenética, arremetía contra él, lo montaba con fuerza mientras su cuerpo parecía cada vez más apretado. Sentía en todos lados, en sus piernas, en sus pechos, pero especialmente entre sus muslos, la feroz espiral de placer fuera de control. Oleada tras oleada la estremecía.

De pronto Gator se quedó quieto, sus manos masajearon y sobaron su trasero con su miembro profundamente enterrado dentro de ella, que empujaba contra él desesperada por aliviarse.

—¿Qué estás haciendo?

—Sencillamente no puedo más, *cher*. Soy un hombre débil y la tentación es demasiado fuerte para mí.

Ella sentía cómo crecía dentro de su cuerpo, y era evidente su excitación. De nuevo sentía que era demasiado grande al chocar contra su útero, demasiado grueso y apretado en su estrecho canal. Llama lo miró por encima del hombro y abrió los ojos como platos cuando lo vio agarrar la paleta forrada con piel de leopardo.

—Si quieres seguir vivo, no te atrevas.

—Entonces voy a morir en el paraíso.

Golpeó su trasero desnudo con la paleta.

Llama apretó los dientes.

—Hazlo de nuevo y te romperé esa cosa en la cabeza.

La paleta salió volando.

—A mí tampoco me gusta mucho. Por supuesto —su mano masajeó de nuevo su trasero—, si fuera a darte una azotaina lo haría con mis propias manos y así podría sentirte... y tú podrías sentirme. Esto sería sensual, no impersonal. Eso es lo que estaba mal.

—¡Raoul!

Llama gimió su nombre, volvió a montarlo, movió sus caderas para intentar someterlo, y aplastó su cuerpo contra el suyo emitiendo pequeños sollozos de deseo. Iba a tener que obligarlo a seguir haciéndolo.

Su mano cayó contra su culo desnudo, y ella sintió una llamarada de inesperado calor y después una caricia cuando su palma frotó el mismo lugar. Sus tensos músculos se contrajeron alrededor de él y lo bañó un nuevo torrente de líquido. Antes de que ella pudiera protestar, él empujó y se movió sin piedad en su caliente funda, dura y profundamente, una y otra vez.

Llama no podía respirar, ni podía pensar. Solo sentir. Se le escapó un gemido de placer cuando el clímax desgarró su cuerpo con tanta fuerza que se hubiera caído si Raoul no la hubiera estado agarrando firmemente por las caderas. Sus músculos se contrajeron sobre él, lo apretaron con fuerza, estrujándolo tan calientemente que oyó cómo su respiración explotaba en sus pulmones.

Él juró en cajún, soltó un largo gruñido, una gutural maldición mientras su miembro crecía más y más hasta que se quedó en puntillas, apretó los dientes y se estremeció de placer mientras su cuerpo se sacudía y liberaba de manera violenta y explosiva.

Llama cayó boca abajo a un lado de la cama, con la gruesa erección de Raoul todavía enterrada profundamente dentro de ella; su cuerpo la envolvía mientras ambos jadeaban, intentando llevar aire a sus ardientes pulmones y calmar la salvaje tormenta que había estallado en sus cuerpos. Espasmo tras espasmo implacablemente tensos, ambos tenían estremecimientos, incluso cuando estaban quietos. Ella sentía que su cuerpo palpitaba pegada a él, deseando más, pero ya estaba exhausta.

El amanecer había entrado en la habitación y la primera luz de la mañana se derramaba sobre ellos, trayendo cierta forma de cordura. Ella sentía el ardor de las lágrimas. Quería pasar su vida allí, en esta cabaña, lejos de la locura de quién y qué era ella, pero era imposible. ¿Cómo podría aguantar sabiendo lo que había sido estar con él? ¿Tenerlo? ¿Tener una familia?

Raoul podría darle todo el placer del mundo. Y siempre podría hacerla reír, y hacer que se sintiera segura y protegida.

—¿Estás llorando? —Sus manos acariciaron su cabello—. No te hice daño, ¿verdad?

Ella movió la cabeza. ¿Cómo podría decirle la verdad? Claro que le había hecho daño. Le había mostrado el paraíso e iba a tener que dejarlo. Sus manos recorrían su cuerpo, y se entretenían en los lados de sus pechos.

Hasta aquel pequeño roce hacía que otras pequeñas réplicas recorrieran su cuerpo. Su boca jugueteaba con su nuca, sus manos acariciaban su culo, y tenía los dedos metidos en su zona más cálida, que al frotarla le producía algunas réplicas más fuertes.

—Amo esto —susurró Gator junto a su columna—. Amo cómo estás de caliente y mojada por mí y cómo, cuando te toco y estoy hundido dentro de ti, todos tus músculos me agarran como si me estuvieras sujetando dentro de ti y no quisieras dejarme ir.

Ella giró la cabeza hacia el otro lado, y la apoyó en la colcha. Parecía exhausta, saciada, somnolienta y sexi a la vez. La visión que le ofrecía hacía que a Gator le doliera la garganta y le ardieran los ojos. Se había sentido vacío durante demasiado tiempo, necesitando algo sin siquiera saberlo. Llama era un milagro, un regalo de una vez en la vida, y no estaba lo bastante loco como para dejar que se le escurriera entre los dedos.

Su cuerpo se relajó lentamente, permitiéndole suficiente tiempo para disfrutar de las oleadas de placer que recorrían el cuerpo de Llama. La ayudó a sentarse en el borde de la cama, y una lenta sonrisa apareció en su cara mientras estudiaba la habitación. Olía a sexo y a velas, y Gator inhaló para poder recordar siempre ese excitante aroma.

Ella parecía frágil aunque sabía que no lo era. Todo lo varonil que había en él se despertó deseando protegerla, lo que era gracioso, porque cuando conseguía cabrearlo, todo en él deseaba dominarla. Hacía que sacara emociones extremas y le hacía sentir vivo. Le hacía querer estar vivo.

Deslizó un dedo por un pecho y se acercó para meterse la punta en la boca, mordisqueó dulcemente y tiró del pezón, y después lo lamió. Sintió el escalofrío que recorrió el cuerpo de Llama, y la satisfacción masculina fue instantánea.

—No podemos quedarnos aquí todo el día —dijo ella.

Él sintió su retirada, un pequeño repliegue femenino, con su cuerpo moviéndose a centímetros del suyo, pero definitivamente diciéndole algo. Gator sujetó su barbilla con la mano.

—Seguro que podemos. Acabas de salir del hospital y tienes derecho a un día o dos de descanso. Hasta con los analgésicos, sé que ese brazo tiene que doler.

Una débil sonrisa curvó los labios de Llama, pero no se reflejó en sus ojos. Y evitó mirarlo.

—¿A esto llamas descansar?

Deliberadamente, para probarse a sí mismo que podía, volvió a llevar su boca a un pecho, esta vez chupó con fuerza y puso una mano sobre su estómago para sentir las contracciones que la atravesaban cuando la tocaba. Le encantaba tener ese poder, hacer que se estremeciera de deseo inmediato cuando la acababa de poseer. Le llevó un momento o dos darse cuenta de lo que aquello significaba. Ella todavía estaba intentando retirarse y él afirmando su dominio. Frustrado, retrocedió, observando cómo le apartaba la cara con una mezcla mortal de miedo y angustia.

—¿Qué ocurre, Llama?

Ella miraba fijamente por la ventana, negándose a mirarlo.

—Esto no cambia nada, lo sabes.

—¿*Qué* no cambia nada?

Gator no pudo evitar que su voz sonara desafiante.

De ninguna manera iba a dormir con él para luego *despacharlo*.

Llama finalmente giró la cabeza y lo miró.

—Sabes exactamente lo que quiero decir. Nosotros...

—No te *atrevas* a utilizar la palabra con efe. Te hice el amor toda la noche *y* esta mañana, y sabías que eso era exactamente lo que estaba haciendo. No se te ocurra llamarlo de cualquier otra manera.

Ella levantó la ceja.

—¿La palabra con efe? No estabas tan asustado de usar la palabra el otro día o incluso la noche pasada. Yo iba a decir que había *dormido* contigo. Eres tan impulsivo. Dormimos juntos, eso es todo.

—Te lo juro, Llama, nunca había conocido a nadie que me volviera tan loco como tú. No voy a permitir que me dejes después de lo de anoche.

Sus oscuros ojos brillaban al mirarla.

Ella se encogió de hombros todo lo tranquila que pudo.

—Estoy segura de que has rechazado a montones de mujeres después de dormir con ellas. No hagas como que estás tan indignado.

Estaba enfadado. Sentía que la rabia le removía las tripas y se apoderaba de él, aunque luchaba para controlarla. Se dio la vuelta, paseó por la habitación mientras sus dedos se morían de ganas de zarandearla. Podía pretender mostrarse despreocupada acerca de lo que estaba ocurriendo entre ellos todo lo que quisiera, pero eso era... fingir.

—Estás comportándote como una maldita cobarde, Llama, y eso te rebaja.

Respiró apretando los dientes y se giró mientras sus hermosos ojos casi lanzaban chispas.

—No te atrevas a llamarme cobarde. No sabes nada de mí. Tu ego está un poco herido porque no he caído a tus pies como las otras mujeres que te has llevado a la cama y después abandonaste.

Gator se acercó, sin preocuparse de que las paredes de la cabaña se expandían y contraían y de que bajo sus pies, el suelo se movía inquietantemente.

—¿Crees que no sé que me deseas tanto como te deseo a ti? Demonios, querida, no tienes ni de cerca la experiencia que tengo yo.

Llama respiró hondo y rápidamente apartó la cara, pero no antes de que él viera el dolor que mostraban sus ojos.

—*Fils de putin.* —Gator se pasó la mano por la cara. Esto era culpa suya, no de ella. Él era el experimentado, sin embargo, había estado tan fuera de control, deseándola tan desesperadamente que había actuado como un ciervo en época de celo. ¿Cómo podía saber que había estado haciéndole el amor cuando no había sido tierno ni gentil?—. Llama... —comenzó a decir, sin encontrar palabras. No había hablado de sentimientos. Simplemente *había sentido*—. Te hice el amor. Ese era yo haciéndote el amor y tal vez merecieras una iniciación diferente, pero intentaba hacerte sentir amada. No soy demasiado civilizado y no puedo expresar correctamente lo que he estado sintiendo todo el tiempo, pero...

Ella apartó la cabeza y él advirtió el brillo de sus lágrimas.

—No, Raoul. Esta soy yo muy asustada, no tú haciendo algo equivocado. —Se enrolló con la sábana pues de pronto se sentía muy vulnerable—. Estoy asustada de ti, de cómo me haces sentir. Cuando estoy asustada, tengo tendencia a escapar. Y si no puedo escapar, entonces me pongo a la defensiva.

—No te sientes avergonzada conmigo, ¿verdad? Porque las cosas que hicimos son naturales. No hicimos nada malo.

Ella negó con la cabeza.

—No, no estoy avergonzada. —Y más que nada quería hacerlo todo de nuevo con él—. Solo estoy... confusa. Siempre he tenido un plan y siempre estoy en movimiento. No sé cómo parar. No sé si puedo parar, ni siquiera si es seguro detenerme, aunque sea por un rato.

—Está bien estar confundido, *cher*. Puedo vivir con la confusión. Lo que no puedo soportar es que me dejes. Tal vez ambos estamos un poco asustados, pero creo que debemos intentarlo.

Estaba de pie delante de ella, totalmente desnudo y cómodo así, absolutamente tentador para ella. Era imposible sentirse avergonzada con él porque la hacía sentir hermosa y cómoda en su propia piel, con su propia sexualidad. No pedía excusas por las cosas que quería de su cuerpo, pero más que eso, con la forma en que la miraba, por sus ojos llenos de deseo y ganas de poseerla, a los que no podía evitar responder.

Él extendió la mano.

—Necesitamos una ducha. No nos preocupemos de lo que no podemos cambiar, *cher*. Uno no se deshace de algo como esto.

—¿Como esto? —repitió ella.

Gator suspiró.

—¿Por qué las mujeres siempre te obligan a decir cosas? —Cogió su mano y la arrastró hasta ponerla de pie—. Si estoy haciendo el amor contigo, cariño, es porque estoy enamorado de ti. Vamos, todavía estas un poco pringosa por la nata montada.

Llama no se permitió pensar acerca del futuro mientras el agua caliente caía sobre ella. Raoul insistió en ponerle champú en el pelo, usando su brazo roto como excusa, y cuando le enjabonó el cuerpo, sus manos se entretuvieron en sus lugares íntimos. Le hizo el amor de manera mucho más suave, sin ese ritmo salvaje y frenético, pero no menos intenso. Ella deseaba gritar por la manera cómo la hacía sentir.

—Todo va a estar bien —susurró pegado a ella.

Ella sabía que algún sonido se le había escapado sin darse cuenta. La vida no era tan sencilla y despreocupada en otras partes como lo era en el *bayou*, pero no iba a pensar más en ello. Se quedaría con Raoul tanto como pudiera.

Las ropas que su abuela había comprado para ella eran de muy buen gusto, y contrastaban con el extraño atuendo de cuero y malla. Se vistió con una camiseta sin mangas azul pálido y frunció el ceño a Raoul.

—¿Estás *seguro* de que no tienes nada que ver con aquella bolsa de juguetes sexuales? No me puedo imaginar a tu abuela en una tienda de esas. Quiero decir que eres un pervertido y eso tiene que venirte de algún lado, pero no parece algo que ella pudiera hacer.

Gator se subió los pantalones hasta las caderas y se los abotonó; le importaba tan poco vestirse delante de ella como estar desnudo.

—Ahora que lo dices, nunca imaginé que ni siquiera supiera que existían cosas como esas tiendas, pero no la subestimemos. Quiere que estemos juntos y es muy astuta.

Llama agachó la cabeza.

—Quiere que tengas hijos, Raoul. No quiere que estés *conmigo*. Le voy a decir la verdad. Merece saberla.

Raoul se detuvo, con las manos en el último botón de los pantalones.

—No te pongas tan enfadada y molesta, *cher*, ya sabe la verdad. Le conté un poco acerca de ti cuando estabas en el hospital y me aseguré de que supiera que no podías tener niños.

—Entonces, por qué... —Señaló las velas y los restos de malla y cuero—. ¿Por qué querría que tuviéramos cualquier tipo de relación, por no hablar ya de algo más serio?

—Porque me haces feliz —dijo sencillamente y sus oscuros ojos se encontraron con los de ella.

Llama movió la cabeza.

—Eres tan ganso, Raoul. No tengo ni idea de por qué te hago feliz. No eres una persona muy lógica, ¿verdad?

Gator le sonrió mientras sacaba las esposas forradas de piel.

—Todavía tenemos esto, *cher*. Me harás muy feliz cuando seas mi pequeña esclava sexual —dijo mirándola con lascivia mientras le mostraba las esposas colgando de su mano.

Llama volvió a reírse, sacudiendo la cabeza exactamente como él sabía que haría.

—Vas a tener que ayudarme con la cremallera de estos vaqueros.

Eran tan solo un poco más ajustados que los que llevaba normalmente.

Raoul dejó caer las esposas en la cama, cruzó la habitación hasta quedar frente a ella y le subió el cierre obedientemente. Ella de pronto se quedó sin aliento.

—¿Demasiado apretados? —Gator retrocedió un paso para mirarla—. No parecen demasiado estrechos.

—Esclava sexual. —Repitió las palabras en voz alta—. Había correas en aquel coche. Y una cámara. Fue cuando James me rompió la camisa. —Lo miró recuperando los recuerdos—. Eso es lo que están haciendo. Drogan a la chica, tienen sexo con ella, y la graban. Probablemente la humillan y la tienen encerrada mientras la convierten en una adicta a las drogas. La están usando como su esclava sexual, Raoul. Debe estar en algún lugar del pantano.

—¿Crees que la han mantenido con vida todo este tiempo?

—¿Por qué no? El pantano es un lugar muy grande. La usan durante un tiempo, hacen unas cuantas grabaciones, la tienen enganchada a las drogas y después... —Su voz se apagó.

—¿Después la asesinan?

—Quizá. Quizá no. ¿Recuerdas los minidiscos que encontré en la caja fuerte de Saunders? —Se frotó las sienes y se acomodó en el borde de la cama—. Está volviéndome todo ahora. Vi aquellos mismos discos en el coche. ¿Y si ellos convierten a las chicas en estrellas porno, o prostitutas, o las venden como esclavas sexuales? Se las quedan, las aterrorizan, las enganchan a las drogas, las degradan y las usan. Las amenazan con las películas, y finalmente la mujer probablemente hará lo que ellos le digan.

—Eso es un gran avance, Llama.

—El coche era una trampa para mujeres. Esto no puede tratarse de una violación casual, Raoul. El chófer está metido en esto. Solo la instalación de la cámara requiere mucho dinero. Está bien escondida. Oí el zumbido, si no nunca me hubiera dado cuenta. Estos estúpidos calmantes. Si no hubiera estado tan atontada por la operación, habría recordado cada detalle.

—Si hubiera más chicas desaparecidas nosotros lo sabríamos.

—¿Por qué lo ibais a saber? Mi hipótesis es que ellos normalmente no cogen a las mujeres cerca de su casa. Probablemente la primera chica fue raptada porque su voz les desencadenó el deseo, y quienquiera que sea el cabecilla no pudo resistirse.

—Y entonces Joy hizo lo mismo. —Gator se pasó los dedos por el cabello muy nervioso—. ¿Crees que el viejo lo sabe?

—¿Cómo podría no saberlo? Su hijo. Su chófer.

—Podríamos estar equivocados en esto, Llama. Tenemos que ir despacio y asegurarnos. Parsons tiene muchos contactos políticos. Si cometemos un error, podríamos tener problemas. James Parsons podría ser solo un simple cerdo sórdido. No lo veo como el tipo de hombre que cometería un delito de esa magnitud.

—Estoy de acuerdo. Pero quiere sentirse importante. Y le encantaría engañar a su padre, si sé algo sobre la gente. Es un niño mimado que quiere seguir su propio camino. El chófer es el cerebro. Y lleva a Emanuel Parsons a todas partes. Así que probablemente conoce cada detalle privado de sus vidas. Si puede filmar a James con una cámara, drogando y violando a una mujer, ¿qué piensas que haría papá para proteger a su hijo?

Gator sacudió la cabeza.

—Esto es un gran avance, Llama.

—Tú no estuviste en aquel coche. Sé que era el pendiente de Joy.

—Y James Parsons podría decir que era su novia y que habían tenido un montón de sexo en el asiento trasero del coche. O podría decir simplemente que ella se subió al coche.

—Bien, tal vez deberíamos ir a casa de tu abuela y ver esos discos. Tengo la firme creencia de que esos babosos salen juntos. Hay una razón para que Emanuel Parsons esté visitando a Saunders.

—Lo está investigando por blanqueo de dinero.

—Esa es la versión oficial. ¿Cuál es la real? ¿Por qué fue a su casa tan tarde por la noche? No había una fiesta, ni ningún evento social. He pensado mucho en aquella noche. Estaba distraída sabiendo que estabas allí, pero Parsons no fue para cenar. Saunders estaba en su torre de marfil trabajando hasta tarde. No llegó nadie más. No había una atmósfera del tipo nos-hemos-reunido-para-tomar-unas-copas y Saunders descubrió que el dinero había desaparecido *antes* de que Parsons se fuera. Escuché a los guardas hablar sobre el robo, así que cualquier asunto que tuviera con Saunders aquella noche estaba relacionado con lo que hubiera en la caja fuerte.

Se miraron el uno al otro.

—Los discos —dijo él.

Ella asintió con la cabeza.

—Tiene que ser eso. No podía haber abierto la caja para sacar documentos, porque no los había. Yo los hubiera cogido. Y, por qué estaría Saunders entregando dinero a Parsons a menos que lo estuviera sobornando, lo que sin duda es una posibilidad.

Gator sacudió la cabeza.

—Improbable. Saunders es un asesino, claro y simple. Cuando algo, o alguien, se cruza en su camino, lo primero que piensa es en eliminarlo.

Llama se quedó muy quieta y se llevó una mano defensivamente a su garganta.

—Como Burrell —susurró—. Di a Burrell el dinero para liquidar su préstamo. Llamó a Saunders e iba a verlo para darle el cheque.

Hubo un pequeño silencio. Llama se apretó los ojos con los dedos.

—Saunders probablemente no apareció y sus hombres estaban esperando en el pantano para asesinar a Burrell. Pensé que estaban allí por mí. ¿Cómo se me pudo escapar eso? Oh, Dios, Raoul, hice que lo mataran al darle el dinero para el último pago. Hubiera sido mejor que perdiera el dinero. Tendría su vida, su casa barco y estaría sentado en el río fumando en su pipa y riendo con sus amigos. En cambio se convirtió en la lección de Saunders para que no se crucen otros en su camino.

—Si Saunders lo mató, *cher*, no tienes nada que ver con esa decisión.

—Reconocí a uno de los hombres de Saunders en el pantano antes de que los otros llegaran. Lo vi en la parte de atrás de la propiedad de Saunders. Traía mujeres para Saunders.

Raoul recuperó los discos del petate mientras ella recogía las fotografías y las volvía a meter en el sobre.

—Vamos.

Llama se quedó sin aliento cuando observó las líneas severas y sombrías que se dibujaban en su cara. Había veces en que al mirarlo, como ahora, le parecía muy intimidante. Lo siguió hasta el hidrodeslizador apoyando sus pies cuidadosamente en los ondulados tablones del muelle. Se acercó a él para acariciarle el brazo en un gesto relajante.

—Recuerdas cuando me hablaste acerca de perder el control. No me lo dijiste todo, ¿verdad?

—¿Por qué de pronto piensas en eso?

—Porque justo ahora el muelle casi se desmorona. ¿Qué más pasó, Raoul?

La miró y la ayudó a subirse.

—No te hace falta saberlo.

Cuando se rozó contra él, sintió el cuchillo oculto entre sus costillas. Instantáneamente sintió un gran calor. Le agarró un brazo con la excusa de estabilizarla e inhaló su perfume.

—Por supuesto que quiero saberlo. Es lo que te ha hecho ser quien eres.

—Bien, no te lo voy a contar. No puedo permitirme perderte. Quizá cuando tengas ochenta años. Así que si quieres descubrirlo tendrás que cargar conmigo todo ese tiempo.

—He cometido algunos errores.

—Déjalo, Llama. Pregúntame cualquier otra cosa, pero deja eso.

Se inclinó hacía él, cogió con sus manos los lados de su cara, y lo miró fijamente.

—Eres un buen hombre, Raoul. A pesar de cualquier cosa que haya ocurrido, eres un buen hombre. He visto la maldad y conozco la diferencia.

La besó porque tenía que hacerlo. Era una necesidad. Una obsesión. Una demanda. Su boca descendió sobre la de ella, su lengua le exigió que la dejara entrar, y en el momento en que se abrió para él, se apoderó de ella controlando la situación. A Gator le encantaba su sabor así como el tacto de su piel suave y sedosa. Su boca era tan caliente y adictiva, que no quiso, *ni pudo* detenerse. Deslizó el brazo por su cintura para acercarla aún más. El brazo de Llama chocó contra su pecho, vaciló, y Gator se retiró con un suspiro de pesar.

—Amo tu boca.

Ella le sonrió.

—Nunca lo habría notado. Supongo que conduces tú.

—Tengo dos manos.

El hidrodeslizador se deslizó sobre el agua durante varios minutos, los pájaros se elevaban por el aire chillando enfadados. Maniobró de forma deliberada el bote para ir cerca de la orilla, y que así ella pudiera ver los caimanes deslizándose en el agua y las tortugas asoleándose. Ese era su hogar. Lo había sido durante una buena parte de su vida.

—Cuando era un niño pequeño vivíamos en la cabaña. Todos nosotros. *Grand-mère* y mis tres hermanos. Sobre todo pescábamos y Nonny hacía colchas y cosas así para ir tirando. Éramos felices, *cher*. No sabíamos que éramos pobres. Y en la escuela si alguno de los chicos nos molestaba por nuestras ropas andrajosas, simplemente les dábamos una paliza. Fue una buena época.

—¿Qué hicisteis para conseguir tantas propiedades y esa preciosa casa donde vive tu abuela?

—Mis hermanos y yo trabajamos. Me alisté en el ejército y todavía envío la mayor parte de mi salario a casa. Mis hermanos envían una buena parte de sus sueldos también. Nos crío y nos amó cuando podría haber dicho que era demasiado para ella. Nosotros éramos unos salvajes, Llama. Es una buena mujer.

—Lo sé, Raoul. Fue maravilloso lo que hicisteis tú y tus hermanos.

Él negó con la cabeza.

—No, fue maravilloso lo que *ella* hizo por nosotros.

Llevó el bote hacia aguas abiertas para ir más rápido.

Ella miró a su alrededor contemplando la belleza del pantano y rió de pura alegría.

—Me encanta esto.

Gator giró hábilmente la embarcación por un estrecho lodazal, por el que apenas pasaban.

—A mí también. No soy de ciudad, *cher*.

Llama levantó una ceja.

—¿Piensas que me sorprendes con esa confesión? Te había clasificado como un chico de campo, de la cabeza a los pies.

Frunció el ceño deseando que disminuyera la velocidad mientras doblaban una esquina y casi chocan contra el tronco cortado de un viejo ciprés que crecía en aguas poco profunda. Zigzagueó, corrió alrededor del obstáculo y volvió rápidamente al canal abierto.

—¿Te estás divirtiendo? Me gusta este bote. Ya destrozaste mi motocicleta.

—*Tú* destrozaste esa moto —le recordó.

—Pero fue por tu culpa. No debiste darme las llaves.

Gator se rió mientras volvían a girar por la marisma, donde disminuyó la velocidad del hidrodeslizador para poder pasar sobre la tierra cubierta por agua.

—¿Qué estas haciendo, loco?

Su mano rozó las suyas hasta que sus dedos se entrelazaron.

—Nos siguen, Llama. Está pasando un infierno para no perdernos, pero seguro que nos está siguiendo.

—¿Quién es? Podría saltar aquí y esperarlo —se ofreció muy concentrada.

—¿Con un brazo solo?

—No te preocupes por mí, Raoul. Puedo cuidar de mí misma, con un brazo o sin él. Ten eso en mente la próxima vez que quieras intentar dar una palmada a mi culo desnudo.

—¡Maldita sea, *cher*! —Le sonrió con ganas y casi hizo que se le parara el corazón—. Me estás poniendo duro solo de pensar en tu pequeño y bonito culo. No es momento de ponerme caliente y fastidiado.

—¿Hablarás en serio alguna vez? Este es el lugar perfecto para que le haga una emboscada.

Apartó su mano de entre la suya y agarró la empuñadura del cuchillo.

Gator amplió su sonrisa.

—Eres tan condenadamente sexi, cariño. Me encanta cuando hablas sucio.

—¡Raoul! Gira en redondo hacia atrás y déjale que se acerque lo suficiente para que podamos ver con quién estamos tratando.

—Sé quien es. Reconozco el bote y la forma en que conduce. Es Vicq Comeaux. Es casi de lo peor que puede haber, pero no es parte de nada de esto.

Gator llevó el hidrodeslizador a aguas abiertas y apretó el acelerador para dejar atrás al segundo bote.

—Intentó matarte.

Gator asintió con la cabeza.

—También tú. Parece ser un peligro con el que tengo que tratar bastante a menudo.

Ella le frunció el ceño.

—Quizá deberías repasar tus habilidades en el trato con la gente. —Volvió la cabeza para ver la embarcación—. En serio, Raoul, déjame intentarlo con él. Podría arrastrarse detrás de ti algún día y no lo verás venir.

Gator le rodeó el cuello con su brazo, tiró de ella lo bastante como para poder encontrar de nuevo su boca, y la besó dura y profundamente.

—Esto es lo que más me gusta. Eres una moza sedienta de sangre.

—¿Alguna vez te tomas algo en serio? —preguntó.

Gator se apartó para mirarla a los ojos. La sonrisa desapareció y algo oscuro, frío y letal apareció en sus ojos.

—Me tomo en serio lo que te hizo James Parsons. Y me tomo *muy* en serio lo que te hizo Whitney. No te preocupes, *cher*, cuando importa, soy mortalmente serio.

Capítulo 16

Nonny abrazó a Llama, la arrastró al interior de la casa e hizo un chasquido con la boca al ver su brazo roto.

—¿Se ha ocupado Gator de ti, *cher*? —preguntó y sonrió fugazmente a su nieto.

Llama se sonrojó, insegura sobre lo que preguntaba la abuela de Raoul. ¿Le estaba preguntando si se había ocupado de sus necesidades sexuales? No ayudó que Raoul se apretase contra su espalda, que sintiera su respiración caliente en la nuca, y que con ambas manos le cogiera el trasero por encima de los apretados pantalones vaqueros. Sonrió a Nonny y dio una palmada a las manos a Gator por detrás de la espalda.

—Ha estado increíble —balbuceó sin saber por qué.

—¿Increíble? —repitió Wyatt levantando una ceja—. ¿Estuvo increíble?

El color de Llama se volvió más intenso y resplandeciente.

—Asombroso.

Eso fue peor.

¿Qué le pasaba? No era culpa suya, Raoul estaba distrayéndola con sus manos juguetonas. Tenía fijación con su trasero y ella iba a tener que hacer algo malo allí mismo en la casa de su abuela si no paraba. ¿Se podía uno excitar delante de otras personas? Nunca le había pasado, pero eso era antes de encontrarse con el rey cajún de los pervertidos.

Gator puso los labios contra su oreja.

—¿Alucinante? —Le echó una mano—. O tal vez fuiste tú.

Llama se aclaró la garganta.

—No me podía creer lo atento que estuvo anoche, señora Fontenot.

Wyatt estalló de risa y dio un codazo a su hermano.

—Estuviste *atento*. Exactamente, ¿cómo de atento estuviste?

—Recuerda, *cher*, que ibas a llamarme Nonny.

—Sí, claro. —Su temperatura subió en correspondencia con su color. Estaba tan acalorada que quería abanicarse. Dio una patada hacia atrás con el tacón, y golpeó la pantorrilla de Gator que hizo un satisfactorio ruido sordo—. Muchas gracias por la ropa, Nonny. Me queda muy bien, igual que los zapatos.

La respiración de Gator salió con fuerza de sus pulmones y apoyó las manos sobre sus hombros. Al menos ella sabía dónde estaban y él no la podría distraer.

—Mi amigo me habló de una bonita tienda de moda para mujeres jóvenes y tenían de todo. Me resultó fácil comprar —dijo Nonny—. Acabo de hacerme una taza de mi té especial. ¿Te apetece una?

Los dedos de Gator comenzaron a hacerle un lento masaje a lo largo de su clavícula y más arriba hacia la nuca.

La cara de Llama estaba de color rojo brillante. Podía sentir el color caliente y resplandeciente que brillaba como un letrero de neón y que cualquiera podía ver. ¿Qué bonita tienda? ¿Especializada en juguetes sexuales? ¿Se atrevería a beberse el té? Podría contener un afrodisíaco.

—Me encantaría tomar una taza de té. —Su voz sonó muy ronca.

—¿De verdad que estás bien, *cher*? —preguntó Nonny—. Tal vez has salido de la cama demasiado temprano. Raoul, quizá deberías llevarla de vuelta a la cama.

Wyatt dio un codazo a su hermano y le guiñó un ojo.

—*Grand-mère* quiere que te la lleves a la cama.

—Así no habla un caballero, Wyatt —le reprendió Nonny.

Wyatt sonrió abiertamente a Nonny, claramente sin arrepentirse.

Llama soltó la respiración en un largo siseo que prometía represalias. Tuvo que ser Wyatt quien le suministrase el traje de la noche anterior y los juguetes sexuales. Encontraría la manera de devolvérsela, pero al menos eso facilitó que se pudiera relajar ante Nonny.

—La cocina está abarrotada. Los chicos llevan comiendo desde que llegaron, Raoul. No creo que estos jóvenes hayan probado una buena comida casera en mucho tiempo.

Llama se puso tensa. Esto iba de mal en peor. Tuvo el presentimiento de que los «chicos» no eran los otros dos hermanos de Gator.

—*Grand-mère* —dijo Gator besando a su abuela en la frente—, esos chicos nunca han probado una comida como la tuya. Eres la mejor y todo el mundo en el pantano lo sabe. No los puedo culpar por comer tanto.

—Son unos chicos buenos y educados —dijo Nonny—. No me importa cocinar para ellos.

—Eso está bien, Nonny, porque Tucker nunca se llena —dijo Gator.

Kadan y Tucker se pusieron de pie cuando las mujeres entraron en la habitación. Tucker sonrió a Nonny tímidamente.

—Terminé el guisado de gumbo, señora. Nunca había comido nada tan bueno.

Kadan asintió con la cabeza.

—Gracias, señora.

—De nada, chicos —dijo Nonny mirándolos complacida.

Llama sintió el impacto de las miradas de los Soldados Fantasma. Duras. Penetrantes. Como si pudieran atravesarla para ver dentro de ella. Entonces notó la mano de Raoul, sus dedos acariciaron los suyos y cubrieron su puño agarrado a la empuñadura de su cuchillo. De nuevo estaba muy cerca de ella, su cuerpo apretaba deliberadamente el suyo de manera que le hubiera sido difícil sacar el cuchillo y lanzarlo en un mismo movimiento.

—Son mi familia, *cher* —le recordó con los labios cerca de su oreja.

Llama sintió su estimulante aliento cálido y percibió la tranquilidad en su voz, pero su mirada inmediatamente recorrió la habitación, se fijó en todas las salidas, las ventanas, y cada simple objeto que pudiera usar como un arma si le hiciera falta.

—Llama, él es Kadan Montague y él Tucker Addison. Ambos son mis amigos y trabajan conmigo —dijo Gator.

—Es un placer conocerte al fin —saludó Tucker.

Kadan observó que no había soltado la empuñadura de su cuchillo, y que la mano de Gator mantenía la de Llama inmóvil.

—Espero que te sientas mejor. Gator nos dijo que ganaste una pelea con un cocodrilo.

Ella se obligó a sonreír, pero no se reflejó en sus ojos e hizo un esfuerzo consciente por abrir los dedos y soltar su salvavidas.

—Bueno, no estoy segura. Él perdió un ojo y yo casi pierdo un brazo, así que diría que fue un empate.

—Rye llamó esta mañana y dijo que el hombre que identificaste como Rick Fielding murió hace cuatro años trabajando en una operación en Colombia —anunció Kadan.

—Eso es imposible. Hizo el test psíquico al mismo tiempo que yo. No estoy equivocado —protestó Gator—. Era el mismo hombre.

—Probablemente no te equivocas —dijo Llama—. Si tuviese acceso a un buen ordenador, podría conseguir una lista con los nombres de los soldados que hicieron esa prueba. Supuestamente no la hizo, pero estaba en la lista como muerto o desaparecido algunos meses más tarde. Imagino que forma parte de otro equipo y alguien con mucho dinero y un montón de contactos trabaja con ellos.

La mirada de Kadan le impactaba tanto que se encogió, pero se negó a apartarla de él. Rozó con la mano la empuñadura de su cuchillo para tranquilizarse.

—Estoy de acuerdo en comparar la lista con los hombres que supuestamente están muertos, es una idea muy buena —convino Kadan—. Se lo pasaré a Rye y veré lo que obtiene. También mencionó que hace un par de días un jet ejecutivo Falcon 2000 registrado en Estados Unidos, aterrizó aquí en el aeropuerto y se quedó hasta ayer. El jet es de una compañía llamada Lansing International Consulting.

—¿Dónde está la sede de la compañía? —preguntó Gator.

—A las afueras de Nevada.

—No entiendo —dijo Wyatt—. ¿Por qué es importante un jet?

—Esos hombres que encontramos en el pantano —dijo Gator, escogiendo las palabras cuidadosamente—, tuvieron que haber venido volando.

Kadan se despejó la garganta y continuó:

—Aparece una firma en el informe anual de la compañía, un tal Earl Thomas Bartlett. Ryland hizo una búsqueda en todas las bases de datos comerciales y allí no hay nada sobre el señor Bartlett. Ni residencia, ni carné de conducir, ni número de la Seguridad Social, o siquiera un registro de que tenga un vehículo, pero el señor Bartlett firma los informes y envía los jets a las diversos lugares de todo el mundo.

—¿A quién le compraron el jet? —preguntó Llama.

La mirada extraña y brillante de Kadan se encontró con la suya, y volvió a sentir otro escalofrío.

—Eres muy lista. También fue lo primero que Lily preguntó. El jet fue comprado a otra compañía llamada International Investments. Como Bartlett, el dueño de esa compañía no parece existir en ninguno de los registros públicos

—Está vivo —murmuró Llama. Miró a Gator muy afectada—. Está vivo. Tenía razón todo el tiempo.

Gator le extendió la mano y después de un momento, ella la tomó.

—Desgraciadamente, Llama —dijo Kadan—, comienzo a pensar que puedes tener razón. Este avión, así como otros similares, que pertenecen a compañías de consultores internacionales, de inversión o de marketing, parecen poder volar en zonas prohibidas y eso necesita autorización. Las compañías que Rye ha investigado, son todas de perfil bajo y afirman tener muy pocas ganancias, tal como aparece en sus informes anuales, y todas tienen a un hombre al mando que parece no existir. Ryland todavía está investigando y pasará algún tiempo hasta que sepamos cualquier otra cosa, pero mientras tanto sería inteligente estar en máxima alerta.

—¿Algunas noticias del Congo sobre Ken Norton? —preguntó Gator.

—Todavía no. Nadie ha oído nada —dijo Tucker.

—Ven a sentarte —dijo Nonny apartando una silla de la mesa—. El té está listo y todos podríamos tomar una taza.

Accedieron rápidamente, aunque Tucker se mantuvo cerca de la estufa, inspirando el aroma del pescado al horno que se cocinaba lentamente. Gator se sentó entre Llama y la abuela, preocupado porque el siguiente tema podía afligirla.

Llama y yo tenemos una teoría acerca de la desaparición de Joy —anunció él—. Y nos gustaría comentarlo con vosotros.

Mientras la abuela servía el té, contó a los demás los detalles. A Llama le gustó el hecho de que Gator no intentara esconder nada a su abuela. Tenía la sensación de que Nonny les podría ayudar si le daban la información correcta. Era sagaz y estaba muy informada sobre el *bayou*, pues había vivido en él toda su vida.

—Pienso que Joy todavía está viva y está siendo retenida en alguna parte. Ahora que están preocupados de que yo les estropee el plan, bien podrían haberla trasladado o haberla matado —concluyó Llama.

Se hizo un pequeño silencio. Tucker se paseó por la cocina.

—Emanuel Parsons es una enorme pesadilla política. Si vamos contra él, tendremos que conseguir una prueba sin una sombra de duda.

—James Parsons es un secuaz —dijo Gator—. De ninguna manera es el cerebro. Imagino que alguien alimenta su necesidad de ser importante. Es muy pretencioso y, obviamente, se siente superior a todo el mundo, sobre todo a las mujeres, así que no debería ser muy difícil ponerle un señuelo para que caiga en alguna perversión. En la grabación no solo aparece él, sino también su padre.

—Emanuel tiene una buena reputación en su departamento —señaló Kadan—. Lily lo investigó a fondo cuando apareció su nombre y supimos que tenía una conexión con Saunders.

—Más razones aún para que Saunders lo comprometa —dijo Gator—. Hemos traído un par de discos que Llama encontró en la caja fuerte de Saunders.

—¿La caja fuerte de Saunders? —repitió Kadan—. ¿Echaste un vistazo ahí?

—Algo parecido —dijo Llama y dio un trago a su té humeante. Miró a Gator y se sintió segura al verlo sonreír—. Me incomoda un poco que todos vean los discos. Sospecho que vamos a ver cómo violan a Joy en el coche de Parsons. Por su bien y el de su familia, pienso que deberíamos limitar los espectadores al mínimo.

—Estoy de acuerdo —la apoyó Nonny—. Conozco a Joy desde que era un bebé y le horrorizaría y humillaría saber que alguien ha visto una película suya. Sus padres sentirían lo mismo.

Wyatt se puso de pie de un salto y volcó su silla.

—¿Realmente crees que en el disco se ve a Joy siendo violada?

Gator se inclinó y enderezó la silla con movimientos lentos y decididos.

—Creo que es muy posible, sí. Lo peor es que probablemente echaron una droga en su bebida, así es que hay una posibilidad de que cooperase sin saber lo que estaba haciendo.

Podía ser bastante malo sacarlo a la luz. Hacía mucho tiempo que sospechaba que Wyatt ocultaba sus sentimientos hacia Joy. Había sido él quien había insistido a Nonny para que Gator fuera a su casa.

Nonny se retorció las manos.

—Imagino que tendría que hacerlo. Pero no sé si tengo corazón.

Gator le pasó su brazo por la espalda.

—No, *grand-mère*. Kadan, Llama y yo veremos los discos. Kadan algunas veces puede ver cosas que los demás nos perdemos. Llama podría recordar detalles del otro día cuando fue asaltada, y yo espero reconocer el sitio donde la podrían haber llevado. —Observó la dura expresión de su hermano—. Podemos estar equivocados acerca de todo esto, Wyatt.

La mano de Gator encontró la de Llama y agarró sus dedos con fuerza. No estaban equivocados. Llama estaba segura de que había estado en el coche. Reconoció el mal en cuanto lo vio... Ciertamente ya había estado expuesta a lo que podía hacer un loco que se creía por encima de la ley.

—Me gustaría ayudar —dijo Nonny.

—Yo también —añadió Wyatt acercándose a su abuela para rodearle la cintura con su brazo.

Llama tuvo el presentimiento que era tanto por su propia comodidad como para reconfortar a su abuela.

—Bien, traje las fotos. Algunas son fotos tomadas por la cámara de Joy y aparecen diversos lugares del pantano. Tal vez si las miráis los dos, podríais reconocer dónde fueron tomadas.

—¿Eso ayudaría? —preguntó Nonny dando una palmada en el brazo de Wyatt.

—Por supuesto —dijo Llama y le pasó el sobre de papel manila.

Gator llevó a Llama y a Kadan a una habitación pequeña que usaban para ver la televisión. Nonny era muy estricta acerca del entretenimiento y la diversión. No se podía ver la televisión si había compañía. Creía en eso de ir de visita. Gator puso el primer disco en el reproductor y lo encendió. Nadie se sentó. Kadan se apoyó contra la pared y Llama se quedó de pie junto a Gator cerca de la pantalla. Tuvo la descabellada idea de que si tenía razón y el disco exponía la humillación de Joy y el daño que le hicieron, saltaría delante de la televisión para taparla.

El sonido de una puerta cerrándose abrió la película casera. Joy Chiasson se instalaba en el asiento trasero del coche. Se alarmaba al ver a James, e incluso intentaba alcanzar el picaporte de la puerta. Estaba bloqueada.

—Pensé que tu padre se encontraría conmigo para llevarme a ver a su amigo. —Su voz era firme y suave.

—No ha podido hacerlo —dijo James—. Me pidió que te llevara a la reunión. Piensa que hay una buena probabilidad de que salgas de allí con un contrato para una grabación. —Podía oírse el tintineo del hielo—. Toma, bebe esto. Te ayudará a tranquilizarte. Apuesto a que estás nerviosa pensando en la audición.

—Estoy un poco nerviosa —admitió Joy.

La cámara tomó una vista panorámica del asiento trasero y les permitió ver a Joy tomando el vaso con la bebida y los cubitos de hielo que James le daba... y pudieron ver su sonrisa cómplice y el bulto que se levantaba entre sus piernas.

—Cerdo hijo de puta —murmuró Llama—. Tenía que haberlo matado cuando tuve la oportunidad. Debía venir de estar toda la noche con ella a juzgar por sus ropas y el olor que despedía. —Se apretó la mano contra el estómago como pequeña protesta—. Recuerdo ahora que James olía a sexo. Era temprano por la mañana. ¿Por qué he tardado tanto tiempo en recordar los detalles?

—Date un respiro, *cher*. Perdiste un montón de sangre y te operaron —dijo Gator calmándola.

Llama intentó ver los detalles objetivamente. La cámara nunca enfocaba a las ventanas, sino que centraba su atención en el asiento trasero. Una vez que las manos y los tobillos de Joy estuvieron atados, y ella quedó despatarrada e indefensa, James se comportó de una manera especialmente depravada, la abofeteó y humilló, y le dijo que nunca había pensado en casarse con una puta como ella.

Cuando las paredes del cuarto comenzaron a ondular y el suelo se movió, no estaba segura si era ella la causante o Raoul.

—Ambos tenéis que salir de aquí —les aconsejó Kadan con la voz tranquila.

Llama no esperó una segunda invitación. Salió precipitadamente de la habitación, pasó por el vestíbulo, salió fuera e inspiró profundamente aire fresco. Oyó pasos, pero no se dio la vuelta.

—¿La violó?

Su tono era bajo, pero extraordinariamente mortal. Por primera vez, Wyatt sonó exactamente como su hermano.

—Tenemos que encontrarla —contestó Llama—. Tenemos que encontrarla inmediatamente.

Se produjo un largo silencio. No miró a Wyatt, no quería entrometerse cuando sabía que evidentemente estaba haciendo un esfuerzo para controlarse. La escena del coche había sido lo suficientemente horrible. Le aterrorizaba pensar en lo que podría estar grabado en los otros dos discos.

—*Grand-mère* ha reconocido una de las fotos y piensa que puede haber sido tomada en un pequeño claro de una de las isletas. Dice que la familia Comeaux tiene una vieja cabaña de trampero allí en alguna parte. Conoce al viejo, y caza y pesca en el *bayou*. A menudo se queda allí durante meses sin salir, y su esposa finalmente le envía a algún amigo suyo para que lo traiga a casa.

—¿La familia Comeaux? —repitió Llama—. Pero si está siendo retenida allí, ¿por qué la sacarían, la dejarían tomar fotografías, y luego la llevarían de vuelta? Eso no tiene ningún sentido.

—¿Crees que alguno de los hermanos Comeaux podría tocar a Joy? Son de nuestra gente. Nunca le pondrían un dedo encima a esa chica.

—¿Qué me dices de Vicq? He oído que es malo como una serpiente y brutal con las mujeres.

—¿Vicq? Tienes toda la razón en que es malo, pero él...

Wyatt se calló.

Entonces Llama se giró y observó un repentino arrebato de rabia en su cara.

—No vayas por tu cuenta antes de que sepamos lo que estamos haciendo. Si les damos información, entonces la matarán y nunca encontraremos su cuerpo. Tenemos que estar muy seguros y tratar esto de la forma correcta. Vamos. —Lo cogió del brazo—. Volvamos dentro y contemos a los demás lo que ha dicho tu abuela.

Wyatt entró con ella a regañadientes, pero al menos consiguió meterlo en la casa. Interrumpieron una discusión acalorada entre Ian y Gator. Ian quería traer a la policía y Gator se negaba totalmente, temía que pudieran avisar a Parsons.

—Solo tendremos una oportunidad de rescatarla, solo una —dijo Gator—. Si atacamos en el sitio equivocado, morirá. Digo que vayamos con calma, la rescatemos, y nos hacemos cargo del resto. Dejemos que todos imaginen por las pruebas que pasó. Dirán que lo hicieron los vigilantes del *bayou*.

—No puedes dejar ver a nadie los discos de Joy —decretó Wyatt.

—Nadie va a ver esos discos, Wyatt —aseguró Gator.

—¿Te dijo Nonny que reconoció un claro donde la familia Comeaux posee una cabaña de trampero a la salida del *bayou*? —le preguntó Llama—. Creo que es una gran coincidencia que Vicq intentara matarte la otra noche en el Club Huracán y que hoy nos siguiese. Salió una vez con Joy y ella rompió con él.

—Además, tuvo una acalorada discusión con James Parsons en el club —añadió Ian—. Y extrañamente, fue el conductor quien se metió y lo calmó todo. En el momento en el que habló a Comeaux, el hombre se echó atrás.

—Vicq Comeaux no intimida a nadie —dijo Gator—, a menos que tuvieran un motivo para intimidarse.

Kadan entró, se sirvió una taza del café rico y fuerte que Nonny mantenía caliente, y se dio la vuelta para mirarlos.

—Ha sido lo más horrible que he visto nunca. La enganchan con drogas, pero evidentemente les gusta filmarla aterrorizada y luchando, así que sea lo que sea lo que le dieron en el coche para calmarla, ya no se lo dan. Creo que la dejan con el mono para que coopere. Usan tácticas de terror, la golpean, la mayoría de las veces en alguna actitud sexual. Vi a dos hombres, pero había por lo menos uno más en las sombras, que estaba fuera de la vista de la cámara. Ella lo miraba muy asustada.

—¿Reconociste a los hombres en las fotos o en los archivos que has mirado? —preguntó Gator evitando mirar a su hermano.

—Uno era el hijo de Parsons. Es una buena pieza. El otro es el chófer.

—Carl Raines —aportó Llama.

Kadan asintió.

—Pienso que fue el que organizó el secuestro. Pasa mucho tiempo con ella. La mayor parte de los videoclips son de él.

—¿Ninguna prueba de que participe el viejo? ¿Sabes si es él el que está al fondo?

Kadan negó con la cabeza.

—No podría decirte ni lo uno ni lo otro, pero quienquiera que sea, ella le tiene mucho miedo.

—Si está en la cabaña de los Comeaux, ¿por qué tendría fotos de la zona?

—Tal vez iban a secuestrarla entonces y algo salió mal —aportó Tucker.

—O que a ese cerdo le apetecía llevarla cerca de la cabaña, sabiendo lo que vendría —dijo Kadan—. Es realmente muy retorcido y disfrutaría de la idea de mostrarla por ahí, sabiendo lo que después le haría.

Llama sentía naúseas. Joy estaba encerrada con esos monstruos torturándola. Esta vez sin tener esperanzas de poder salir. Y estaría enferma y confundida.

—Si rescatamos a Joy de allí, nos podrá decir quién más está implicado. No se asustará de mí. Puedo revisar la cabaña Comeaux y si está allí, me la llevaré silenciosamente mientras todos vosotros... —Vaciló, recorriendo con la mirada a Nonny—. Aseguráis el lugar.

—Tendrá que ir al hospital —advirtió Kadan.

—Se lo notificaremos a los doctores y a su familia cuando la tengamos —dijo Gator—. No quiero esperar a que oscurezca.

—Si Vicq Comeaux la está reteniendo, la matará y se deshará del cuerpo si os oye llegar —dijo Wyatt.

—No nos oirá —le aseguró Gator—. Sabemos lo que estamos haciendo.

—Voy con vosotros.

Fue una declaración, y Wyatt parecía tan testarudo como Gator. Gator negó con la cabeza.

—Puedes esperar cerca, Wyatt, pero serías una carga que no nos podemos permitir. Es nuestro sistema. Un error y todo se irá al infierno.

—¿Cómo puede pasar algo así en nuestro patio trasero, Raoul, y nosotros sin saberlo? —preguntó Nonny—. ¿Crees que también se llevaron a esa otra pobre mujer?

—No lo dudo ni por un minuto —dijo Gator.

—No se preocupe, señora —dijo Tucker—. Haremos todo lo que podamos para encontrarla si todavía está viva.

La abuela de Gator parecía muy nerviosa, se retorcía las manos, tenía la espalda tiesa como un palo y sus facciones estaban muy endurecidas. Llama acarició el brazo de Nonny.

—La traeremos de vuelta a la vida segura, Nonny —dijo reconfortándola cariñosamente—. He visto a su nieto en acción. Es muy bueno, y yo también. No la dejaremos allí y no lo estropearemos.

—¿Debería llamar a su familia?

El delgado cuerpo de Nonny temblaba. Llama rodeó con el brazo a la mujer y la llevó de la cocina al sofá más cómodo del cuarto de estar, movió los labios mirando a Gator por encima del hombro formando la palabra *té*.

—No, no creo que sea una buena idea. Nadie puede saber lo que sospechamos hasta que esté a salvo. —La ayudó a sentarse y Gator puso una taza de té frente a ella—. Lo conseguiremos. Se lo prometo, lo conseguiremos. —Llama le puso la taza de té en las manos—. ¿Estará bien hasta nuestra vuelta?

—Estoy bien, *cher*. Solo un poco nerviosa de pensar que esto está pasando aquí. —Apartó el brazo de Llama—. No te preocupes por mí. Asegúrate de que Joy quede a salvo.

Llama se levantó, sentía que las lágrimas le quemaban los ojos y tenía un nudo en la garganta. Joy nunca volvería a ser la misma. Quedaría aislada para siempre, finalmente sonreiría y hablaría, y pasearía con sus amigos y su familia, pero muy profundamente en su interior, justo donde importa, siempre estaría fría, asustada y llena de rabia.

Miró a Raoul porque no se podía detener. Sabía que él vería las sombras y los demonios, y que ella se sentiría aún más vulnerable por tener que recurrir a él para que la consolara, pero no lo podía evitar.

¿Por qué siempre parecía que triunfaba el mal? La vida no se parecía en nada a los cuentos de hadas y por una sola vez, a ella le gustaría que hubiera un final feliz.

El corazón de Gator casi se detuvo cuando vio la expresión de Llama. Se apretó una mano contra el pecho para asegurarse de que todavía latía. Podía acabar con él de un golpe cuando se veía tan triste y tan abiertamente frágil. Quería abrazarla y tenerla cerca de él, donde nunca nada pudiera hacerla daño. Llama era una mujer que siempre tenía una mano en su cuchillo y se reía de la idea de que tuviera que protegerla, pero eso no impedía que él sintiera la necesidad de hacerlo.

Gator pasó el brazo casualmente alrededor de su cuello y la acercó hacia él, fingiendo no darse cuenta de que estaba a punto de llorar, haciendo como si su cuerpo no temblara pegado el suyo. Lo mataría si dejara que la vieran llorar delante de los demás, así que caminaron en fila y él usó su cuerpo para escudarla cuidándose de no provocarle un mar de lágrimas.

—Hagamos al trabajo —dijo él bruscamente—. Sé dónde se encuentra la cabaña de trampero de los Comeaux.

Llama avanzaba cerca de él, permitiendo que la rozara con su cuerpo duro para poder controlarse y centrarse. Nunca había confiado en nadie que no fuera ella misma, y era una sensación extraña dejar que la reconfortara un hombre. Un Soldado Fantasma. Saboreó la palabra mientras subía a un Jeep de doble tracción. ¿Eran todos fantasmas como ella? Miró a los otros hombres. Todos ellos se veían duros. Curtidos en muchas batallas. Y todos tenían sombras en los ojos. No importaba que Tucker Addison se comiese la comida de Nonny con gusto, y fuera educado y amable cuando hablaba con la mujer mayor. Llama podía ver esas mismas sombras, pues nunca llegaba del todo la luz a sus ojos. Compartir algo con ellos hacía que los sintiera más cercanos.

Los hombres murmuraban en voz baja mientras elaboraban un plan para llegar a la cabaña de Comeaux. Llegarían tan cerca como fuera posible con el Jeep, cogerían una canoa en la segunda parte del camino y después se meterían en el agua. Wyatt se quedaría junto al hidrodeslizador y cuando le hicieran una señal, lo traería para llevarse a Joy rápidamente.

Ningún hombre protestó cuando Gator dijo que Llama entraría sola en la cabaña para comprobar si Joy estaba allí. Llama solo los escuchaba en parte, pues sabía que eran un equipo y ella sobraba. Se habían entrenado juntos y trabajaban como una máquina, cada uno sabiendo lo que haría el otro. Kadan era un escudo y se aseguraría que nadie los oyera o los viera llegar. Gator y ella podrían silenciar cualquier ruido, lo que añadía una protección adicional.

La canoa era de fondo plano y estaba hecha de madera de ciprés. Gator la hizo pasar por un mar de jacintos de agua de color púrpura. Unas grandes garzas se estaban alimentando, y caminaban por el agua con sus patas como zancos. Unas cuantas agitaron sus alas cuando la canoa se desplazó a través de ellas, pero no se mostraron demasiado molestas. La embarcación atravesó por un bosquecillo de cipreses cubiertos de liquen, tupelos goma y dramáticos arces, todos en tonos rojizos o castaños. Parecía un mundo perdido con las marañas de flores brillantemente coloreadas que crecían en el fondo del pantano y las praderas de hierbas que se mecían con la lenta corriente de agua. Llama nunca había estado tan lejos en el *bayou*, y estaba asombrada por su belleza. Parecía obsceno que en alguna parte una mujer estuviera cautiva, drogada y siendo torturada en medio de tanto esplendor.

El cielo se oscureció pues otra tormenta se cernía sobre ellos. Las nubes grises barrieron el azul del cielo y comenzó una fina llovizna que convirtió el horizonte en una neblina plateada.

Gator hizo pasar la embarcación por los espesos campos de *fourchettes*, y necesitó mucha fuerza para pasar a través del pantano de caléndulas. Llama silenció las alarmas de las aves cuando la canoa se dirigía hacia la orilla.

Todos los hombres salieron de la embarcación y se pusieron a los lados, esperándola atentamente. Llama miró a su alrededor con tranquilidad, intentando ver si había burbujas delatoras o incluso los rígidos ojos de un cocodrilo rompiendo la superficie del agua. En el espeso campo de *fourchettes*, era virtualmente imposible distinguir nada. Vaciló solo un segundo antes de saltar fuera de la canoa y le llegó el agua hasta las rodillas. Su corazón palpitaba y tuvo que hacer un esfuerzo para controlar su respiración. Gator la miró, pues evidentemente lo había oído y, para su vergüenza, Kadan también lo había hecho.

Unos rifles automáticos colgaban de los hombros de los hombres y Kadan sacó un pequeño revólver.

—¿Quieres una pistola? Deberíamos habértelo preguntado. Voy armado hasta los dientes.

Llama negó con la cabeza.

—Soy mejor con el cuchillo.

Kadan asintió y le hizo un gesto para que siguieran a Gator que abría camino. Los otros lo seguían en fila por el agua, que algunas veces les llegaba hasta la cintura mientras serpenteaban por la orilla de la isleta. El pantano estaba lleno con flores, ortigas y troncos, y por eso tenían que avanzar lentamente para llegar al campamento de caza de los Comeaux.

Gator levantó una mano y la fila se detuvo. Gesticuló hacia tierra e inmediatamente Ian se separó del grupo y se abrió paso entre el follaje más cerrado hasta tierra firme. Minutos más tarde, Tucker y Kadan llegaron a la orilla y se acercaron a la cabaña cada uno por un lado, desplegándose como una red gigante para abarcar una gran área alrededor del campamento de caza.

Gator y Llama continuaron avanzando por el agua hasta que ella pudo ver las desvencijadas tablas de madera que servían de muelle y pasarela para llegar a la cabaña. Dos cipreses se levantaban junto al muelle y había varias latas de gasolina delante de uno de ellos, muy cerca del generador. Una tabla llevaba más allá de los árboles hacia la cabaña. Había una trampa para cangrejos cerca de los árboles, y un hidrodeslizador atado a un poste entre el muelle y la cabaña.

—Vicq Comeaux —dijo Raoul haciendo que solo lo oyera ella—. Ha empezado a llover, así que decidió olvidar la pesca.

—No está solo con ella —dijo Llama con un nudo en el estómago. Podía oír dentro de la cabaña. El llanto en voz baja de una mujer, el golpe de algo contra carne. Las súplicas y sollozos que siguieron. Aceleró el paso—. Puedo oír otras voces.

—No te hagas matar, *cher*. Los queremos a todos vivos. Será más fácil así. —Le cogió el brazo—. Alguien sale.

La puerta de la cabaña se abrió y Vicq Comeaux sacó a empujones a James Parsons. James se desequilibró y por poco se cae.

—Sal de aquí antes de que acabes como cebo de un caimán —gritó Vicq.

—Ni siquiera la tendrías si no fuese por mí —soltó James.

Gator señaló a Llama que fuera hacia adelante y saliera a la superficie. Ella se agachó, permitiendo que el agua poco profunda le llegara al cuello, y reptó hacia tierra firme. Avanzó de lado por la cuesta que llevaba a un costado de la cabaña con movimientos lentos y seguros, diseñados para no ser visto y no mover demasiado el follaje.

Oyó la llamada de un pájaro. Un segundo contestó. Una rana toro croó. Los hombres estaban en su lugar. Solo dependía de ella entrar y proteger a Joy.

—Eres un pijo de mierda. No tendrías los huevos que hacen falta para secuestrar a una mujer. Fue Carl quien la cogió, igual que hizo con la última. La única razón por la que te permitimos entrar en esto fue para que tu papaíto dejara tranquilo a Saunders. Eso es para lo único que servías y ya tenemos las cintas, no me preocupa en absoluto si apareces muerto, a nadie le va a importar ni lo más mínimo.

Vicq avanzó hacia él para amenazarlo, y James trastabilló hacia atrás, dio un mal paso y cayó al agua poco profunda.

Gator se hundió inmediatamente y fue hacia James. Vicq estalló en risas, y se dio unos golpes en la rodilla mientras observaba cómo James intentaba recuperar el equilibrio sobre el suave lodo del fondo.

Llama se arrastró hasta la ventana. El cristal agrietado estaba cubierto de años de suciedad, y hacía casi imposible mirar dentro de la habitación. Un viejo trozo de arpillera colgaba en su interior, que se debió poner en algún momento para intentar bloquear la luz. La cabaña estaba destruida por el tiempo y casi la mitad derrumbada. Moviéndose hacia la parte de atrás descubrió una ventana más pequeña cubierta por una frágil tabla. No había cristal. No iba a ser fácil entrar con un brazo roto, pero resistiría lo que fuese para entrar en esa cabaña y proteger a Joy.

Miró dentro, y Llama pudo ver una cama justo bajo la ventana. Joy estaba de pie, con ambas manos atadas por encima de la cabeza, colgando de un gancho del techo. Su cuerpo estaba cubierto de moratones y heridas.

No mires hacia arriba, Joy. Llama envió su voz directamente a la mujer. *Soy amiga de Nonny Fontenot. Me ha enviado para sacarte de aquí.*

Retiró la tabla fácilmente, la lanzó detrás de ella y enseguida se levantó de un salto para alcanzar el alféizar de la ventana con su brazo bueno.

Joy señaló con la cabeza frenéticamente hacia la puerta varias veces, evidentemente asustada de que Vicq y James regresaran.

Llama estaba agradecida de sus refuerzos físicos que le facilitaron la tarea de impulsarse y deslizarse a través de la pequeña abertura. Tuvo que entrar de cabeza, pero aterrizó en la cama, dio un salto mortal y aterrizó de cuclillas con el cuchillo ya en la mano. Una sacudida de dolor le atravesó el brazo y se extendió al resto de su cuerpo. Respiró profundamente para aguantarlo, echó un rápido vistazo a la cabaña, y advirtió que solo había una puerta.

Un cuchillo de carnicero se apoyaba en el mostrador junto a varias pilas de platos. Llama pasó por encima de un largo y grueso bastón y se estiró para cortar del gancho las ataduras de cuero de las manos de Joy.

Joy se desplomó en el suelo, pues sus piernas eran incapaces de soportarla. Llama se agachó junto a ella, y la cogió por los hombros. Entonces la cabaña tembló ligeramente, y supo inmediatamente que Raoul la estaba advirtiendo.

Vicq Comeaux entró y cerró la puerta tranquilamente con una sonrisa enorme en la cara.

—No hay nada que me guste más que ver a dos mujeres de rodillas delante de mí. Vamos, puedes tocar a la puta, todo el mundo lo hace.

Los ojos de Llama se abrieron como platos. Comenzó a farfullar una disculpa, se puso de pie, trastabilló... y lo atrajo hacia ella. Vicq la siguió a través de la pequeña habitación, y dio un puntapié a Joy para quitarla de en medio y acercarse a Llama. Llama consiguió aparentar que estaba indefensa y acunó su brazo roto. Se veía aún más pequeña de lo que era hasta que Vicq extendió una mano carnosa, le agarró un pecho y tiró con fuerza para atraerla hacia él. Ella se dejó, y usando la tremenda fuerza de él unida a la suya, le enterró profundamente en el estómago su cuchillo más grande y retrocedió de un salto.

Vicq gruñó de dolor y se llevó ambas manos a la empuñadura mientras la miraba fijamente.

—¿Qué has hecho?

—Ese era por Joy. Este es por ponerme tus asquerosas manos encima, hijo de puta —dijo Llama, sacando un segundo cuchillo más pequeño que escondía dentro de la escayola del brazo, viendo cómo sus ojos se abrían atónitos al darse cuenta de que no era pequeña e indefensa, que no estaba atada, y que no podría detener lo inevitable.

En el mismo momento en que él se tambaleó hacia ella, lanzó el cuchillo con mortífera exactitud, y se lo clavó en la garganta.

Vicq cayó al suelo con fuerza haciendo temblar la cabaña mientras Joy trataba de levantarse con dificultad y se ponía a sollozar discretamente.

—Hay más de ellos. ¿Cómo vamos a salir de aquí?

Capítulo 17

Gator utilizó los detritos del fondo para impulsar su cuerpo por el agua poco profunda, manteniéndose sumergido todo el tiempo. Oyó a Vicq y a James gritándose el uno al otro. El agua se agitó alrededor de él cuando James perdió pie y cayó al pantano. Su trasero aterrizó a centímetros de la mano de Gator. Este se sacó el cuchillo del cinturón mientras el hombre se ponía de pie y salía de la orilla a toda prisa para subir la cuesta de la cabaña.

Gator encontró las raíces de los cipreses que crecían en el muelle y subió a respirar, manteniendo su mirada centrada en los dos hombres. James subió dificultosamente la cuesta apretando los puños. Tenía la cara roja de ira, pero se detuvo justo fuera del alcance de Vicq.

—Vete a jugar solo —dijo Vicq—. Si vuelves a entrar seré yo quien va a jugar contigo. Verás lo que es ser mi puta.

Le volvió la espalda a Parsons, claramente sin tenerle miedo.

Gator inmediatamente lanzó una onda de sonido a través de los muros de la cabaña para advertir a Llama de que el hombre estaba regresando. No hubo llamada de ayuda desde la cabaña, de modo que se concentró en James. El hombre estaba murmurando para sí mismo muy enfadado mientras se acercaba pisando fuerte por el tablón del muelle. Gator oyó que arrastraba algo. Antes de que pudiera cambiarse de lugar para coger al hombre, oyó el sonido de una lancha que se acercaba rápidamente. Se hundió en el agua para valorar la nueva amenaza.

—¿Qué demonios estás haciendo? —gritaron desde la lancha motora y enseguida divisó a Carl Raines.

James ignoró la pregunta, apoyó un pesado trozo de madera contra la puerta de la cabaña y levantó una lata de gasolina. Mojó con gasolina las paredes de la cabaña tan rápido como pudo, empapando la madera seca.

—¿Estás loco? —Carl amarró la embarcación, saltó al agua poco profunda y subió corriendo por la cuesta.

James ni siquiera se dio la vuelta, cogió una segunda lata, empapó metódicamente la pared lateral y avanzó alrededor de la construcción hasta quedar fuera de la vista.

Carl tropezó, resbaló en el barro, giró un poco intentando recuperarse y se encontró frente a frente con un hombre que tenía medio cuerpo dentro del agua. La cara de Gator estaba llena de barro y se camuflaba con las sombras del muelle y las raíces, pero Carl estaba casi encima de él. Cuando Raines sacó su arma, Gator le disparó dos veces. La primera bala le dio entre los ojos; la segunda en la entrepierna. En ese momento los pájaros que estaban alrededor de la cabaña de caza levantaron el vuelo batiendo las alas y chillando fuertemente.

Gator salió del agua y se puso el rifle en el hombro mientras emergía. James tuvo que haber oído los disparos o los chillidos de alarma de los pájaros, y Vicq también, si todavía estaba vivo. Gator no dejó que su mente se obsesionara con esa posibilidad. Su trabajo era limpiar el exterior de cualquier amenaza. Llama haría su trabajo, que era proteger a Joy. Subió la cuesta para rodear la cabaña.

El olor a gasolina combinado con el crepitar del fuego que se iniciaba era abrumador.

¿Alguien tiene en la mira a este canalla? Tengo que sacar a Llama y a Joy de la cabaña.

Envió la llamada inmediatamente, mientras corría por un lado de la construcción para llegar a la entrada.

Estás cubierto.

El sonido de un disparo de rifle reverberó en el pantano y asustó a los pájaros por segunda vez. Gator quitó el tablón grande apoyado contra la puerta justo cuando el fuego avanzaba por la cabaña tragándosela rápidamente, pero el intenso calor hizo que retrocediera. Tiró el tablón, y después su rifle y la munición, a un lado. Su ropa y su pelo estaban empapados, así que no perdió tiempo y dio una gran patada con su bota a la puerta principal haciendo que se doblaran las bisagras mohosas. Una segunda patada las arrancó del todo, pero las llamas ya lamían el suelo de madera. Un humo negro salía en oleadas de la cabaña.

Gator saltó el anillo de fuego y llegó junto a Llama. Ella ya había enrollado a Joy en una sábana mojada y la levantaba torpemente sobre sus hombros como hacen los bomberos... algo difícil de hacer solo con un brazo, incluso habiendo sido reforzada. La otra mujer parecía estar demasiado débil, o demasiado drogada, para sostenerse de pie. Sollozaba incontrolablemente, pero se aferraba con fuerza a Llama, incluso cuando Gator intentó apartarla.

—¡Joy! Me conoces. Déjame llevarte para que podamos salir de aquí. —Sus ojos se encontraron con los de Llama mientras cargaba a Joy sobre sus hombros. Parecía asustada pero tranquila. Ambos miraron a la puerta. Las llamas avanzaban ardientes mientras caían trozos de madera—. ¿Estás preparada? —Ella asintió—. Quédate detrás de mí.

Sin dudarlo, Gator corrió a través del anillo de fuego, y saltó por encima de las llamas que subían del suelo para salir al exterior. El viento que produjo su cuerpo al saltar hizo que las llamas soltaran chispas.

Llama fue tras él. Saltó levantando las rodillas hasta el pecho, sin importarle el aterrizaje pues no quería quemarse. Cayó en cuclillas, dio una voltereta por la cuesta hasta casi llegar al agua, y se desplomó boca abajo en el barro. Se quedó así tumbada escuchando el crepitar del fuego, el movimiento del agua y su propio corazón. Pero sobre todo, sentía un gran dolor en el brazo roto, que le provocaba estremecimientos por todo el cuerpo.

Las manos de Gator fueron muy delicadas cuando la ayudó a levantarse y le limpió el barro de la cara.

—Siempre vas hecha un desastre.

—No me gustas demasiado.

Llama le apartó la mano y se sentó en la cuesta, esperando a recuperar sus fuerzas.

—Estás loca por mí.

Ella se pasó una mano por la cara.

—Estoy loca sin más.

—Lo sé, pero eso es lo que me parece tan atractivo. —Se inclinó hacia ella y le dio un beso en la boca—. Joy está muy mal. Wyatt viene con el hidrodeslizador, pero ella está en estado de *shock*. No quiere hablarme ni mirarme y no puede dejar de temblar. Sé que estás herida. —Le tocó el brazo suavemente y le acarició los dedos.

—No estoy tan mal. Me quedaré con ella mientras haces lo que tengas que hacer para asegurar el lugar.

Permitió que Raoul la ayudara a levantarse, principalmente porque de repente se sintió tan agotada que solo quería arrastrarse a una cama y dormir durante horas. Incluso se apoyó en él mientras la llevaba a un pequeño claro más allá de la cabaña ardiente. Lo reconoció por las fotografías que había tomado Joy.

Se sentó al lado de ella, puso una mano sobre su hombro, e indicó sin palabras a Gator que se fuera.

—Ya no pueden hacerte daño, Joy —dijo—. Todos estaban buscándote. Nadie perdió la esperanza.

Se produjo un pequeño silencio mientras el viento avivaba el fuego. Arriba, unas nubes grises comenzaron a soltar una llovizna sobre ellos otra vez.

—Yo sí —dijo Joy—. Perdí la esperanza.

—Wyatt Fontenot llamó a su hermano para venir a buscarte. Raoul cogió un permiso personal del ejército y ha pasado semanas siguiéndote el rastro.

—¿Qué voy a hacer? —Joy se estremeció visiblemente—. ¿Cómo puedo reconstruir mi vida? No volveré a ser la misma.

—No, pero serás más fuerte. Eres una superviviente. Crees que te rendiste, pero fuiste muy valiente intentando luchar contra Vicq Comeaux a mi lado. —Usó deliberadamente su nombre—. Te vi tratando de sujetarle el tobillo cuando vino hacia mí. Eso es una luchadora, Joy. Tuvieron que mantenerte drogada porque no podían romperte. Lo que sea que hiciste en ese cuarto con esos hombres, lo hiciste para sobrevivir. Eso es todo. Saliste de ello viva.

—Oí que Carl decía que había que ser más cuidadoso conmigo de lo que fueron con Francine. Creo que está muerta. Desapareció hace un par de años. Fueron cuatro hombres. —Joy comenzó a sollozar otra vez y se tapó la cara—. El peor no estaba aquí. Me encontrará y me matará. Me golpeará hasta la muerte.

Se le escapaban las palabras y tenía una expresión de temor y odio.

—Lo sabemos todo acerca de Saunders —le aseguró Llama—. Mató a un buen amigo mío. Me sorprendería mucho que consiga llegar a los tribunales.

—¿Un juicio? ¡Oh, Dios! Todo el mundo lo sabrá. Mostrarán las películas que hicieron. Mi familia será humillada.

—Joy. —Llama le acarició el cabello—. Mira este lugar. Está ardiendo de arriba a abajo. Carl, James y Vicq están muertos. No habrá nada para mostrar a nadie. Háblame de Saunders. ¿Estás segura de que era el jefe?

Joy asintió con la cabeza varias veces.

—Todos parecían tenerle un poco de miedo. Carl y él estaban relacionados de algún modo. Usaron a Vicq para vigilarme y... —Sollozó otra vez, ahora más histéricamente. Tardó unos minutos en recobrar el control—. Ablandarme. Entrenarme. Eso es lo que Saunders decía. Me estrangulaba hasta que no pudiera respirar mientras me violaba. Creo que es así como murió Francine. Carl y Saunders le recordaron varias veces que no me matara.

Llama le frotó la espalda para mantener el contacto físico. Se daba cuenta de que Joy parecía necesitar la tranquilidad de sus caricias.

—Nonny, la abuela de Wyatt y Raoul, fue quien nos señaló esta zona. Sacaste fotografías de este claro.

—James me trajo aquí de picnic. Ahora sé que debió haber planeado raptarme entonces para entregarme a Vicq.

—¿Por qué no lo hizo?

—Por que llegaron unos cazadores que conocía. Eran amigos de mis hermanos y se detuvieron para hablar conmigo.

—Por supuesto —dijo Llama—. James tendría miedo de que pudieran identificarlo como el último hombre que fue visto contigo aquí y a solas. No querría eso. Esas fotos nos fueron de gran ayuda, Joy.

Joy se volvió y la miró por primera vez.

—¿Qué voy a hacer?

—Vivir. Día a día. Curarte. Día a día. Tienes una familia maravillosa y unos amigos fantásticos. Eres lo bastante lista como para saber que no todos los hombres son como Vicq y los otros. No será fácil y necesitarás ayuda, pero encontrarás la manera de vivir una vida feliz. Sé que lo harás.

Joy se estremeció.

—Solo quiero ver la cara de mi madre otra vez. Recé para ver su cara otra vez.

—Lo harás. Wyatt está aquí ahora. Tenemos que bajarte al hidrodeslizador para que podamos llevarte al hospital. Alguien tiene que llevarte. ¿Raoul o Wyatt?

—¿Wyatt Fontenot está aquí? —Su voz se convirtió en un pequeño lamento. Se contuvo y se mordió el labio inferior—. ¿Sabe lo que ha pasado? ¿Cómo voy a poder mirarlo a la cara? No quiero que me vea así.

—Wyatt no ha dejado de buscarte ni por un momento. Sí, sabe lo que ha sucedido aquí, pero eso solo le ha hecho querer mantenerte a salvo, lo mismo que Raoul. Los hermanos Fontenot son muy protectores. —Llama miró hacia arriba y vio a Wyatt dando grandes zancadas hacia ellas con la cara rígida y dura—. No creo que vayas a tener muchas posibilidades de negarte a menos que lo digas ya. Aquí viene Wyatt.

Joy se enrolló con la sábana mojada, aparentemente sin darse cuenta de que era semitransparente. Cuando se acercó, Wyatt se quitó su camisa.

—Joy. *Remerciez Dieu que vous etes vivantes.* Ven aquí, *cher.*

Su voz fue tan tierna que a Llama se le hizo un nudo en la garganta. Observó cómo se agachaba y le ofrecía la camisa.

—Tengo los ojos cerrados, cariño. Sácate esa sábana mojada y ponte mi camisa. He traído también unos pantalones de chándal.

—Ni siquiera pensé en eso, Wyatt —dijo Llama—. Que considerado por tu parte.

Cogió los pantalones de chándal de la mano de Wyatt ya que Joy parecía estar congelada en el sitio.

Joy miraba a Llama impotente, con miedo de moverse o hablar. Llama tiró la sábana mojada lejos de su cuerpo magullado y golpeado, y la reemplazó por la cálida camisa de Wyatt.

—¿Puedes incorporarte lo suficiente como para ponerte los pantalones?

—Solo un momento —dijo Wyatt—. Voy a levantarte, Joy. Solo voy a sostenerte para que puedas ponerte los pantalones.

Joy estaba temblando tan incontrolablemente otra vez que Llama tuvo miedo de que tuviera una crisis, pero dejó que Wyatt la sostuviera mientras ella se subía los pantalones. La tenía abrazada y apoyada en su pecho.

—Tus padres se reunirán con nosotros en el hospital. Vamos a hacer esto muy tranquilamente, Joy. No queremos que nadie se entere.

Llama los siguió, un poco conmocionada y sintiendo las piernas muy pesadas. Raoul se situó al lado de ella y le pasó un brazo alrededor de la cintura. Ella se apoyó en él, agradecida de que estuviera allí.

—Recuérdame que le diga a Nonny que ha educado a una pareja de hombres increíbles. Es tan tierno con ella —se volvió para mirarlo—, como tú conmigo.

Gator le dio un beso en su frente manchada de barro.

—Sabía que estabas loca por mí. Pareces cansada.

Ella le sonrió.

—Y tú pareces preocupado. Solo estoy cansada. No creo que abrirme camino a través del agua sea lo mío. Lo único que pienso es cuándo va a morderme el próximo caimán.

—No tienes que preocuparte por la clase de caimán que va a morderte, *cher*. Este que tienes delante está hambriento.

Ella puso los ojos en blanco y mostró una gran sonrisa.

—¿Sabe tu abuela que eres tan ganso?

—Por lo menos me has sonreído.

Raoul intentaba ignorar los nudos que se agarrotaban en su vientre y las campanas de alarma que chillaban hacia él. No solo parecía cansada, parecía abatida. Y pálida. Tenía unas ojeras oscuras. Y más magulladuras. El miedo hizo que se le cerrara la garganta, pero se apartó hacia donde ella no lo pudiera ver, aparentando que era algo casual.

Miró hacia el cielo.

—El sol está empezando a ponerse y la tormenta nos la va a montar. Tenemos un buen doctor que sabe mantener la boca cerrada y que está esperando a Joy. Kadan, Ian, y Tucker están llamando a Lily para pedirle ayuda en esto. No hemos informado a la policía y ahora tenemos a tres civiles muertos. Va a ser una pesadilla y necesitaremos su influencia política y una autorización militar para justificar lo de hoy.

Llama levantó una ceja.

—No pensaste en detener a alguno de ellos.

Gator se encogió de hombros.

—No tengo autoridad para detener a nadie. Rescaté a una amiga. No es mi culpa que nos obligaran a defendernos.

Ella le cogió la mano para subir al hidrodeslizador, ignorando el dolor que no solo latía en su brazo, sino también en la cabeza.

—Eres un chico muy malo, Raoul Fontenot. Es por todos esos rizos. Hay un viejo dicho sobre los rizos y ser malo.

Él se quejó y se llevó su mano a la boca antes de instalarse en el asiento del conductor.

—*Grand-mère* solía decírmelo. No tengo rizos. Tengo ondas. El cabello ondulado es mucho más varonil.

—Tengo que estar de acuerdo con eso —dijo Wyatt.

Se sentó en el banco abrazando a Joy. Ella tenía la cara enterrada en su pecho.

Llama puso una fina manta sobre Joy para protegerla de la lluvia. Sintió las piernas inestables cuando volvió junto a Raoul. Se inclinó contra el asiento.

—Esto ha sido una cosa buena. Por una vez, los monstruos no han ganado.

—No, no lo han hecho.

La embarcación volaba sobre el agua tan rápidamente como podía navegar sin peligro. Estaba oscureciendo y necesitaba llevar a Llama a casa para meterla en la cama. Y necesitaba pensar. Planear. Tenía que hacer algo pronto o iba a perderla. No quería que eso pasara. De una manera o de otra, iba a recibir un tratamiento. Se le cerraba la garganta solo con pensar en su reacción. Llama se convertía en un polvorín cuando se mencionaba a cualquiera de los Whitney. Y necesitaría a Lily Whitney para asegurarse de que ella viviera.

Quería hablar con los otros Soldados Fantasma y conocer su opinión sobre Lily. No podía creer que estuviera trabajando con su padre adoptivo, pero si Peter Whitney estaba vivo, no podía dejar a Llama en sus manos... y que Dios le ayudara, estaba considerando hacer justo eso.

—Pareces molesto, Raoul —dijo Llama, frotándole la mandíbula con la mano—. Tenemos a Joy de vuelta. Probablemente se hubieran salido con la suya en el caso de que hubieran ido a juicio. La gente como esa siempre lo hace. Matan a los testigos y compran al jurado o al fiscal, y manipulan las pruebas. Esto es mucho mejor.

—No tenía ni idea de que fueras tan pesimista.

—Soy realista.

—¿Te puso Vicq las manos encima?

Hablaba muy bajo y con rudeza. Tenía la mandíbula rígida.

Llama se inclinó hacia él y besó la comisura de su boca.

—Estás molesto porque entré en la cabaña, ¿verdad? Esa tonta parte machista tuya piensa que deberías haber ido conmigo.

—Estoy molesto por muchas cosas, *cher*.

—Puedo cuidar de mí misma en una pelea, Raoul.

La miró y enseguida volvió a mirar hacia el agua. La lluvia caía más fuerte, y hacía más difícil ver cualquier peligro en la superficie. Se vio obligado a ralentizar el hidrodeslizador. Lo único en que podía pensar era en que Llama había estado en peligro y él se lo había permitido. No le importaba si era un machista por pensar así, pero la sola idea de que otro hombre la hubiera podido tocar, herirla, y torturarla igual que a Joy, francamente le hacía ponerse enfermo.

—Maldición, Llama, respóndeme. ¿Te tocó?

A Llama todavía le dolía el pecho y sabía que tendría magulladuras. Cerró los ojos brevemente. ¿Por qué no podía mentirle sin más?

—Sí. Y entonces lo maté.

Gator dio un puñetazo en la caja al lado del asiento, y soltó gruñendo una serie de maldiciones en cajún.

—¿Dónde? —Llama le puso la mano en el brazo pero permaneció en silencio—. *Maudit!* Solo contéstame.

Ella se inclinó hacia él, le acarició su cabello ondulado y la cara para apaciguarlo.

—En el pecho. Me duele un montón.

Gator giró la cabeza para ver el brillo de las lágrimas que asomaban en sus ojos.

—*Fils de putain.*

A Llama se le apretó el corazón y el nudo que se le formó en la garganta hizo que casi se ahogara.

—Traemos a Joy, así que ha sido un pequeño precio a pagar.

Le rodeó la cintura y la estrechó contra él.

—Me siento tan orgulloso de ti, no tengo palabras para decírtelo.

Ella se rió y sintió un gran alivio.

—Muy buenas tus palabrotas. Eso lo dijo todo. Sabía que me estabas alabando.

Cuatro horas después Gator estaba nuevamente despotricando sin parar. Estaba de pie mirando fijamente a Llama, con la boca abierta, e incapaz de creer lo que veían sus ojos.

—¿Dónde diablos crees que vas vestida así? —le preguntó—. Soltó el aliento en una ráfaga caliente. Llevaba medias de red y botas altas de cuero con unos enormes tacones. Unas ligas asomaban debajo de una micro-minifalda, y la parte de arriba era casi inexistente. Se había puesto mucho maquillaje, algo que no solía llevar, y su cabello estaba pegado hacia atrás con alguna clase de gel brillante—. Pareces... —Se quedó sin palabras, con el corazón palpitando.

—Con suerte muy puta. —Se examinó el top transparente. Debajo llevaba un sujetador negro que elevaba sus pechos y apenas le cubría los pezones—. ¿Qué piensas? —Sacó la cadera y puso la mano en ella—. ¿Te estás fijando en mí, o en el brazo roto?

—Ni siquiera he visto el brazo. ¿Qué diablos estás haciendo? —repitió.

—Derrotar a Saunders. He averiguado dónde recogen sus hombres a las mujeres, y estoy segura de que esta noche va a necesitar consuelo. Se relaja golpeando y torturando a su chica de turno. Las he visto salir de su guarida casi cada noche.

—Crees que era el hombre al que Joy temía tanto.

—Sé que lo era. Joy me lo dijo. Se sienta en una esquina y mira, a veces dirige a los otros para que le hagan cosas a la chica. Le gusta ver a una mujer sufriendo. Creo que mi brazo roto será una ventaja a la hora de la selección para cumplir el dudoso honor de que ese hombre me torture —dijo Llama con una sonrisa resplandeciente.

Gator inspiró bruscamente. Iba a hacerlo. Lo podía ver en la determinación de su cara. Y él iba a tener que soportar el terror de perderla de nuevo.

—La verdad es que a mí tampoco me importaría torturarte un poco, Llama. Pero, ¿qué se te ha metido en la cabeza como para pensar en salir por tu cuenta a algo tan peligroso? ¿Quieres que te maten? —Se acercó a ella agresivamente y apretó los dedos en sus antebrazos como si fueran tenazas y la sacudió ligeramente—. ¿De qué va esto? ¿Quieres morir?

—No, realmente no. Todavía estoy aquí, ¿verdad? Te estaba esperando.

Estaban cara a cara, con los pies juntos. Gator aflojó lentamente los dedos.

—Ah, bueno. Entonces, bien. Al menos estás mostrando buen juicio finalmente. Y, ¿de dónde sacaste ese conjunto? No has estado fuera de mi vista lo suficiente como para ir a un maratón de compras.

Ella sonrió burlona.

—Tu abuela.

Gator se pasó una mano por el pelo, deseando arrancárselo de raíz.

—Las mujeres fueron diseñadas para volver locos a los hombres buenos. ¿Por qué demonios tendría mi abuela ropa de puta? Todo este tiempo había mantenido la esperanza de que fuera mi hermano quien compró esos juguetes para nosotros. ¿Cómo demonios voy a volver a mirarla a los ojos?

Llama se echó a reír.

—Los hombres estáis llenos de dobles raseros. Es perfectamente aceptable para vosotros sentir lujuria, querer sexo salvaje sin inhibiciones, y tener a una mujer que se vista de putón de vez en cuando, pero las mujeres no pueden querer lo mismo.

—Ciertamente no quiero tener la imagen de mi abuela vestida de putón.

Se frotó la cara con una mano y se tapó los ojos como si eso pudiera borrar la imagen.

Llama quería torturarle un poco más, pero parecía tan incómodo que sintió lástima de él.

—Estas no son ropas de tu abuela, ganso. Le dije lo que necesitaba. No había tiempo para ir de compras, así que llamó a sus amigas. Ellas trajeron lo que tenían y este es el resultado.

Gator comenzó a sudar.

—Esto se está poniendo cada vez peor. ¿Me estás diciendo que las *amigas* de mi abuela tienen ropa como esta? —Se tapó la cara con ambas manos y sacudió la cabeza—. No digas otra palabra más. No quiero saber nada. Es mejor ignorarlo.

Llama se rió de su expresión horrorizada. Pasó sus brazos alrededor de Gator y apoyó su cuerpo contra el suyo. Le era imposible resistirse a Raoul cuando se convertía en un macho confundido.

—Todo irá bien. Te recuperarás de esto.

—No lo creo, *cher*. Esta conversación no es correcta.

—No tenemos mucho tiempo, así que puedes buscar conmiseración mientras me llevas al rincón donde Saunders manda a sus hombres a elegir a una mujer. Espero que me elija a mí.

—Estoy pidiendo a los otros que nos respalden —le advirtió—. No me gusta esto para nada, Llama. Saunders es claramente un asesino. Le gusta hacer daño a las mujeres y seguro que ahora está confundido. No tiene ninguna pista sobre lo que ha sucedido y no sabe si hay pruebas contra él o no. Debe estar queriendo matar a alguien.

—Los hombres como Saunders huyen, Raoul. Lo sabes.

—No es Whitney —le recordó suavemente—. Incluso si acabas con él, *cher*, Whitney todavía te estará siguiendo de cerca. Muerto o vivo, siempre estará ahí. No tienes que hacer esto.

Ella levantó la barbilla.

—Sí tengo que hacerlo. No podré vivir conmigo misma si queda impune después de lo que les hizo tanto a Burrell como a Joy. Quizá lo comparo con Whitney, pero eso no lo hace menos culpable.

—Está rodeado de civiles y tiene un pequeño ejército —le recordó.

—No tienes que venir conmigo.

Sus ojos oscuros brillaron mientras la miraban y Llama sintió que un escalofrío le recorría la columna. Se apartó de él, negándose a ser intimidada, negándose a echarse atrás. Pero él le agarró la barbilla con la mano.

—Creo que necesitamos dejar algo claro, *cher*. Te amo. Sin rodeos y no tengo miedo de decirlo. Pero tú tienes una idea de mí que no es exacta. No soy siempre agradable, Llama. No me gusta que me manden, ni siquiera la mujer que amo.

Ella no iba a reaccionar a su declaración. Fue un esfuerzo tremendo para él hacerla y ella quería hablarlo, aunque no podía impedir la manera en que su corazón y su traicionero cuerpo respondieron. Lo amaba cuando se comportaba como un pringado y le encantaba cuando se ponía como un macho alfa con ella. Dios, era patética.

—No intentaba presionarte, Raoul. Esto es importante para mí. Tengo que hacerlo.

Ella inclinó la cabeza y apartó la mirada de él para que no pudiera leer la verdadera razón en sus ojos. Se estaba muriendo, y quería dejar algo tras ella. No podía dejar niños, y si Raoul decía la verdad y la amaba, él era el único que lo hacía. Y él sería la única persona que la recordaría. Iba a librar al mundo de otro monstruo antes de permitir que la enfermedad la devorara.

—Vamos entonces —dijo Gator—. Enviaré a los otros a su casa para que nos cubran.

Hablaron poco mientras atravesaban las calles hasta encontrar la dirección de Bourbon Street que ella le dio. Gran parte del tiempo él estuvo hablando por el móvil, dando instrucciones a los otros Soldados Fantasma. La esquina de la calle estaba desierta por culpa de la tormenta que azotaba la ciudad, que llenaba las calles de agua tan rápido que las bombas no daban abasto.

Llama se inclinó desde su asiento para darle un beso, con la mano en la puerta. El leve roce de sus bocas hizo que él sintiera una pequeña sacudida eléctrica. Enfadado o no, no podía resistirse a ella. Le cogió la cara con las manos para mantenerla quieta. La besó como le gustaba, dejando que ella saboreara su rabia, sus mordiscos y el baile de su lengua. Tenía su maldito corazón en un puño y ella le daba tan poco a cambio. Iba a tener que mirar cómo se marchaba y se ponía en la esquina para hacer que un asesino la recogiera.

—El coche está temblando —dijo ella.

—¡Qué se joda el coche!

La besó más. Largos besos embriagadores. Calientes besos ardientes. Oscuros besos enfadados. Cada clase de beso que podía idear para que se quedara con él.

—Te amo —susurró Llama con la voz tan baja que incluso con su aguda audición apenas la oyó—. Nunca he amado a nadie, Raoul y no soy muy experta en esto.

Era una confesión, la mejor que ella podía hacerle y lo único que esperaba era que ojalá entendiera lo que estaba intentando decirle.

Gator apoyó la frente contra la suya.

—Eres bastante experta en esto —dijo—. Que no te disparen o estaré realmente cabreado contigo. No tiré la paleta, ya lo sabes.

Ella se rió de la manera que él sabía que haría, y nuevamente le resplandecieron los ojos.

—La tiré yo. Y antes la partí en dos, así ya no tendrás más ideas brillantes.

Gator llevó una mano su pecho, su magullado y dolorido pecho. Lo acarició suave y amorosamente a través de la fina tela.

—Te gustan mis ideas. Creo que te gusta el tacto de mis manos.

La manera en que la tocaba era reverente, en absoluto juguetona como sus palabras, tan tierna y amorosa que quería fundirse con él.

—Me encanta la sensación de tus manos. Ahora vete antes de que nos detengan. —La besó otra vez y abrió la puerta.

Pero le agarró un brazo impidiendo que saliera.

—Mírame a los ojos, Llama, y dime que no estás intentando morir aquí.

—No dejaría que Saunders me matara como hice con Whitney.

La sujetó un largo segundo, tragó saliva y asintió.

Ella se paseó por la esquina resguardándose de la tormenta, intentando parecer como si estuviera lista para pasar un buen rato, mientras la lluvia caía con fuerza y las calles parecían sórdidas con los anuncios de neón que parpadeaban tras la neblina gris. No tenía competencia alguna a la vista, y si había pensado correctamente y Saunders necesitaba desahogarse de sus frustraciones, ella sería la elección lógica. Miró su reloj subrepticiamente. Todos los días que había estado investigando a Saunders iban a dar su fruto. Tenía su horario. O venían a mirar en los próximos minutos, o la noche sería un fracaso.

Casi la ciegan los faros de un coche que giró en la esquina. Reconoció los vehículos de seguridad que utilizaba Saunders.

Ha mordido el anzuelo. Vamos a ver si lo puedo atraer.

No vayas demasiado confiada, Llama.

Miró furtivamente por si podía divisarlo, pero era imposible ver a Raoul cuando estaba en modo de caza.

Bajaron la ventanilla y una mano la llamó al coche. El hombre le entregó trescientos dólares sin decir una palabra. Llama subió al coche cuando la puerta trasera se abrió. Nadie habló mientras la dirigían por la ciudad hasta la propiedad de Saunders. Se miraban y sonreían burlonamente, y entendió que querían intimidarla. El que estaba sentado en el lado del pasajero tenía la nariz torcida y se frotaba la entrepierna mientras le sonreía.

Ella lo miraba y pensaba en Raoul. Lo sentía cerca y sabía que si susurraba la oiría. Cuando Raoul la miraba se sentía sexi. Cuando estos hombres la miraban solo se sentía sucia... y enfadada. En el momento en el que atravesaron la entrada trasera para ir directos a la garita, estalló la ventana delantera del pasajero y el vidrio de seguridad explotó hacia dentro. Los hombres reaccionaron, sacaron sus armas y se agacharon. Llama se guardó para sí misma su sonrisa burlona.

Estaban nerviosos y la ventanilla rota sin ninguna explicación había hecho que les aumentara la tensión.

La garita se veía limpia y bonita por fuera, armonizaba con la belleza de los exteriores, pero una vez dentro, era fácil ver exactamente para qué se usaba ese lugar. Saunders estaba sentado al lado de la falsa chimenea, bebiendo un vaso de whisky. Apenas la miró cuando los hombres la empujaron para que entrara. La puerta se cerró con un ruido sordo.

Llama miró a su alrededor. Unos espejos decoraban el techo y tres de las cuatro paredes. Había un estante metálico que contenía toda clase de lo que parecían instrumentos para provocar dolor.

—Así que esta es tu pequeña cámara de tortura. Muy elegante. He oído hablar de ella.

Saunders levantó el vaso.

—¿Mi reputación me precede?

Le sonrió y vagó alrededor del cuarto tocando los distintos látigos. Eran reales, obviamente hechos para producir tanto dolor como fuera posible.

—Ciertamente es así. Pensé comprobarlo por mí misma. —Se inclinó contra el estante permitiéndole que tuviera una buena vista de su figura. Mientras tanto pasaba la mano de arriba abajo por uno de los pinchos—. Le gusta hacer daño a las mujeres, ¿verdad, señor Saunders?

Sus dedos lo tenían hipnotizado. Miraba la forma en que ella acariciaba el frío acero, casi como si fuera un símbolo fálico. Su voz era increíble, parecía un ronroneo sexi y sensual que le ponía tan duro como una piedra. Normalmente no permitía que las putas le hablaran, pero el sonido de su voz vibraba a través de su cuerpo y jugaba con sus terminaciones nerviosas igual que esos dedos que acariciaban el metal.

—Lo excita y le hace sentir grande y poderoso, ¿verdad?

Quería moverse hacia ella, pero la habitación parecía moverse bajo él. Daba bandazos y vacilaba. Se preguntó si había terremotos en Louisana. La verdad es que nunca había vivido uno antes.

La puerta se abrió de golpe y Emanuel Parsons entró tropezando.

—Tú, hijo de puta. Has matado a mi chico, ¿verdad? —Le daba la espalda a Llama. Estaba tan ansioso por enfrentarse a Kurt Saunders que no había comprobado si en la habitación había otros ocupantes—. La cabaña ha desaparecido, la han quemado hasta los cimientos y han acabado con todos. Todos están muertos.

—¿Cómo diablos has entrado aquí?

Saunders puso el vaso cuidadosamente sobre la mesa, y dejó su mano de manera casual sobre él.

—Fue un buen chico hasta que lo introdujiste en tu depravado estilo de vida. No querías testigos. —Emanuel golpeó el suelo con su bastón—. No tenías que haberlo matado, Kurt.

—No tuve nada que ver con el incendio de la cabaña. No tengo la menor idea de lo que sucedió allí. Imagino que Vicq estaba cabreado y se volvió loco. Siempre le faltó un tornillo. En cuanto a tu chico, adoraba poseer a una mujer y utilizarla de la manera en que debe ser usada. Tú siempre quisiste hacerlo, pero nunca tuviste agallas. Sal de aquí, Parsons. Me pones enfermo. Y no pienses que puedes intentar derrotarme. Tengo bastante material sobre ti y tu hijo como para enterrarte.

—No tendré que derrotarte. Los militares están por esta zona. Tienen helicópteros, forenses, y algunas personas bastante poderosas están revolviendo tu basura y no es nadie que conozca. Eso me dice algo, Kurt. No confían en la policía. ¿Por qué no confiarían en la policía para investigar? Porque yo estaba bajo sospecha. Y eso significa que saben de ti. No tendría que hacer nada para derrotarte, pero mataste a mi chico. —Emanuel Parsons levantó su bastón lentamente—. Abrásate en el infierno.

El disparo sonó muy fuerte en la pequeña estancia. El vidrio se rompió detrás de Parsons, que se desequilibró un momento mientras miraba fijamente a Saunders y la pequeña arma que tenía en la mano. Saunders había sacado el arma de la mesita, donde todavía estaba su vaso lleno de whisky. El bastón cayó primero, y luego Parsons se desplomó de rodillas.

Saunders se acercó a él y apretó el cañón del arma entre sus ojos.

—Tú pierdes —dijo, y apretó el gatillo

Llama se quedó muy quieta mientras Saunders giraba el arma hacia ella.

Él se encogió de hombros.

—Lo siento, cariño. Realmente quería jugar, pero me temo que no tengo tiempo.

El hombre levantó el arma y su dedo anular apretó el gatillo.

Simultáneamente, un agujero apareció en medio de su frente, otro en su corazón, otro en su garganta y otro en su boca. Llama apenas pudo separar los cuatro disparos tan seguidos. Frotó la púa de metal con la servilleta que estaba en la mesa al lado de la bebida de Saunders antes de usarla para abrir la puerta.

—No, esta vez, pierdes tú —dijo y cerró la puerta.

No había un solo guardia a la vista. Miró de reojo un cuerpo tumbado boca abajo en el césped y otro en el jardín. Se dirigió hasta el borde de la alta valla, saltó, aterrizó en cuclillas y esperó allí entre las sombras.

Un coche se detuvo, se abrió la puerta del pasajero, entró y se inclinó por encima del asiento para besar a Raoul de lleno en la boca.

—Muy oportuno. Gracias.

—Sirvo para algunas cosas.

Capítulo 18

*E*l agua de la ducha estaba muy caliente y la ayudaba a aliviar el escozor de las contusiones que tenía por todo el cuerpo. Llama se apoyó en la mampara y dejó que el agua cayera sobre ella. Nunca en su vida se había sentido tan cansada. Pensaba en la sensación que tuvo al ser testigo del encuentro de Joy con sus padres. Había sido edificante pero a la vez muy triste. Por algún motivo había desviado su atención de Joy y sus llorosos padres a Wyatt. Parecía destrozado. Completamente roto. Tanto que a ella le hubiese gustado poder llorar por él.

No quería ver jamás esa misma expresión en la cara de Raoul. Cerró los ojos y echó la cabeza hacia atrás, permitiendo que el agua cayera en cascada sobre su cuerpo. Incluso aunque se quedara con él, cuando muriera se iba a quedar igual de destrozado. ¿Qué se suponía que tenía que hacer? De hecho, había intentado hablarlo con su abuela, pero antes de que pudiera confesarle la verdad, las interrumpieron. Ella no tenía a nadie con quién conversar y, por encima de todo, no quería ver sufrir a Raoul.

—¡Oye! ¿Estás pensando en quedarte a vivir ahí?

Un fuerte golpe en la puerta la sobresaltó. Se echó el pelo hacia atrás y cerró el grifo.

—Lo siento, no pretendía gastar toda el agua caliente —contestó mientras cogía una toalla y se la envolvía alrededor del cuerpo.

—No estoy preocupado por el agua, *cher* —le dijo asomando la cabeza por la puerta—. Solo quería saber si estás bien.

Recorrió su piel desnuda mirándola intensamente.

Se le encogió el corazón cuando vio que fruncía el ceño. Sabía que tenía mal aspecto y no podía ocultarle los cardenales. Los tenía por todas partes, y esas grandes manchas negras y azulonas se veían horribles. Agachó la cabeza:

—Parecen peores de lo que son.

Gator entró en la habitación y pasó la yema de sus dedos alrededor del cardenal oscuro e hinchado que tenía en el pecho. La tocó con suavidad, solo en esa zona, pero se le tensó el vientre en respuesta.

—¿Duele?

Su intensa mirada recorrió su rostro, con los ojos llenos de emoción. Ella le acarició la mandíbula.

—Estoy bien, Raoul. No me puedes mirar así.

Él le cogió la mano y la llevó a su boca.

—No sé si mi corazón será capaz de soportar que sufras más golpes, Llama.

Nunca nadie la había mirado así y no sabía si su corazón podría aguantarlo. De hecho, tenía el pecho encogido.

—No me duele. —Trató de tranquilizarlo—. Incluso tengo el brazo mejor —añadió consiguiendo dibujar una sonrisa—. Soy una chica dura.

—Eres un caso.

La sacó del cuarto de baño.

La casa olía a pan recién hecho, pollo frito y al pastel de nueces con el que su abuela los había enviado de vuelta a su hogar. Gator no se había complicado con las luces, pero había puesto velas por todas partes para que el cuarto resplandeciera. De pronto la pequeña cabaña pareció ser algo más que el refugio de un narcotraficante: un lugar entrañable, cómodo y hogareño.

Llama se frotó las sienes con los dedos. La estaba matando ofreciéndole cosas que estaban fuera de su alcance. Quería llorar por los dos, pero en cambio lo dejó que la acomodara en la silla frente a él. Si realmente la quería, aún sabiendo que no le quedaba mucho tiempo, ella aceptaría lo que le estaba ofreciendo y se aferraría a ese regalo con fuerza y con ambas manos.

—Tienes tanta suerte de tener a tu abuela, Raoul. Es increíble. —Cogió su tenedor mientras él le servía en el plato—. Ha sido muy amable de mandarnos con un paquete de comida.

—Cuando está nerviosa o triste, *grand-mère* cocina. De niño podía sentir el olor de sus pucheros desde mucho antes de llegar a la cabaña. Siempre teníamos un montón de comida. —Hizo un gesto señalando las velas—. Le dije que quería una luz suave y relajante para crear un ambiente agradable para ti y ella cogió todas las velas que había hecho con el aroma adecuado.

—¿Para mí? —Llama miró a su alrededor, asombrada por todas las molestias que se había tomado—. ¿Has hecho todo esto por mí?

La miró intensamente.

—Bien, no pensarás que normalmente pongo velas por toda la casa, ¿verdad? Solo lo he hecho por ti. Ahora usamos la cabaña sobre todo cuando venimos a cazar. Pescamos, ponemos trampas y bebemos mucha cerveza, pero esta es la primera vez que hago esto.

—A tu abuela no se le habrá ocurrido mandar otro paquete con cosas extrañas, ¿verdad? —preguntó Llama recelosa.

—No, *cher*. Estuve tentado de pedírselo, pero si no fue ella quien nos compró esos juguetes, tendría que explicárselo todo y no suelo hablar con mi abuela de vibradores.

Llama casi se atraganta con la comida. Se le resbaló la servilleta y se la tuvo que volver a atar para que se mantuviera en su sitio. Sus manos temblaban. Solo la idea de estar a solas con Raoul era suficiente para hacerla feliz, y eso era emocionante. Él la hacía reír con sus comentarios. La vieja cabaña que usaba para pescar y cazar parecía un hogar con las velas, la comida y Raoul sentado junto a ella.

—Has sido muy afortunado de tener a Nonny como abuela. ¿A qué edad te fuiste a vivir con ella?

Se encogió de hombros:

—Creo que cuando tenía unos siete años, aunque antes nos quedábamos con ella la mayor parte del tiempo. Nuestra familia estaba muy unida, así que si no estábamos en una casa, estábamos en la otra, o a veces vivíamos todos juntos.

—Te lo pasaste bien en tu infancia, ¿no?

Él agachó la cabeza, tomando conciencia de pronto de lo diferentes que fueron sus vidas.

—No seas bobo —le dijo con afecto—, me gusta escuchar las historias de tu infancia. Si no fuese así no te lo preguntaría. Creo que tu abuela es de las personas más increíbles que he conocido nunca. Realmente no solo se preocupa de ti y de tus hermanos, sino también de sus vecinos y amigos. ¿Te fijaste en su cara cuando los padres de Joy la vieron viva? —Su voz sonaba entrecortada y tenía los ojos iluminados—. Fue tan bonito. Es genuina, Raoul. Completamente genuina.

Extendió su mano sobre la pequeña mesa para coger la suya.

—No sé cómo saliste tan maravillosa con todo lo que viviste, pero lo eres.

Ella se rió.

—No creo que nadie más piense eso. No soy tan agradable, y tú lo sabes. Tengo muy poca tolerancia a ciertas cosas.

—Te ves tan guapa con las luces de las velas jugando sobre tu piel. Me está incomodando estar sentado en esta silla.

Ella dejó el tenedor y levantó las cejas.

—¿Incómodo?

—Horriblemente incómodo.

—¿Cómo es exactamente esa incomodidad?

Llama apoyó la barbilla en la palma de su mano mirándolo a los ojos. Le encantaba la forma en que sus ojos se volvían más oscuros cuando quería algo o sentía deseo. El deseo descarnado que mostraba su rostro y la salvaje sexualidad que emanaba. Sobre todo le gustaba la forma en que le decía, directamente y con franqueza, que la deseaba.

—Estoy tan excitado, *cher*, que no sería capaz de andar.

Nuevamente surgieron las risas. Felicidad. Sentía que su calor se apoderaba de ella, nítido y poderoso, dejando a un lado las preocupaciones por el futuro, y le permitía disfrutar del aquí y el ahora. Le palpitaba el corazón y los músculos se le tensaban de una manera deliciosa. Realmente lo amaba y ese era un regalo que no tenía precio.

—Ni siquiera llevo un cuchillo —bromeó Llama—. Nada en absoluto, excepto esta toalla.

Él emitió un gruñido.

—Eso no está bien, Llama. Sabes que estoy aquí imaginándome de todo, y vas tú y me dices cosas como esas.

—Es bastante evidente.

—Saberlo y decirlo en voz alta son dos cosas diferentes.

—Quiero verlo.

—¿Verlo? —repitió con la voz ronca—. ¿Quieres verme excitado y preparado para ti?

Ella asintió.

—Si voy a dejar de lado esta maravilloso ágape, me gustaría saber a cambio de qué.

—Percibo en tu voz un tono de desafío, *femme*. ¿No estarás pensando que no estoy a la altura?

Por eso lo amaba, por el tono juguetón de su voz y su mirada provocativa. Raoul se puso de pie y se encogió de hombros para quitarse la camisa. Al ver su pecho ella inhaló profundamente. Luego él se llevó las manos a la cintura y soltó de golpe el aire que retenía en los pulmones. Llama apreció cada pulgada de su cuerpo duro, compacto y bien musculado. Observó cómo deslizaba sus pantalones sobre sus estrechas caderas, dejando al descubierto su gran excitación.

—No cabe duda de que estoy listo para la faena, *cher* —le dijo mientras rodeaba su miembro con la mano en toda su longitud.

De pronto ella sintió sus labios secos y se los humedeció. Había algo muy sexi en la forma tan íntima con la que cubría con su puño la erección.

—Necesito hacer una inspección más de cerca.

Se desplazó alrededor de la mesa, prácticamente hipnotizada por sus hombros anchos, su hermoso cuerpo masculino y el destello de sus blancos dientes que dejaba ver su sonrisa; pero sobre todo por la forma en que la miraba.

Era lujuria en estado puro. No podía negarlo; al contrario, aumentaba su excitación. Pero más allá de eso había amor. Y ese era el mayor afrodisíaco de todos. Alguien la amaba. No cualquiera, sino

Raoul Fontenot. Le rozó la piel con la yema de los dedos produciéndole un visible estremecimiento de placer.

Él tiró del nudo de su toalla y cayó al suelo. Inclinó su cabeza a la altura de su pecho herido y lamió sus moratones con una extraordinaria suavidad.

—¿Esto te duele, Llama?

—No.

Él siguió mirándola a los ojos y ella se encogió de hombros.

—Bueno, a lo mejor un poquito. Cuando haces eso no me duele.

Estaba teniendo tanto cuidado con ella que su lengua parecía de terciopelo. Su tacto era suave y reconfortante.

—Qué bien. No quiero que nada te haga daño esta noche, solamente quiero que te sientas bien. —Extendió su mano hacia ella para atraerla junto a su cuerpo, necesitando sentir la suavidad de su piel, sus curvas lujuriosas y tentadoras—. Te voy a hacer sentir tan bien, *cher* —murmuró mientras le besaba la oreja y recorría su cuello con la boca—. No importa lo enfadada que estés conmigo, porque vas a querer perdonarme.

Llama echó la cabeza hacia atrás para que pudiera acceder a su cuello.

—¿De verdad? ¿Vas a ser tan bueno en la cama que cada vez que discutamos voy a querer dejarte ganar? ¿O solo que te perdone cualquier cosa machista que hagas?

Subió por la barbilla y le besó la comisura de la boca.

—Estoy pensando en que podría ponerme algo machista con una mujer tan terca e independiente como tú y de vez en cuando hacerte sacar tu lado malo.

—¿De vez en cuando?

Le sonrió abiertamente.

—Digamos que voy a encontrar otras formas de complacerte.

Su boca se posó sobre la suya robándole el aliento, haciendo que aumentara su pasión, con ese toque pecaminoso y perverso que siempre parecían tener sus besos. Podría besarlo para siempre, fundirse en su cuerpo y dejar que su cálida boca la llevara a cualquier lugar lejano. Le había traído vida a su cuerpo y ahora se sentía completamente viva.

—Ya sé que eres un macho idiota —le susurró en su boca abierta, mientras enredaba sus dedos en su pelo—. No me dejo mandar fácilmente, estamos muy igualados.

Llama le devolvió el beso y exploró su boca.

—No es que me importe en absoluto que quieras encontrar muchas formas diferentes de complacerme.

De pronto se encontró con que estaban en el dormitorio sin saber exactamente cómo se las había arreglado para que retrocedieran hasta allí, besándola a cada paso del camino. No había sido consciente de nada más que de su boca y la electricidad que recorría su cuerpo. La tumbó en la cama, se colocó sobre ella y bajó su mirada.

—Debes de ser una de las mujeres más bellas del mundo.

Debería haberse avergonzado, pero en cambio se sentía feliz y excitada. Lo deseaba con cada célula y terminación nerviosa de su cuerpo.

—Tú me haces sentir bella, Raoul.

Y así era. La hacía sentirse deseada, hermosa, incluso amada. No veía sus defectos y sus cardenales no lo desincentivaban en absoluto. Tan solo la miraba como si necesitara devorarla.

Raoul le separó las piernas. Rozó con sus manos su monte de Venus. Le metió un dedo y después lo lamió, degustando su sabor. Ella elevó sus caderas intentando atraerlo, pero él se lo negó con la cabeza:

—Esto es el *bayou*, *cher*. En el pantano nos gustan las cosas con calma y suavidad.

—Anoche no fuiste ni despacio ni tranquilo.

Sus manos se colaron en el interior de sus muslos, acariciándolos larga y suavemente. No le tocó los pechos, pero sus pezones se pusieron como dos duros capullos. Un escalofrío le recorrió la columna vertebral y se empapó de sus fluidos calientes para darle la bienvenida.

—Esta noche es diferente. Todo es lento y calmado. —Raoul vertió aceite tibio en sus manos y le cogió un pie. Comenzó a masajearla de una manera tan sensual como relajante—. Cierra los ojos, *cher*, solo disfruta para mí.

Siguió despacio subiendo de las pantorrillas a los muslos.

Llama bajó los párpados y se concentró en la sensación de sus manos sobre su cuerpo. Él procuraba no rozar ninguno de sus golpes, pero fuera cual fuese el aceite que estaba usando sentía que le aliviaba el dolor. Le masajeó el vientre, los pechos, luego los hombros y el brazo bueno, dejándola como un charco de carne derretida sobre la cama.

—¿Te sientes bien?

—Sabes que sí —le contestó mientras sentía que se le estremecía todo el cuerpo.

Le cogió la cara entre las manos y la besó. Llama cerró los ojos y se dejó llevar por las sensaciones que le producía su boca experta. Pensó que era un pecado tener una boca como la suya y besar de esa manera, tan ardiente y con tanta maestría que la hacía desear ahogarse en sus labios. Sus manos vagaban por su cuerpo y ella se deleitaba con la forma tan posesiva con que la tocaba, a la vez increíblemente tierna y delicada, rodeando con un dedo sus contusiones, besándola y mordisqueándola de camino a sus pechos.

Ella le acarició la espalda dibujando su contorno y sus caderas estrechas. Mientras arqueaba su cuerpo buscando su boca, él le lamió los pezones y a ella se le escapó un suave gemido. No se detuvo. Continúo su incursión con la lengua. Y se deslizó hacia abajo incendiando sus caderas. Besó su cicatriz, chasqueó la lengua en su ombligo y siguió con sus besos aún más abajo.

Gator cambió de posición. Atrajo su trasero hacia él y colocó sus piernas sobre sus hombros. Llama se agarró a la colcha, sorprendida por una repentina convulsión muscular. Él respiró y se contrajo.

—A lo mejor no sobrevivo —susurró ella.

Gator pasó los pulgares por sus suaves pliegues. Ella tuvo un espasmo y se le arqueó la espalda. Sus dedos se hundieron en la tela del edredón. Tenía que agarrarse a algo. Raoul la lamió larga y lentamente, como si estuviera saboreando un helado. Llama se retorció en la cama. Sentía como si cada una de sus terminaciones nerviosas aullaran. Gator se dedicó durante un rato a prodigarle caricias sobre su pubis, alrededor de él y en la parte interior de sus muslos, para volver a darle largos y lentos lametones, con su lengua ancha y plana, barriendo desde el exterior, entre sus piernas. Ella pensaba que realmente podría morir de puro placer.

—Tienes que parar.

—Acabo de comenzar, cariño. Este soy yo haciéndote el amor al estilo cajún.

Le clavó la lengua profundamente, ella gritó, y su respiración se transformó en jadeos salvajes. La cogió de los pechos, envolviendo suavemente su exuberantes carnes con sus manos. Volvió con sus movimientos lentos, rodeó su clítoris y la llevó a la locura. Su respiración era irregular y no podía dejar de empujar con las caderas o arquear sus pechos buscando sus manos.

Raoul comenzó lentamente a hacer círculos con sus dedos alrededor de su aureola, aumentando su placer. La succionó, la punta de su lengua jugueteaba con malicia, dándole golpecitos en su clítoris. La trepidación se extendió por todo su cuerpo con la fuerza y la sensación de un vibrador. Tiró de sus pezones y los apretó sincronizadamente con sus sacudidas. Sus músculos estaban a tope, completamente tensos y tenían largos espasmos y convulsiones. Un orgasmo la atravesó como si fuera un cohete desde su pecho a su vientre y a su vagina caliente, haciéndola sollozar por la fuerza de su liberación.

Raoul subió dándole besos desde su vientre hasta sus pechos, se detuvo para hacer revolotear su lengua en sus pezones y frotar su cara en sus suaves montículos. Ella se sentía tan ligera, tan caliente, casi como si se hubiese fundido con su cuerpo. Gimió suavemente y él sintió un estremecimiento en su polla. Estaba increíblemente duro, pero todo era para ella. Esta noche. Tenía una noche para demostrarle que la amaba con cada fibra de su ser.

Levantó sus caderas con una mano, presionando la cabeza de su pene erecto contra su acogedora entrada. Ella estaba empapada de deseo y lo empujó dentro, a través de sus pliegues extraordinariamente estrechos. El placer era tan intenso que le arrancó un gemido. La agarró por las caderas, se retiró y lo volvió a introducir tan profundamente como pudo.

Ella gritó, aferrándose a su miembro tan fuerte que le dolían los testículos por la necesidad de descargar. Los músculos de Llama no dejaban de moverse y de temblar, dando salida a su súplica a través de él.

—Ya estás lista, *ma belle femme*. Eres tan tremendamente sexi que no sé si voy a poder aguantar hasta el final. —Empujó otra vez, con una larga y profunda estocada que lo llevó al límite—. Córrete para mí, Llama.

—Ya lo he hecho.

Ya ni siquiera sabía cuántas veces.

—Una vez más, me apetece que te corras entre mis brazos. Quiero oírte gritar, *cher*.

Ella jadeaba, sus senos subían y bajaban al ritmo de su respiración entrecortada. Bajó las manos hasta sus caderas y le clavó los dedos mientras él entraba y salía de ella lentamente.

—Entonces dame más, Raoul. Dámelo todo.

Se hundió en su cuerpo y sintió como si una bola de fuego la recorriera. Él separó un poco sus caderas, le levantó las piernas para colocarlas sobre sus hombros y comenzó a cabalgarla con fuertes movimientos largos y profundos, cada vez más rápido, enterrándosela tan adentro que sus testículos golpeaban contra su trasero. Comenzó a sudar. El ángulo en el que estaba colocado le permitía penetrarla con gran profundidad, al mismo tiempo que aumentaba la fricción en sus puntos más sensibles. Sentía como si lo rodease un terciopelo caliente y vivo. Un terciopelo que respiraba y lo envolvía con tanta fuerza como si lo estuvieran exprimiendo y ordeñando.

Las paredes de su vagina lo apretaban, sujetándolo con una intensidad feroz. Llama gritó y se sacudió salvajemente, llevándolo hasta el límite, igual que ella.

Entonces escuchó un rugido. Fue la señal de aviso. La sacudida comenzó en sus pies y lo consumió por completo. Se vació dentro de ella, atrapado en algún lugar entre el cielo y el infierno. Había sido el orgasmo más fuerte que jamás había tenido. El mejor sexo. La lujuria y el amor entrelazados con fuerza.

Se tumbó sobre ella, con cuidado de no tocarle su brazo herido, hundiendo la cara en su cuello. Cerró los ojos deleitándose en su olor, su sabor, la manera en que su cuerpo se pegaba al suyo. Su conducto caliente lo había agarrado con fuerza, sin poder evitar que lo arrastrara hasta el clímax y hacer que durara más. *¡Dieu!* Hubiese deseado que hubiese sido más largo, que se prolongase para siempre.

—Cásate conmigo —soltó de pronto.

No lo había planeado, ni siquiera había pensado en preguntárselo, pero ahora estaban allí. Eran dos palabras que podrían salvarlos.

Ella se quedó inmóvil, con el aire atrapado en la garganta, emitiendo un suave silbido. Se tumbó sobre su pecho, con los pezones duros apretados contra él. Clavó los dedos sobre su hombro.

—Raoul, no lo hagas. No me puedes hacer algo así.

—¿Por qué no? Yo nunca voy a amar a otra mujer como a ti. Quiero que lo que tenemos ahora dure para siempre, ¿tú no? —Apoyó el codo y se incorporó para mirarla fijamente a los ojos. Le hubiese gustado suplicarle que los salvara, pero solo se permitió hacer todo lo posible por convencerla—. ¿No me quieres, *cher*?

Ella tomó su cara entre las manos, haciendo deslizar el dedo pulgar arriba y debajo de su mandíbula, en una suave caricia.

—Te quiero más que a nada que haya deseado en la vida. —Se pasó el dedo pulgar por los labios—. Las bodas dejan rastros de papel. Lo sabes tan bien como yo. Creo que Peter Whitney sigue vivo. Si me caso contigo él vendrá por los dos.

—Lily se casó con Rye y nunca los ha molestado.

—Eso sí que es una sorpresa y apoya mi teoría de que Lily sabe exactamente lo que trama Whitney.

—Puede que no sea el mejor ejemplo, pero ¿qué pasa con Nico y Dahlia? No irás a pensar que tienen algo con Whitney.

Ella lo negó con la cabeza.

—Yo puedo pensar muchas cosas que tú no supondrías. Tú conoces a Nico y yo no. Todo lo que sé es que se casó con Dahlia, y que Whitney se mantiene al margen porque ella está justo dónde él quiere que esté.

La besó. Sintió el sabor de su propia desesperación, de sus esperanzas marchitándose, de la amargura.

—Hagámoslo sin más, Llama. Podemos ir con un amigo mío, aquí en el pantano. La abuela y Wyatt nos pueden acompañar. Seremos discretos y si prefieres ni siquiera se lo diré a mis amigos.

—No iré a ninguna parte. Me quedaré contigo hasta que tengas que regresar.

Gator se giró de espaldas tapándose los ojos con las manos.

—Entonces, ¿qué? ¿Se acabó? ¿Te marchas sin más, como si nunca hubiera pasado nada?

—Tengo cáncer, Raoul.

En esos momentos agradeció la luz de las velas. Hacían que fuera más fácil decir la verdad. No seguiría por allí mucho más tiempo, cuando la enfermedad empezara a manifestarse.

—Whitney consiguió hacer que remitiera un par de veces. Iremos a un médico.

—Entonces estaré en la red informática y Whitney me podrá encontrar. —Suspiró y cogió su mano—. La última vez Whitney creó su propia variedad de cáncer. Así me lo dijo. Si cualquier oncólogo podía hacer que remitiese, ¿para qué iba a volver con él?

—¿Alguna vez has comprobado si eso era cierto?

—Me colé en sus archivos. En esos momentos seguramente me dejó hacerlo, así que quién sabe lo exactos que eran.

—Entonces vamos a darle una oportunidad.

Ella se giró sobre un costado.

—Raoul, te amo. Sé lo que hago y no voy a firmar tu sentencia de muerte. Creo que Peter Whitney anda por ahí y que me está buscando. Nunca, bajo ninguna circunstancia, volveré allí con vida.

—Entonces acudiremos a Lily.

—Para mí ellos dos son lo mismo. Todo irá bien.

—No irá bien, maldita sea.

Raoul cerró los ojos con fuerza y se tuvo que obligar a respirar. No había motivos para discutir; ya había tomado su decisión y no habría forma de cambiarla.

—Vamos a ir día a día, ¿quién sabe qué pasará? —sugirió Llama.

—Sí, tienes razón. —Las lágrimas le obstruían la garganta y su voz sonaba ronca. No le dejaba ninguna opción—. Me casaría contigo en un instante si las cosas fueran diferentes.— Forzó una sonrisa y se incorporó—. Quiero que duermas esta noche, así que voy a preparar un chocolate caliente.

Se puso de pie antes de que pudiera detenerlo, intentando ocultar la emoción de su voz.

—No tienes que hacerlo. Dudo que vaya a tener problemas para dormir.

—*Grand-mère* hace esta mezcla especial y me dio la receta. Te lo voy a preparar, no me llevará mucho tiempo.

Entró en la cocina con prisas y vertió del termo el chocolate que había traído. Todavía estaba caliente y salía vapor de la taza. Sacó un pequeño frasco con un líquido claro del armario de la cocina. Durante un momento se quedó de pie mirándolo fijamente.

—¿Tú también tomarás un poco?

—Sí.

Cerró los ojos un instante y luego vertió el líquido en el chocolate, lo revolvió y le añadió un poco de nata montada antes de llenar la segunda taza.

—Aquí tienes, *cher*. No hay nada mejor antes de irse a la cama.

Llama se sentó y cogió la taza. La colcha se deslizó de su cuerpo dejando sus pechos al descubierto. Mientras ella se lo bebía, él se quedó con la vista fija mirando sus contusiones.

—Está bueno. ¿Es una antigua receta familiar?

Asintió con la cabeza y se acomodó en la cama junto a ella.

—Nos lo preparaba en ocasiones especiales.

—¿Qué tipo de ocasiones especiales?

A ella le encantaban las historias de su niñez. Se le hacía fácil imaginarlo como a un niño de rizos despeinados.

—Si conseguíamos una buena nota, o si no nos habíamos peleado a puñetazos durante una semana con ninguno de nuestros amigos o enemigos.

—¿Te costaba sacar buenas notas? —Inclinó la cabeza para mirarlo—. Me imagino que tuviste que haber sido muy bueno en el colegio.

Él se encogió de hombros.

—No siempre. Yo era el mayor y alguien tenía que pescar y cazar. Trabajaba dos o tres veces a la semana en barcos pesqueros de camarones. Le mentía a *grand-mère* porque decía que la educación era lo más importante, pero evidentemente lo sabía cuando encontraba el dinero en el cajón todas las semanas.

Lo miró por encima de la taza de chocolate.

—A veces se me enternece el corazón con las cosas que me cuentas.

—No estuvo mal, Llama. Me gustó trabajar en los barcos. Simplemente era nuestra forma de vida. Yo prefería estar en el pantano que ir a la escuela todos los días.

Se inclinó hacia ella y la sorprendió al lamerle un poco de crema que tenía en la comisura de los labios.

Ella le hizo una mueca y se le acercó para darle un beso. Sabía a crema batida y chocolate. Raoul le cogió la taza de la mano y la puso en la mesilla de noche.

—Ponte a dormir, *cher*. Estás muy cansada, ¿no?

Se estiró y se acurrucó de costado, teniendo cuidado con su brazo roto.

—Estoy cansada. Ha sido un día muy largo, pero la reunión de Joy con sus padres mereció la pena.

—Fuiste muy bondadosa con ella.

—Wyatt fue bueno con ella. Me siento tan mal por él. Por la expresión de su cara se diría que está un poco enamorado. Pasará mucho tiempo antes de que pueda volver a confiar en un hombre como para tener una relación con él.

A Gator se le hizo un nudo en la garganta y agachó la cabeza. Se acostó a su lado, la atrajo con sus brazos y enroscó su cuerpo protectoramente alrededor del suyo. La acarició echándole hacia atrás los mechones de cabello para apartárselos de la cara. Ella entrelazó sus dedos con los de él.

—Esta noche ha sido la más bonita de mi vida, Raoul, gracias.

Su voz adormilada y sensual jugaba con su cuerpo como si fueran unos dedos. El corazón le dio un vuelco y sintió como si una abrazadera lo estuviera apretando cada vez más, hasta hacerlo estallar. Se llevó la mano libre al pecho, con la otra sostenía la de ella, mientras observaba cómo la droga hacía su efecto. El ruidoso reloj de la pared marcaba el paso del tiempo. Miraba las luces de las velas parpadeando en su cara y las sombras que danzaban sobre su cuerpo. Se inclinó para rozarle los ojos con un beso. Ella no se movió.

Gator se vistió rápido. La jeringuilla estaba en el cajón y esta vez no dudó. No podía arriesgarse a que se despertara. Se la clavó en el muslo, inyectándole la dosis completa.

—Ya está.

Traeremos el helicóptero. Tenemos un avión preparado para marcharnos y Ray tiene preparado el compuesto.

Le costó ponerle algo de ropa, pero al final lo consiguió. No quería que estuviera desnuda cuando vinieran a recogerla. Cogió su bolsa de lona y le metió su ropa interior nueva. La suya ya la tenía hecha y lista para marcharse.

Se sentó a escuchar el sonido del helicóptero que sobrevolaba la zona, dirigiéndose hacia el claro que estaba al sur de la cabaña. No pasó mucho tiempo antes de que escuchara a unos hombres dirigiéndose a la casa llevando una camilla. Fue apagando las velas una a una, hasta que se quedó la habitación a oscuras.

Capítulo 19

*L*lama luchó contra el impulso de arrancarse el objeto extraño de su cuerpo.

Alguien estaba sentado cerca en una silla. Hubo un movimiento a su izquierda. Fingió estar durmiendo, y tuvo que hacer un gran esfuerzo por mantener bajo control su corazón que insistía en acelerarse. La adrenalina inundaba su cuerpo haciendo que se le dispararan todas las alarmas de su organismo. La traición era muy amarga. Le dolía. Lo estaba gritando en silencio. Las lágrimas le quemaban los ojos, pero se negó a dejar que salieran.

Raoul Fontenot la había entregado de vuelta a las manos de Whitney.

Llama se despertó por el aroma a lavanda. Estaba en una cama, pero no era la misma donde se había ido a dormir con el cuerpo de Raoul abrazando el suyo. Su corazón latió con fuerza cuando se dio cuenta de que tenía una catéter en la vena de su clavícula. La última vez que había tenido algo así clavado en el cuerpo había sido cuando Whitney le dio el cóctel de medicinas necesarias para eliminar el cáncer que él mismo había fabricado.

Oh, Dios. Por favor Dios. No dejes que esto me esté pasando. Cualquier cosa menos esto. Cualquier cosa. No puedo hacer esto.

Lanzó su plegaria silenciosa una y otra vez mientras deslizaba la mano para sentir el catéter deseando que fuera una pesadilla. Sintió los bordes del apósito y supo que tenía una vía y un catéter bajo su piel.

La persona a su izquierda se movió al borde de la cama y se inclinó hacia ella. Lo olió. Conocía su tacto. Intentó sentir la rabia necesaria para sobrevivir, pero solo sentía dolor. Jadeó audiblemente, sorprendida por la intensidad de su angustia. Nunca se había sentido tan desnuda, tan desgarrada y vulnerable.

—Sé que estás despierta. Puedo oír tu corazón y tu respiración. Abre los ojos, Llama. No es lo que tú crees.

La voz de Raoul era baja, casi una súplica.

—¿No? —Abrió las pestañas incapaz de evitar que le brotaran lágrimas y que él pudiera verlas, pero no lo miró. No podía mirarlo—. ¿No me sedujiste? ¿No me drogaste y me llevaste al único lugar al que sabías que juré que nunca volvería? Me lo advertiste. No puedo decir que no lo hiciste. Me dijiste que se suponía que tenías que llevarme de vuelta, pero dejé que me sedujeras y lo olvidara.

—Llama, tienes que ser sensata. Mírame. Sabes que no fue así.

Iba a vomitar. Se le había revuelto el estómago y podía oír que los gritos silenciosos en su cabeza se hacían más fuertes. Había tanto dolor. No había esperado que fuera tan malo haber sufrido la absoluta humillación de que se hubiera acostado con ella para hacer su trabajo.

Sorprendentemente no estaba inmovilizada. Hizo un gran esfuerzo parar sentarse, y le apartó las manos cuando intentó ayudarla.

—No me toques. No quiero que me vuelvas a tocar nunca más. —Se apretó la mano contra el estómago—. ¿Dónde está el baño? Creo que voy a vomitar.

Pero ya era demasiado tarde. Le puso una pequeña cubeta en las manos y fue aún más humillante vomitar una y otra vez delante de él.

Él la dejó durante un momento y volvió con un paño frío y una toalla. Los cogió sin mirarlo. Sabía que si lo miraba, si veía su cara y sus ojos mentirosos, la terrible tormenta de su interior estallaría y podría acabar con ella, se rompería en pedazos tan completamente que ya nunca más sería Llama.

Raoul le cogió la cubeta, la vació y enjuagó, y la llevó de vuelta a la cama cerca de su mano. La visión de la cubeta le despertó recuerdos de su infancia. Feos. Tortuosos. Se sentía mareada y por un momento no pudo respirar.

Control. Disciplina. Paciencia. Repitió el mantra silenciosamente. Sabía lo que tenía que hacer. Estaba preparada; se había preparado desde el primer momento de su huida. La muerte no era ni de cerca tan mala como vivir como una rata de laboratorio.

Dejó salir el aire lentamente.

—Supongo que no me creíste cuando te dije que destruiría cualquier cosa antes de verme metida en una jaula de nuevo. Estoy dispuesta a morir aquí, Raoul, ¿y tú? Pues tienes alrededor de dos minutos para salir y llevarte contigo a los demás.

—¿Por qué me avisas, Llama? ¿Por qué no lo haces simplemente?

—Sal, Raoul.

Estaba cansada. Desesperadamente cansada y agotada. Los gritos en su cabeza habían disminuido, pero ahora, en algún lugar profundo en su interior estaba llorando silenciosamente. Grandes y terribles sollozos que no podía controlar estaban desgarrando su corazón. Su cuerpo se estremecía con los sollozos, le dolía el pecho y tenía la garganta cerrada por las lágrimas que la atascaban, pero no dejó salir ni un sonido. Se negó a darle eso.

—No voy a alejarme de tu lado.

—Mira, hiciste tu trabajo. Puedes ir a contarles a tus compañeros lo grande que eres. Me has jodido bien.

—¡*Maudit!* No fue así.

—Así es *exactamente* como fue. Sabías que no podías obligarme a volver, así que fingiste enamorarte de mí. —Llama sacudió la cabeza—. No puedo creer que creyera todo lo que dijiste. Puedes sentirte orgulloso de ti mismo. Tal vez Whitney te dé una buena gratificación. Sal ya de aquí. No soporto verte.

Se apretó el paño húmedo sobre la cara, esperando que eso enfriara sus ojos ardientes.

—Nunca habrías venido por ti misma, Llama. Nunca.

—¿Dónde estoy? La habitación está insonorizada, pero no es un hospital.

—No podía arriesgarme a llevarte a casa de Lily. Todos nosotros nos quedamos allí de vez en cuando y Lily está embarazada. Si decidías desquitarte, tenía que encontrar la manera de contener el daño. Puedes matarme, Llama, pero no voy a dejar que acabes con los demás. Solo hicieron lo que les pedí que hicieran porque querían ayudarte.

Miró su brazo roto con una escayola nueva, que no estaba estropeada por la lluvia y el agua del pantano.

—Supongo que vas a decirme que Lily hizo esto.

—Tuvo que asegurarse de que no había ninguna infección por el mordisco del caimán. Te han dado unos fuertes antibióticos y analgésicos, pero como la escayola no se ha secado...

—¿Dónde está Peter Whitney? —preguntó interrumpiéndolo.

—No tengo ni idea. Te he traído a unas instalaciones donde Lily puede tratar el cáncer y podemos protegerte de Peter Whitney, si en realidad todavía está vivo y está intentado llevarte de vuelta. Peter Whitney no tiene *nada* que ver con esto... o conmigo. Te traje aquí porque era el único modo de mantenerte con vida.

—Eso no lo puedes decidir tú.

Estaba sujeta por un hilo, y se mecía hacia adelante y hacia atrás para calmar el dolor. ¿Cómo podía haberle quitado su libre albedrío?

—Esta es mi decisión, Llama. Tenía que hacerlo. Te amo y...

Maldito seas por atreverte a decir eso.

Se quitó el paño de la cara y por primera vez se obligó a mirarle. Fue un terrible error. No parecía un demonio. Era el hombre que amaba con su cabello oscuro ondulado y sus ojos imposibles. Su boca pecadora y su cuerpo perfecto. En vez de la ira y la rabia que necesitaba tan desesperadamente, se vino abajo.

La tormenta en el interior de su cuerpo se apoderó de ella y oyó cómo dejaba salir un largo lamento de pena. La desgarró interiormente y escapó antes de que pudiera contenerlo. Llama enterró la cara en la almohada intentando amortiguar el sonido de su sollozo. Le había dado algo tan precioso. No su cuerpo, ni siquiera su amor, sino que había *confiado* en él. No quería ver sombras en sus ojos, o una cara devastada por la preocupación. Quería odiarle del modo en que se merecía ser odiado.

La cama tembló con sus sollozos. La habitación tembló. Gator estaba apoyado contra la pared escuchando su llanto como si él no solo le hubiera roto el corazón, sino que le hubiera arrebatado el cuerpo. La había destruido. No había modo de consolarla, nada que pudiera decirle que ella pudiera entender. Se hundió en el pequeño sillón que había puesto junto a la puerta y se tapó la cara con las manos. Esperaba su ira y su rabia, una emoción a la que pudiera hacer frente, pero lo estaba matando con su tristeza. Y eso era tristeza. Su tristeza lo estaba destruyendo.

Sintió su dolor como si fuera propio. Había hecho lo correcto tomando el *único* camino disponible para él. Tenía el pecho apretado y le dolía la garganta. Las lágrimas le quemaban los ojos. Él le había hecho eso. Había tomado la decisión de salvarle la vida, sabiendo que probablemente la habría perdido, pero no había considerado las consecuencias más allá de eso. Pensó que podía aguantar perderla mientras supiera que estaba viva, pero no soportaba ser quien le había causado tal dolor.

Llama sintió una mano en su hombro. Su primera reacción fue ignorarla, pero la mano era suave y delgada, con un fuerte olor a lavanda. La mano le echó hacia atrás el cabello y una voz suave le murmuró unas palabras reconfortantes.

—No es nada, *cher*. Todo irá bien. Ya estoy aquí. Nosotros haremos que todo salga bien.

—¿Nonny? —¿Estaba alucinando? Giró la cabeza para ver a la pequeña anciana que estaba de pie junto a su cama con los ojos llenos de preocupación—. No puede estar aquí.

Intentó decir algo entre sus desgarrados sollozos. Pero su respiración era tan entrecortada y le dolía tanto la garganta que apenas consiguió que le salieran las palabras. Peor, iba a vomitar otra vez.

Llama buscó a ciegas la cubeta y vomitó una y otra vez hasta que solo tuvo arcadas. Nonny le cogió la cubeta y le puso un paño húmedo en la mano. Desde algún lugar de la habitación, Raoul la observaba y saberlo le hacía sentirse más humillada aún. ¿Cómo le pudo hacer esto?

Nonny regresó, le pasó un brazo a su alrededor y le cogió el paño, que sustituyó por un vaso de agua.

—Esto pasará, Llama. Lily dijo que tal vez vomitarías.

Llama luchaba por controlar su llanto salvaje. Había aprendido hacía tiempo que no le sentaba bien. Solo le producía dolor de cabeza y enfadaba consigo misma por darle a Whitney la satisfacción de hacer que se sintiera afectada. Ahora era Raoul. Se le escapó otro sollozo.

¿Cómo podía haberle hecho eso?

No tuve elección.

Llama cerró los ojos, avergonzada por su pérdida de control. La intensidad de sus emociones era tan fuerte porque estaba conectada con él. Hizo un esfuerzo por calmarse. *Control. Disciplina. Paciencia.* Lo repitió una y otra vez hasta que calmó la salvaje tormenta lo suficiente como para tomar un trago de agua y conseguir un cierto control.

—¿Cuánto tiempo he estado aquí?

—Cuarenta y seis horas —respondió Raoul.

Luego se echó hacia atrás hasta que su cabeza se apoyó contra la pared. Había tenido cuarenta y seis horas para prepararse para esto, y aun así nunca había considerado que el corazón de ella... o el suyo propio, se rompería.

—Eso no puede ser. Nonny, tiene que salir de aquí, ahora. Es demasiado peligroso quedarse para usted. Raoul, sácala de aquí.

Nonny le dio una palmada en la mano.

—Ya, ya, niña, no te alborotes de nuevo. Raoul me explicó que eras como él, una especie de arma del gobierno, y que si pierdes el control podrías tirar el edificio sobre nosotros.

—Seguro que puedo, Nonny. No sé qué estaba pensando al traerla a usted con él.

—Me dijo lo que iba a hacer, y supe que estarías llena de rabia hacia él. Ha sido una equivocación que tomara el asunto en sus manos, pero siempre ha sido así. Sabía que estarías enfadada y que me necesitarías. No me preocupa el peligro. Raoul te ama. Eres parte de mi familia, mi niña. Y yo cuido de mi familia.

Llama negó con la cabeza.

—Esto es una locura. No puede quedarse, Nonny. En estos lugares ocurren cosas malas. Raoul lo sabe. Nunca debería haber permitido que arriesgara su vida.

Nonny se rió.

—Cariño, estoy al final de mi vida. He vivido muy bien y largo tiempo, y he tenido un buen recorrido. Tu solo estás empezando, igual que Raoul. Fui yo quien dijo a Raoul que iba a venir contigo. Trató de disuadirme, pero le dije que ibas a necesitarme.

Llama cerró los ojos. No podía arriesgar la vida de Nonny. Simplemente no podía. Parecía tan inocente, tan frágil, tan decidida a ayudarla aunque no tuviera conciencia de lo absolutamente peligroso que era quedarse.

—Escúcheme. Le juro que no usaré el sonido como arma. Haré todo lo que me digan, pero no puede quedarse. Si Raoul me está diciendo la verdad y no está trabajando para Peter Whitney, entonces créame, este hombre enviará a otros para llevarme de vuelta y aquí va a morir un montón de gente. No puede quedarse, Nonny.

—Eres una buena chica, Llama. Estoy aquí y voy a vigilarte para que las cosas se hagan bien. Si alguien está intentado apartarte de mi chico, solo confía en que él te mantendrá a salvo. Me juró que él y los demás estarían contigo cada minuto, y yo le creo.

Llama se volvió a acomodar en el colchón. Por supuesto que la abuela de Raoul creía en él; a ella no le había sacado el corazón del pecho y se lo había pisoteado. Cerró los ojos y apartó la cara, mientras sus lágrimas caían sobre la almohada.

—¿Hay cámaras aquí, Raoul?

—No, no estás vigilada, pero la puerta está cerrada y custodiada. Me quedaré aquí contigo todo el tiempo. Kadan, Tucker e Ian están vigilando el edificio día y noche. Otros dos miembros de mi equipo, en quienes confío sin reservas, se unirán a nosotros. Lily y Ryland también están aquí. Nico y Sam están fuera en una misión, pero Dahlia está de camino. Deberían estar aquí en unas horas. El general también nos ha enviado alguna ayuda adicional. No están reforzados, pero son buenos soldados con mucha preparación.

Gator mantuvo su tono informativo y no hizo ningún intento de acercarse a la cama. Llama estaba evidentemente colgando de un hilo, y solo la presencia de su abuela evitaba que explotara su violencia. Siempre estaba la posibilidad del suicidio, pero nunca haría tal cosa mientras sintiera que tenía que proteger a Nonny.

Llama inspiró profundamente y soltó el aire, obligando a su mente a alejarse del sentimiento de traición y volver a la lógica.

—¿Cuándo crees que intentará atacarnos?

Eso mostraba que estaba aceptando el hecho de que Raoul no trabajaba para Peter Whitney. Era el primer paso. Uno pequeño, pero lo había dado.

—Si él está realmente intentando recuperarte, y el consenso general es que, o bien él o bien alguien familiarizado con su programa lo está, la acción lógica sería venir por ti inmediatamente, antes de que estemos establecidos. Encontramos tranquilizantes, no balas en el rifle del francotirador.

—Tiene que tener un informador, o si no no habría sabido que estaba en el pantano.

—No es Lily. Y el ordenador probablemente le diga a él lo mismo que le dice a Lily. Si escribió el programa y lo basa en la personalidad, entonces le dirá qué es lo más probable que sea lo siguiente que hagas.

—Tienes que sacar a Nonny de aquí. No tenemos suficientes soldados para mantenerla a salvo. —Miró a su alrededor—. ¿Dónde está mi ropa?

—No vas a levantarte.

Giró la cabeza para mirarlo directamente y vio fuego en sus ojos.

—No me digas lo que puedo o no puedo hacer.

Cualesquiera que fueran las drogas que le habían estado dando para mantenerla dormida todavía permanecían en su organismo. Se sentía lenta y con la mente un poco confundida. Y evidentemente Lily había comenzado a suministrarle un tratamiento de quimioterapia. Llama no era de los afortunados. Los tratamientos de quimioterapia a menudo la hacían vomitar violentamente. Su estómago estaba revolviéndose de nuevo y apartó la cara de Raoul para que no la viera con arcadas.

—Nonny. Por favor, tápate los oídos por mí.

—¿Vas a hacer estallar a mi chico?

—Debería, pero no.

Nonny se tapó los oídos.

Llama miró a Raoul.

—Cuando se me caiga el pelo voy a afeitarte los huevos con un cuchillo oxidado.

Gator se acobardó visiblemente. No había mucho que pudiera decir a eso y el aviso hizo que su miembro se encogiera de miedo. Llama era más que capaz de llevar a cabo la amenaza. Estudió su expresión. Orgullosa. Desafiante. Herida. Asustada. Su corazón se hundió. Cuando se le cayera el pelo. No si, sino cuándo. Ella había pasado por esto antes, sabía lo que pasaba y que iba a perder esa gran cabellera pelirroja. Quería abrazarla, decirle que no importaba, que su cabello no definía quién era, que todo iba a ir bien, pero se mantenía apartada de él y no había modo de tender un puente. Aún así, lo intentó.

—Mira, Llama, me dijiste que no dejarías que Saunders te matara igual que no se lo permitiste a Whitney. Si mueres de cáncer, estás dejando que Whitney te mate. Le estarías dejando ganar.

Ignoró su lógica.

—Necesitaré mis armas.

—¿Crees que voy a armarte cuando estás tan cabreada que quieres afeitarme los huevos? En este momento eres un barril de dinamita.

—Dámelas. —Llama estiró la mano y golpeó suavemente el brazo de Nonny—. Puede bajar las manos, no voy a hablar más con él.

Nonny le dio una palmada en la mano otra vez y se inclinó hacia ella.

—Cuando te vayas sintiendo mejor, puede que tenga que lavarte la boca con jabón.

No había servido de mucho que se tapara los oídos.

—Eso sería toda una experiencia —murmuró Raoul entre dientes.

Llama le echó una rápida mirada, intentando fulminarlo en el acto, pero su voz fue suave, incluso obediente, cuando habló a Nonny.

—Me ocuparé de ello.

—Buena chica. No podemos tenerte hablando de ese modo delante de un bebé.

El corazón de Llama se retorció en su pecho.

—No habrá ningún bebé, Nonny.

—Seguro que sí. Raoul es un cajún muy potente. Todos los hombres Fontenot lo son.

—Soy estéril.

—Pero Lily dijo...

—¡*Grand-mère!*

El áspero tono de Raoul le produjo dentera. Se bajó de la cama agarrándose a la barandilla para evitar caerse.

—Desde ahora mismo lo que Lily te cuente más vale que lo mantengas en secreto, Raoul. Eso me evitará...

Giró la cabeza y le envió su voz directamente.

Que te corte la garganta.

Las paredes de la habitación se expandieron y contrajeron como si respiraran. Oh, sí. Ya había recuperado la rabia que había esperado antes. Se apoderó de ella como una gran ola. Apretó los dientes y luchó contra ella por miedo a hacer daño a Nonny.

Maldito seas por esto, por permitir que tu abuela se haya puesto en peligro.

¿Quieres decir que debería haberme hecho cargo y haber actuado en su beneficio?

Se obligó a inspirar con fuerza y observó las paredes que se ondulaban y lentamente volvían a quedarse quietas.

—Simplemente dime lo que dijo Lily y déjate de gilipolleces.

—Lily encontró óvulos y esperma almacenados de cada uno de nosotros. Los óvulos estaban congelados en un crioprotector, que es una fórmula especial que protege a los óvulos de que sufran daños durante la congelación y la descongelación, y después fueron almacenados en el Whitney Trust Laboratory, en estas mismas instalaciones en tanques de nitrógeno líquido.

—¿Por qué haría eso Whitney?

Él se aclaró la garganta.

—Lily dijo que se temía que Whitney estuviera investigando un experimento de segunda generación.

—¿Investigando un experimento de segunda generación? —repitió Llama—. ¿Es así como te lo dijo? Dios mío. —Se apretó las yemas de los dedos contra sus sienes palpitantes—. Ha sido muy científico de su parte que se diera cuenta.

—Estás enfadada conmigo, no con ella —le recordó él tranquilamente.

Ella giró la cabeza bruscamente.

—No creas ni por un momento que no lo sé.

Un escalofrío bajó por la columna de Gator. No iba a olvidar la traición. Nunca vería lo que hizo como un acto de amor... y de desesperación. Le había hecho exactamente lo mismo que Lily. Había sabido todo el tiempo que podía perderla, pero tenía que mantener la esperanza de que mejoraría y se daría cuenta de que era la única manera de salvarle la vida. Pero esa mirada le decía algo diferente. En ese momento su mundo se derrumbó. Levantó la mano temblando para taparse la cara. Se había convertido en el enemigo.

Están llegando, Gator, y están llegando en masa. Vamos a necesitarte en el exterior.

Era Kadan, tranquilo y seguro de sí mismo. Listo para la batalla.

Acordamos que me quedaría dentro con Llama.

Hay demasiados aquí fuera. ¡Te necesitamos ya!

Gator ignoró sus emociones y se obligó a pensar como el soldado que era.

—Están aquí. Vístete, Llama. Tus cuchillos están en el cajón de arriba de esa cómoda. —La señaló con la mano—. Hay una semiautomática y una pistola pequeña con varios cargadores de munición en el armario. Cógelos y prepárate. *Grand-mère*, haga todo lo que Llama le diga. Hazlo rápido y quédate totalmente quieta.

Llama no dijo una palabra pero dejó caer su bata de hospital en el suelo y abrió de un tirón los cajones para buscar ropa. La escayola de fibra de vidrio de su brazo era ligera y pequeña, y le permitía mucha más movilidad. Se metió una camisa por la cabeza y se puso los vaqueros dificultosamente.

—¿Dónde vas a estar?

—Me necesitan afuera. —Abrazó a Nonny—. No tenga miedo, *grand-mère*. Llama no dejará que le ocurra nada.

Nonny le devolvió el abrazo.

—No tengo miedo. Esto es algo emocionante a mi edad.

Gator permaneció quieto un momento, queriendo decirle algo a Llama, decirle lo mucho que la amaba, pero no encontraba las palabras. La miró un buen rato, y bruscamente giró sobre sus talones y salió.

Oyó el suave suspiro de Llama tras él cuando cerró la puerta.

—Fue usted la que fue de compras para nuestra noche romántica, ¿verdad Nonny? No fue Wyatt finalmente. No creo que tenga derecho a decirme que debería lavarme la boca con jabón.

Había un tono gracioso en su voz, quizá forzado, pero Nonny no lo percibió. Solo oyó lo confiada y natural que sonaba Llama. Gator tenía el corazón en un puño. La había perdido. Ella nunca entraría en pánico. Lucharía hasta su último aliento para protegerla a ella. Llama tenía todo lo que siempre había querido en una mujer, o imaginado, y él había desperdiciado su oportunidad.

Cerró la pesada puerta tras él y corrió por el corredor dirigiéndose al exterior. No sería fácil entrar, pero no era imposible. Por primera vez se permitió pensar realmente en la infancia de Llama. Nunca antes se había atrevido a pensar en su pasado, pues sabía que era demasiado peligroso. Ahora habían venido por ella, y sentía una gran furia hacia ellos. Si fallaba su control, las consecuencias serían culpa suya.

Le habían arrebatado la infancia despiadadamente, y había sido usada como una rata de laboratorio. Exactamente. A Whitney le había gustado porque no podía controlarla, así que había sido el objeto perfecto de sus experimentos. La había deshumanizado en su mente y simplemente la utilizaba.

Sí, sentía perfectamente su ira, pero era fría, calculadora y terrorífica. Brotaba como un volcán que derretía su cuidadoso control. Se sacudió de rabia con muchas ganas de entrar en acción. *No vas a conseguirla, hijo de puta.*

Lo decía en serio. Mataría a todo el mundo; los aplastaría antes de que pusieran una mano sobre ella. Y que Dios ayudara a Whitney si él encontraba alguna vez el lugar donde se escondía, porque no habría clemencia para él.

Salió a la oscuridad de la noche, se agachó y permaneció inmóvil para acostumbrarse a los sonidos del exterior. Oyó el sonido apresurado de unos pasos. Eran hombres que se movían en formaciones de dos en dos. Esconderse y moverse. Era una estrategia de libro. Contó ocho cuando estuvo en el lado del norte, cuatro en la parte delantera y en la parte de atrás del edificio, y otros ocho en el otro lado. Whitney no estaba jugando, quería a Llama consigo.

Al dar la vuelta se encontró a un soldado caído. Se arrodilló para tomarle el pulso. El chico no parecía mayor de veinte años y ya estaba muerto. Había sido asesinado por un loco que creía estar por encima de la ley. La furia lo estremeció.

Kadan. Retira a nuestros hombres del muro norte. Mantén a todos los hombres del general fuera del área. Apártalos. No dejaré que estos chicos mueran por un hijo de puta como Whitney.

Hubo un pequeño silencio. La voz de Kadan era muy tranquila.

Negativo, Gator. El aparcamiento desemboca directamente en la calle. Es el pasillo natural para que viaje el sonido.

Entonces haz tu maldito trabajo. Eres un escudo, lanza una protección al punto más alejado del aparcamiento, porque voy a eliminarlos. Tienes unos diez segundos para despejarlos a todos.

Kadan no se molestó en discutir. Entendía su tono y sabía que era inútil.

Sácalos de ahí, Tucker. Tú también, Ian. Envíalos al extremo más alejado del complejo y diles que se pongan a cubierto. Informad cuando estéis todos fuera. Y Gator, necesitaré más tiempo para acordonar el lugar. No es tan fácil.

Hervía de rabia. No podía pararla aunque lo intentara. Su cuerpo temblaba y rompió a sudar cuando intentó contenerla. Su visión se estrechó como un túnel hasta que cada detalle de la cara norte del edificio quedó grabada en su mente en vívidas imágenes. Veía a los hombres como objetivos oscuros, nada más. Habían venido con un propósito. Llevarse a Llama de vuelta a la jaula donde Whitney podría torturarla e infectarla con enfermedades. Solo Dios sabía lo próximo que le haría. ¿Inseminarla? ¿Quitarle a su hijo? Ese hombre era capaz de todo.

Cerró la boca de golpe y mordió con fuerza mientras le brotaban los sonidos, exigiendo liberación.

¡Maudit!

¿Qué demonios está llevando tanto tiempo? No voy a ser capaz de contenerlos.

Maldita sea, Gator. ¿Has pensado acaso en lo que estás haciendo? Podrías estar arruinando toda tu carrera.

Estoy cargándome a su ejército. No puedo acabar con él, pero puedo herirlo y hacerle retroceder varios años. No me importa cuánto dinero tenga ese cabrón: le llevará un tiempo reemplazar la mano de obra.

El general no va a estar contento con esto. Kadan lo intentó una última vez.

¿Dónde mierda está el cordón?

Los soldados están fuera, pero el cordón no termina en la calle. Una pareja de inocentes está pasando en coche. No podemos arriesgarnos. Tienes que contenerte.

El tono de Kadan decía lo que esperaba, no le gustó, pero sabía que no podía detener lo inevitable.

Irrumpió la voz de Ian.

Estoy acabando con los cuatro que hay enfrente.

Espera a que lleguen refuerzos, Ian, le instruyó Kadan. *Tucker está yendo hacia ti.*

A Gator se le revolvieron las tripas y se le hizo un nudo en el estómago. La rabia recorría su cuerpo como una entidad viva y aumentaba como si fuera lava que necesita estallar, imposible de contener. Se arremolinaba en su interior como un tornado. Llama creía que la había traicionado. Las atrocidades de Whitney. Las cosas terribles que hicieron a Joy. El soldado muerto.

Tienes una oportunidad.

El sonido estalló. Era una onda de infrasonido de bajo nivel imperceptible para el oído humano. Viajó por el corredor a lo largo del lado norte, chocando contra todo en su camino. Atravesó la pequeña estructura y la onda sónica la aplastó. Golpeaba los tejidos vivos, y hacía vibrar los órganos internos. La onda avanzaba a siete ciclos por segundo, correspondientes a las frecuencias de ritmo alfa medias del cerebro.

Han caído. Han caído. Retirada.

Al infierno. Voy hacia el lado sur. Vienen ocho por allí. Déjame saber si nuestros soldados están fuera.

Gator tomó aire y lo dejó salir, intentando calmar su enorme rabia mientras supervisaba los objetivos caídos. Las ondas de infrasonidos se mantenían cerca del suelo. Viajaban largas distancias a través de cualquier cosa que se encontraban en su camino y eran consideradas imparables. Como habían descubierto los Soldados Fantasma en sus primeros experimentos de campo, sin los escudos de Kadan, las ondas continuarían avanzando, destruyéndolo todo a su paso.

Había ocho objetivos derribados y ocho más en el lado contrario del edificio. Si los otros Soldados Fantasma eran capaces de abatir esa considerable fuerza, sería un golpe significativo para Whitney. Incluso pagar por un ejército significaba encontrar hombres buenos y si Whitney estaba reforzando a algunos de ellos, eso llevaba tiempo.

Gator comenzó a moverse hacia el otro lado del edificio.

Atravesando por delante de la fachada. No me confundáis con un objetivo.

Se agachó con el rifle en la mano, y se abrió camino a través de la ancha hilera de arbustos bien podados.

Avanza cerca del edificio, le aconsejó Tucker.

Gator se dirigió a la esquina sur del edificio por donde se acercaban los otros ocho mercenarios.

Los veo. Cuento ocho. ¿Tienes el escudo arriba?

No puedo trabajar en ese lado. La abertura es demasiado grande y la onda sónica la atravesaría. Tienes que estrechar el corredor, contestó Kadan.

Gator estudió la disposición de los edificios y las vallas. Parecía un laberinto y Kadan tenía razón. No solo aplastaría varios edificios, matando a todos los que estuvieran dentro, sino que serían incapaces de contener la onda infrasónica. Avanzaría a través de las calles arrasándolo todo a su paso con la fuerza de un volcán en erupción. Calmó su necesidad de golpear, de neutralizar la amenaza contra Llama instantáneamente, y obligó a su mente a pensar con lógica.

La mejor apuesta es empujarlos hacia el patio de mantenimiento.
Tendremos que ir y sacarlos.

Unos disparos estallaron delante del edificio. Eso actuó como una señal e inmediatamente los ocho hombres de lado sur comenzaron a lanzar ráfagas a su alrededor, y avanzaron en una formación más apretada y rápida hacia el edificio. Cuatro llegaron al muro y lanzaron lo que parecían ser granadas hacia la fila de ventanas donde Gator sabía que estaban las oficinas. La explosión lo llenó todo de humo, oscureciendo la visión.

¿Ian? ¿Tucker? Contactad, les ordenó Kadan.

Dos caídos en la fachada delantera. Faltan dos, informó Ian.

Tucker interrumpió.

Ha sido herido.

No estoy herido... bueno, tal vez un poco, pero no hay problema.

Gator maldijo. Había sido él quien había retirado a los soldados. Tenía a ocho hombres pululando por un lado del edificio y al menos seis más por delante y por detrás. Ian estaba herido y había hombres en el tejado. Durante un breve momento se apoderó de él la locura y consideró acabar con todos. Una pulsación larga lo haría. El ejército de Whitney desaparecería y Llama estaría a salvo, al menos durante el tiempo que le llevara a Whitney reconstruirlo. Mientras tanto, los Soldados Fantasma podrían buscar activamente a su enemigo.

Apartó la idea, y se negó a caer en la tentación. No podía herir a inocentes, ni siquiera para mantener a Llama fuera del alcance de un hombre loco.

Tucker, quédate con Ian, elimina a los otros dos y trasládate hacia la parte de atrás. Gator y yo nos abriremos camino por el lado sur.

Los cuatro hombres de las ventanas que amenazaban con apoderarse de la entrada al edificio tenían que ser eliminados. Gator se movió como un espectro silencioso a través de los altos setos, utilizando la cobertura para acercarse al primero de los equipos de dos hombres. Un hombre vestido de negro hizo una señal a su compañero para que avanzara y usarlo como una escalera humana para llegar a la entrada del edificio. Gator los eliminó a los dos: dos disparos, dos muertos. Una bala se incrustó en la pared cerca de su cabeza y él se giró, disparando ráfagas de cobertura mientras se lanzaba al suelo detrás de un muro de cemento de medio metro.

Voy tras ellos, le informó Kadan.

Gator siguió disparando, con miedo de herir a Kadan. Esperó mientras buscaba al segundo de los equipos de dos hombres que estaba más cerca del edificio. Se habían tirado al suelo al primer disparo, pero al menos no habían conseguido entrar en el edificio.

Kadan se movió como un fantasma, tan rápido, tan silencioso, que no era más que una imagen borrosa cuando cruzó la línea de visión de Gator, quien parpadeó dos veces preguntándose si lo había visto realmente.

Está despejado. Dos abatidos, informó Tucker.

Tenemos a dos más derribados aquí y estamos yendo hacia la parte de atrás. Ian está sangrando como un cerdo.

Es un arañazo.

Hazte un torniquete, superhéroe, le ordenó Kadan.

Gator se arrastró a través de los arbustos, con mucho cuidado de no mover ninguna hoja. Solo podía distinguir una bota y parte de una pierna. En las sombras parecía un tronco caído. La pierna se movió cuando el enemigo impulsó su cuerpo hacia adelante, hacia el edificio. Gator oyó el susurro de una orden por radio. Solo captó tres palabras inconexas, pero fue suficiente para hacerle rodar a su derecha. Las balas dieron en el suelo justo donde había estado. Los disparos venían de arriba, el fuego continuó y se quedó clavado al suelo.

Tienen un francotirador en el tejado del laboratorio, advirtió a los demás. *Está usando infrarrojos.*

Lo tengo, dijo Ian muy seguro.

Sonó un único disparo y Gator vio que el francotirador caía. Cuando terminó el ruido, oyó otro sonido y su corazón casi se para.

Maudit. *Kadan, los oigo avanzando por los conductos de ventilación. Avisa a Llama. Estoy yendo tras ellos.*

Llama. Kadan la encontró inmediatamente. *Gator ha oído al enemigo en los conductos de ventilación. ¿Tú también?*

Sí. Nos ocuparemos de ello.

Gator está yendo tras ellos. No le dispares por más enfadada que estés con él.

Puedo arreglármelas sola.

No quería que Raoul arriesgara su vida por ella. No quería que ninguno de ellos hiciera eso. Se volvió hacia Nonny.

—Quiero que se meta en el baño y cierre la puerta. No abra a menos que nos oiga a Gator o a mí llamándola, ¿entiende?

—Puedo usar una pistola. He cazado toda mi vida —dijo Nonny—. No quiero estar en el baño escondida cuando vengan. No sabría lo que está pasando.

Llama le pasó su semiautomática.

—¿Ha usado alguna vez una de estas?

—Gator me enseñó cómo. Si es una pistola, puedo dispararla.

—Entonces entre en el baño y quédese allí. Deje la puerta abierta si lo prefiere, pero manténgase escondida. Será más fácil para mí considerar que son enemigos todos los que entren en la habitación. No dispare a menos que tenga que hacerlo porque puede herirme.

—Prefiero quedarme aquí contigo y simplemente les disparamos cuando entren.

—Tendré ventaja, Nonny. No quieren matarme. Eso es por lo que fue tan fácil para mí en el pantano. Raoul me dijo que el francotirador tenía dardos tranquilizantes en su arma. Si alguien me clava un sedante, tiene permiso para dispararle.

Nonny cogió el arma. Era demasiado grande y pesada, pero ella parecía muy sensata, lo que aumentó la confianza de Llama.

Enrolló las mantas de la cama y tiró encima de ellas una sábana para que pareciera un cuerpo dormido. Hizo un gesto a Nonny con la mano para que se metiera en el baño mientras dejaba la habitación a oscuras. Se dirigió a la pared donde estaba la apertura de la ventilación y se agachó oyéndolo todo. Siempre le sorprendía que cuando se eliminaba la vista todos los demás sentidos se aguzaban. Miró hacia la rejilla y detectó el deslizamiento de ropa en el interior del conducto.

Envió una sola nota a través de la rejilla, una onda de pulsación baja que avanzó a través de los conductos. La mantuvo para que no fuera letal, pues no sabía quién más podía estar accidentalmente en el camino de la onda sonora. Se dirigió a la pared contraria y esperó con el cuchillo en la mano. Gator la había provisto de una serie de cuchillos para lanzar, y se lo agradecía. Era precisa con ellos y les tenía más confianza que a una pistola.

Sentía náuseas que llegaban en oleadas y le agarrotaban el estómago. Rompió a sudar. Estaba muy débil y enferma. La quimio le sentaba muy mal; siempre lo hacía. No tenía sentido pasar otra vez por todo ello si el cáncer iba a volver.

Tal vez debería hablar con Lily y hacerle unas cuantas preguntas difíciles.

Los sonidos que salían del conducto del aire sonaban cada vez más alto. Quien quiera que estuviera ahí parecía bastante enfermo y desorientado, y golpeaba salvajemente en un lugar concreto. Ella mantuvo la pistola apoyada contra su muslo con el brazo roto y el cuchillo alejado de su cuerpo con el brazo sano. Tal vez con un poco de suerte no tendría que matarlo, y tendrían la oportunidad de encontrar dónde estaba escondido Whitney.

La rejilla fue retirada del interior y apareció el cañón de un arma. Un puntito rojo brilló por toda la habitación, buscó en los rincones, la puerta, y se entretuvo en la entrada del baño. Llama deseó que Nonny se mantuviera muy quieta. Finalmente el punto rojo llegó a la cama y el extraño se deslizó en la habitación con el arma preparada.

Por primera vez, Llama no estaba segura de sí misma. Creía que había tres hombres en los conductos, pero se habría equivocado. Estaba demasiado enferma como para concentrarse adecuadamente. Estaba luchando contra las arcadas e incluso se le nubló la visión. Se apoyó en la pared y la empuñadura de su cuchillo la arañó.

El hombre se giró hacia atrás y el punto rojo se centró en su pecho.

—Suelte eso.

Ella se tambaleó. No iba a ser capaz de hacer esto. No podía entregarle la pistola o el cuchillo. Tampoco podía tirar las armas. Otros dos hombres salieron arrastrándose fuera del conducto y también la apuntaron con sus armas.

—Suelte eso —repitió el primer hombre. Levantó una mano y suavizó su voz—. Nadie quiere hacerle daño, señorita. Solo suelte las armas y venga con nosotros.

Los otros hombres se habían desplegado y comenzaron a recorrer la habitación. Uno se acercó al baño. Llama negó con la cabeza y apuntó con la pistola al que estaba más cerca de Nonny.

—Iré con vosotros, pero voy a conservar mis armas.

Intentó apartarse de la pared y el movimiento le provocó un calambre en el estómago. No había manera de impedir que vomitara. Se dio la vuelta y apoyó la cabeza en la pared. Tenía un dedo preparado en el gatillo de la pistola y la mano a la altura de la cabeza.

Incluso en su desgracia, oyó el susurro de un cuerpo en el conducto del aire seguido por el impacto de un cuchillo alcanzando un objetivo. Consiguió girar la cabeza y vio a Raoul, con el brazo alrededor del cuello de uno de los enemigos sujetándolo delante de él como un escudo, y apuntando con su arma al hombre que estaba junto al baño. El cuerpo del tercer hombre yacía en el suelo prácticamente a sus pies.

Instantáneamente el punto rojo apareció sobre su corazón.

—Suéltalo o le disparo.

El extraño retrocedió hacia la cobertura que le proporcionaba el baño.

Nonny.

Llama envió la advertencia a Raoul.

Al suelo.

Gator apretó el gatillo tres veces rápidamente. Una bala en la cabeza, y dos en el corazón.

El extraño disparó en un acto reflejo, pero Llama se había tirado al suelo y la bala dio en la pared donde había estado apoyada.

El hombre que Gator tenía paralizado agarrándole la cabeza le apuñaló el muslo con un cuchillo. Cayó hacia atrás, tropezó y lo siguió con la pistola un instante demasiado tarde.

Llama lanzó su cuchillo desde el suelo y el sonido de un disparo resonó a través de la habitación. El enemigo cayó, con el cuchillo clavado en un riñón, y una bala en la nuca. Llama giró la cabeza y vio a Nonny bajando la semiautomática.

Llama gateó hacia Gator, y le gritó a Nonny que trajera algo para atar alrededor de la herida. Apretó la herida con las dos manos, e ignoró que él le ordenara que se apartara de su maldito camino. Nonny volvió con toallas y su rifle. Puso el arma en las manos de su nieto y tomó el mando. Llama se movió hacia atrás hasta que su cabeza descansó en el regazo de Raoul. Cerró los ojos, sintiendo su mano en su cabello y se rindió dejando que la oscuridad se apoderara de ella.

Capítulo 20

Dos meses después

*L*lama se sentó en los fríos azulejos del baño, con las rodillas dobladas y la cabeza hacia abajo, descansando antes de que llegara la siguiente oleada de náuseas.

—Tuve un sueño la otra noche. Pesadillas, en realidad. —La mujer que estaba sentada a su lado se acercó y le frotó la espalda—. Estoy empezando a recordar cuando estaba sentada en el suelo del baño contigo.

—Lo hicimos mucho, ¿verdad? —dijo Dahlia Trevane.

Llama asintió sin levantar la cabeza. Nunca creyó que volvería a ver a Dahlia. Whitney la había odiado tanto como a ella.

—La única cosa buena de esto es que he vuelto a verte de nuevo —dijo Llama—. Pensé que estabas muerta cuando leí lo del sanatorio que se incendió en el pantano. Sabía que pertenecía a Whitney Trust, y estaba casi segura de que estabas encerrada dentro.

—Fue mi hogar durante muchos años.

—Sé que es duro para ti estar rodeada de mucha gente, Dahlia. De verdad agradezco que vinieras, pero no tienes que quedarte conmigo.

—Quiero estar contigo. Te echo de menos. Echo de menos a todas las chicas. Durante la mayor parte del tiempo pensaba que todas erais producto de mi imaginación. Lily dijo que Whitney trató de borrar nuestros recuerdos.

—¿Crees a Lily cuando dice que no estaba trabajando con su padre?

El estómago de Llama se revolvió y se arrodilló delante de la taza del váter.

Dahlia esperó hasta que acabó y le ofreció una toalla para limpiarse.

—¿Qué es todo esto que hay por el suelo? No puedo ver, pero parecen hilos de seda... —Se cayó y lo comprendió de pronto—. Mi cabello —dijo con la voz entrecortada.

Dahlia le acercó una mano y le tocó la cara. Sintió sus lágrimas.

—Esta no es la primera vez que pasas por esto. —Sabía que lo mejor era atraerla a sus brazos y consolarla—. Siempre vuelve a crecer y sale más bonito que nunca.

—No me has contestado.

—¿Sobre Lily? —Dahlia suspiró—. Siempre te alteras cuando hablamos sobre Lily. Tienes suficientes preocupaciones sin pensar en eso.

—Cuéntame, Dahlia.

—Lily es nuestra hermana y amiga. Te salvó la vida hace años cuando le dijo a Peter Whitney que estabas planeando escapar, y te está salvando la vida ahora.

—Quizá. No lo sabemos. Whitney solo ponía el cáncer en remisión. Pero siempre volvía.

—Lo sabe. Lily ha trabajado en nuevas medicinas para eliminarlo completamente.

Llama se frotó su adolorida cabeza. No podía recordar cómo era ser normal sin estar enferma todos los días. Enferma y débil, e incapaz de cuidar de sí misma. No podía recordar a la otra Llama. La confiada e independiente. Solo existía el suelo del baño, las inyecciones diarias y una debilidad terrible. Los días pasaban. Las semanas pasaban, y todos los días eran iguales.

—Espero que tengas razón. Espero que no esté trabajando con Whitney.

Porque Llama no podía pasar por esto otra vez... nunca más. Era fuerte en muchos aspectos, pero esto le exigía demasiado... incluso a ella.

—Lily sufrió emocionalmente más que cualquiera de nosotras. Nosotras sabíamos que Peter Whitney era un monstruo. Sabíamos que era un mentiroso. Ella no. Él le impedía conocer sus verdaderos objetivos. He leído las cartas que le escribió. He hablado con Arly y Rosa, las dos personas que estaban allí cuando creció en esa casa con él. Hizo el papel de padre. Ella creía que era su hija biológica. Todo esto es aterrador para Lily. Es como si se hubiera levantado una mañana y hubiera descubierto que su padre era un loco y todo en lo que creía era una mentira. Al menos nosotras lo supimos todo el tiempo.

—Nonny dice lo mismo de Lily —dijo Llama después de un largo silencio—. Nonny es muy buena analizando a las personas. Dice que Lily está sufriendo. —Se apretó las yemas de los dedos contra su adolorida cabeza—. Todo el mundo está sufriendo por culpa de Whitney.

Llama se enjuagó la boca varias veces.

—Yo no.

Llama miró hacia arriba.

—¿Qué?

—No estoy sufriendo. Tengo una buena vida. No es perfecta, pero ¿qué vida lo es? No estoy dejando que Whitney dicte mi vida. Atraigo energía hacia mí y no puedo estar con gente alrededor demasiado tiempo. Lily y tú sois anclas, así que es más fácil. Nico me ayuda a librarme de la acumulación de energía, pero todavía tengo que ser cuidadosa y eso es bueno para mí.

—Whitney no está persiguiéndote, Dahlia. No te ha disparado en el pantano matando a gente inocente. He puesto sus vidas en peligro. A Nonny, a Raoul...

Solo decir su nombre le dolía. Había sido tan bueno, tan paciente con ella, pero se había negado a hablar con él. No quería herirle así nunca más. Venía cada día mientras se recobraba de su herida en la pierna. Conversaba como si ella le respondiera. Había sido él quien le contó que la prensa había publicado una gran historia sobre terroristas que habían atacado el complejo. Había sido él quien le trajo sus libros y su música, especialmente los blues. Había sido él quien hablaba con ella noche tras noche cuando no podía dormir, aunque ella no le respondiera. Se había negado a ofrecerle su perdón.

Llama se apretó la mano contra la boca conteniendo un sollozo. Qué patética podía llegar a ser una mujer. Solo por haber perdido el cabello y sentirse muy enferma, no tenía que sentarse a llorar por ello. Solo por haber despachado al hombre de sus sueños, al amor de su vida, la única persona importante para ella. Ahora se había ido de verdad, no a su casa para estar seguro en el pantano, si no a una misión encubierta en algún lugar al otro lado del mundo. La había dejado sin que ella le dijera ni una palabra de consuelo o de amor, y no hacía más que pensar que quizá podía morir.

—Tú no pusiste sus vidas en peligro —señaló Dahlia—. Si están en peligro, el único responsable es Peter Whitney. Lo único que podemos hacer, Llama, es intentar vivir nuestras vidas de la mejor manera posible. Eso es lo que estoy haciendo. Si no, él gana. Para mí es así de simple. No le dejo dictar mi vida o mi felicidad.

—¿Por qué crees que sigue buscándome?

Llama tomó otro sorbo de agua.

Dahlia se encogió de hombros.

—Todos hemos intentado imaginarlo. Puede que nunca sepamos la respuesta, pero tal vez cuando Lily consiga acabar con el cáncer de una vez por todas, no seas tan valiosa para él. Es un loco. Estoy segura que hay alguna lógica en su pensamiento, pero es la suya.

Llama tuvo que arrodillarse sobre el váter otra vez por otro largo ataque, aunque en su mayor parte fueron solo arcadas.

—Me estoy volviendo una experta en esto. —Cogió la toalla que le pasó Dahlia para limpiarse—. Creo que he inspeccionado este baño un millón de veces ya.

—Lily dice que has estado haciendo un montón de ejercicio. Corriendo en la cinta.

La respuesta de Llama fue una especie de resoplido de burla y una risa ahogada.

—Si llamas a eso correr. Nonny lo hace mejor que yo y siempre me lo señala, debería añadir. —Se secó la cara repetidas veces—. A veces creo que esto nunca acabará.

—Estás en el peor momento y a punto de empezar a remontar. Has pasado por esto antes y esta vez será la última —dijo Dahlia muy confiada.

—¿Tanto crees en ella?

—Sí. A propósito, Gator ha vuelto.

—¿Ah, sí? —Llama sintió que se le aceleraba el corazón—. Nadie me ha dicho nada. Son todos tan terriblemente reservados. No sé cómo puedes soportarlo cuando Nico tiene que marcharse.

—Nico me contó que fueron a intentar liberar a Jack Norton.

—Espera un minuto. Creo que Raoul mencionó que Ken Norton había sido capturado y que un equipo había ido en su rescate.

—Nico estaba en aquel equipo. Sacaron a Ken, pero Jack cayó mientras disparaba para protegerlos. Les hizo señas para que salieran, y como estaban bajo sus órdenes lo dejaron atrás. Nadie supo si fue capturado. Gator y Nico volvieron con algunos otros para ver si podían ir por él. Atacaron el campamento enemigo, pero no estaba allí. Encontraron pruebas de que había estado allí, pero o había sido trasladado, o había escapado.

—O lo habían matado.

—Siempre existe esa posibilidad.

Llama inclinó la cabeza.

—¿Raoul está bien?

—No se le ve bien, no parece del todo él. Nunca sonríe, nunca se ríe. Está más delgado, pero ha vuelto sin ninguna cicatriz nueva, si eso es lo que te preocupa. ¿Le vas a perdonar alguna vez por salvarte la vida? —le preguntó Dahlia directamente.

Se produjo un pequeño silencio. Llama podía oír que su corazón latía con fuerza. Se le hizo un nudo en la garganta.

—Tengo que perdonar a Lily si lo perdono a él —cerró los ojos—. No sé si puedo hacer eso. —Se puso en pie lentamente apoyándose en la pared—. Creo que por fin puedo ir a sentarme en la silla.

Dahlia permaneció tras ella mientras iba a su habitación por si se caía, debilitada como lo estaba tras el ataque de vómitos.

Pero Llama se mostró sorprendentemente firme una vez que se puso en marcha.

—En cuanto mi ataque nocturno acaba, que puede durar entre una y seis horas, me siento bien de nuevo. Normalmente camino en la cinta e intento hacer un poco de ejercicio antes de que comience el ataque de la mañana. Parece que no soy capaz de dormir mucho más. —Hizo una pausa un momento para revisar la habitación. No habían encendido las luces, pero había docenas de velas aromáticas—. Nonny ha estado aquí. Es tan dulce conmigo.

Dahlia esperó hasta que Llama se acomodó en una silla, metió los pies por debajo de su cuerpo y tomó otro trago de agua.

—Uno de tus mejores y peores rasgos es tu testarudez, Llama. Creo que eso salvó tu vida. La determinación y el coraje tan grande que tienes, tu capacidad de atrincherarte e ir por algo sin importar qué, pero también te impide admitir que puedes estar equivocada.

Una ligera sonrisa movió la boca de Llama.

—¿Crees que esa es la razón? ¿Que no quiera admitir que estoy equivocada? Ojalá fuera así de sencillo. —Suspiró, se echó hacia atrás y apoyó la cabeza contra el suave respaldo de la silla, muy consciente de su calvicie. Era lo suficientemente vanidosa como para que no quisiera que nadie la viera de esa manera, ni siquiera Dahlia—. No confío en Lily. Tiene esa misma mentalidad. La necesidad de respuestas pasando por encima de las cuestiones morales.

Dahlia negó con la cabeza.

—Estás equivocada. Tiene esa misma genialidad, sí. Tú también, pero ella sabe dónde trazar la línea. ¿Por qué estás tan segura que ella está asociada con Peter Whitney?

—Whitney tiene que tener un informante.

Dahlia resopló.

—Eso es estúpido y tú especialmente lo sabes. Sabes *exactamente* cómo está consiguiendo su información.

—Los ordenadores —concedió Llama—. Eran todos suyos. Todos los ordenadores de su laboratorio, de su casa, aquí en este complejo, y los de cada compañía que poseyó. Tenía acceso a todos ellos y escribió muchos de los programas. Las notas y datos que Lily está usando le pertenecían. Tiene una puerta trasera para entrar en todos ellos.

—Claro que la tiene. Y sabe que ella necesita la información para ayudarnos a todos nosotros. No puede deshacerse de él. Arly está buscando, pero aunque encuentre un gusano, no será suficiente. ¿Entonces por qué tienes que verla como socia de Peter Whitney?

Llama negó con la cabeza y su mente cerró de golpe la puerta de sus recuerdos de la infancia. No podía, *no se enfrentaría* a ese recuerdo nunca más.

—No puedo decírtelo. Simplemente no puedo, Dahlia.

Dahlia miró hacia arriba, su mirada era aguda y penetrante.

—Está bien, cariño, no te preocupes por eso. Voy a dejarte sola unos minutos, porque ambas sabemos que en cuanto Gator haya acabado con el informe, vendrá directamente hacia aquí.

Llama pareció alarmada.

—¡No! No puede verme así. No le dejaré que me vea así.

—No hay nada malo en tu aspecto.

Llama se levantó de un salto y se apresuró a abrir un cajón.

—Nonny me trajo estos gorros por si acaso. —Agarró un gorro de punto de la armada y se lo puso, se miró de reojo en el espejo y se lo quitó rápidamente—. Mantenlo fuera de aquí.

—Nadie puede mantener a Gator fuera de aquí, ni siquiera tú, Llama. Va a venir a verte te guste o no. Hables con él o no. —Dahlia se dirigió a la puerta—. Vas a tener que tratar con él tarde o temprano.

En el momento en que la puerta se cerró tras Dahlia, Llama apagó tres de las ocho velas de la habitación. No podía evitar que su rebelde corazón latiera anticipándose a lo que venía, o que la adrenalina inundara su cuerpo. Hizo lo que pudo, se lavó la cara, se cepilló los dientes, intentó maquillarse y se lo quitó enseguida. Estuvo un rato mirando su imagen. No había nada que pudiera hacer para parecer la mujer que él estaría esperando.

Se dio la vuelta cuando oyó abrirse la puerta. Raoul entró, empujando una motocicleta. No era cualquier moto, sino que era *su* motocicleta. Quería mirarla, el mejor símbolo de su libertad, pero lo único que vio fue a Raoul. Si hubiera podido se habría tirado a sus brazos. Pero se quedó mirándolo paralizada. Parecía más delgado, pero sus hombros eran anchos, su pecho musculoso, y su cabello seguía cayendo en ondas sin importar lo que hiciera por controlarlo. Sentía que sus rodillas flaqueaban con solo mirarlo.

Estaba tan contenta de que estuviera allí, vivo, bien y entero, pero no quería que la viera así.

Llama estiró la columna, inspiró profundamente y trató de parecer completamente segura de sí misma. Se tocó el gorro de lana que llevaba para asegurarse que estaba en su lugar antes de cruzar la habitación para tocar su motocicleta.

—¿Quién lo hizo?

Raoul se enderezó lentamente y se empapó de su imagen. Era la primera vez que le hablaba desde el asalto al complejo, aunque estaba mirando a la moto, no a él. Parecía pálida. Devastada. Había círculos oscuros bajo sus ojos y llevaba un sencillo gorro de punto que se le ajustaba a la cabeza. Ya no tenía la escayola y en su brazo se veían varias cicatrices muy perceptibles de los dientes del caimán. Le pareció hermosa. La había echado tanto de menos que le dolía.

—Lo hice yo mismo. No quería que nadie más tocara algo que quieres tanto. Corre como un sueño. Estoy impaciente de que la pruebes.

Llama lo miró y después apartó la mirada. Gator se dio cuenta de que no tenía cejas. Se le hizo un nudo en la garganta. Había estado fuera en una misión de espionaje y ella había estado aquí. Sola. Enferma. Se acercó a ella.

—*Mon Dieu*, cariño. Debería haber estado contigo.

Levantó una mano para tocarle la cara pero ella lo evitó.

—No deberías estar aquí.

No se desharía en lágrimas delante de él. Tenía un aspecto maravilloso. Quería tocarle, pero eso significaría que él podría tocarla y estaba lejos de ser la mujer que le parecía tan sexi en el pantano. Pero si su cambio de apariencia no le molestaba, y conseguía atravesar su fina armadura, caería en sus brazos y todo volvería a empezar. Se dejaría llevar sin pensarlo, y ya no podría volver a pasar por otra separación.

—¿Dónde más podría estar? —Raoul dejó que su mano cayera a un lado—. No hay ningún otro lugar donde quisiera estar.

Ella pasó la mano sobre el asiento de cuero negro de la moto.

—Se ve hermosa. Como nueva. Gracias.

—De nada. Sé lo mucho que significa para ti.

Significaba mucho más ahora que sabía que se había tomado el tiempo de arreglarla él mismo. Se suponía que no iba a querer nada ni a nadie tanto como para no poder renunciar a ello. Por eso le asustaba mucho haber roto con su regla número uno.

—Te ves bien. Cansado, pero bien.

—Estoy cansado. Fue un vuelo largo y tuve que hacer un informe aún más largo.

—No escribiste. —Llama se puso la mano en la boca, pues no había querido decir eso. Ya podía ver cómo se ampliaba lentamente su sonrisa engreída. Su corazón se estaba fundiendo lentamente—. Tu abuela estaba preocupada.

Él negó con la cabeza.

—No lo creo, *cher*. Creo que tú estabas preocupada por mí. Me despediste sin darme siquiera un beso. Sin palabras de amor que me mantuvieran a salvo.

—Rompimos. Por eso no tuviste besos o palabras de amor.

—Yo nunca rompí. No sabría cómo. —Su tono era totalmente serio—. No puedo vivir sin ti, *ma belle femme*, y eso es un hecho.

Llama negó con la cabeza.

—Incluso si pudiéramos superar todo lo demás, ¿qué pasa con los hijos? Tu has nacido para ser padre.

—Te preocupas demasiado por cosas que puede que pasen o no. No vivo mi vida en el futuro, *cher*. Tus óvulos están guardados. Podemos pedirlos. Demonios, deberíamos hacerlo de todos modos, pero si eso no funciona, adoptaremos. Y si eso no funciona, nos amaremos el uno al otro perfectamente sin todo lo demás. —Sonrió de nuevo—. Estoy esperando con mucha ilusión esa parte.

Llama no sabía cómo reaccionar. Era imposible no amarle a pesar de todos sus pecados. Suspiró suavemente.

—Estás tan loco.

Gator le cogió la mano y dio un pequeño tirón para que lo siguiera por la habitación hasta el enorme sillón.

—Estoy cansado. Siéntate en mi regazo.

Gator se hundió en el sillón.

Llama retrocedió.

—Oh, no. No voy a acercarme a ti. Sé lo que pasa.

Él juntó los dedos y la miró entrecerrando los ojos.

—Acabemos de una vez, Llama. Te echo de menos. Echo de menos abrazarte, besarte y tenerte a mi lado cuando duermo por la noche.

—Solo dormimos juntos un par de veces —señaló ella—. Es totalmente imposible que me eches de menos cuando duermes.

—Me despierto en mitad de la noche buscándote con las manos. Echo de menos tu risa y tu tozudez, tu expresión terca justo antes de hacer algo que te excita. Echo de menos todo eso, *cher*, y quiero recuperarlo. ¿Cómo lo hago?

La miró con sus ojos negros como la noche y su corazón se estremeció. ¿Cómo lo hacía? ¿Cómo se apoderaba de su mente, la confundía y dejaba su cuerpo caliente y nervioso sin hacer nada más que estar ahí sentado? Llama cruzó los brazos por delante de la cintura.

—No lo sé —susurró—. Existe una enorme brecha entre nosotros y no puedo cruzarla.

—Quédate donde estás. Yo iré hacia ti.

Llama levantó la mano, con el pánico claramente escrito en la cara.

—Quédate ahí.

—¿Por qué, *cher*? Creo que tienes miedo de estar cerca de mí. Me has echado de menos, ¿verdad?

—Quizás un poco —le concedió ella.

—Creo que más que un poco. —Le hizo un gesto con el dedo—. Ven aquí donde pueda tocarte. No creo que lleves un sujetador debajo de la camisa.

Ella miró hacia abajo y vio sus pezones empujando la fina tela.

—Está bien, deja de mirarme.

—Me encanta mirarte.

Ella inspiró profundamente.

—He perdido el pelo.

Llama se llevó una mano defensivamente al gorro.

Él extendió un brazo y tiró de sus pantalones hasta que la dejó entre sus piernas. Su voz bajó volviéndose muy seductora.

—Quítate el gorro. Déjame ver.

—No voy a dejar que veas mi cabeza calva. Dios. —Solo su voz podía hacer que le volaran mariposas en el estómago. Era tan *malo*. La miraba con sus ojos oscuros y su boca pecadora, y no podía evitar los escandalosos pensamientos que aparecían por su mente—. Deja de mirarme así. No voy a quitarme el gorro. Nunca.

Gator inclinó la cabeza y su mano rozó la franja de piel desnuda que quedaba entre su top y sus pantalones.

—Ay, *cher*. No hay necesidad de ser así. He fantaseado las últimas semanas con que estarías muy sexi sin pelo. —Su voz bajó otra octava—. Cuando pierdes todo el cabello, ¿lo pierdes *todo*? ¿El de todo tu cuerpo? —preguntó alargando la última palabra haciéndola sonar muy erótica.

Ella se ruborizó. Nunca lo hacía, pero la estaba mirando como si fuera a comérsela como un cucurucho de helado. Además se estaba lamiendo el labio inferior con un gran deseo. Ella sintió calor en todo el cuerpo.

—Eres un obseso, Raoul.

La acarició, deslizó sus dedos por su cadera hasta un muslo y le masajeó una pierna.

—¿Estás calva por *todas partes*, cariño?

Su susurro le rozaba la piel, con la ligereza de una pluma, como un cálido aliento. Podía sentir muy profundamente dónde necesitaba acogerlo. Se contuvo de protestar. Su mano se abrió camino hacia su trasero y lo masajeó a través del chándal de algodón. Gator se movió en su asiento y atrajo su atención hacia el enorme bulto que tenía en la entrepierna.

—No puedes excitarte, Raoul. No puede ser.

Le tomó la mano y la llevó hacia la delantera de sus vaqueros.

—Solicito disentir: esto de aquí es una tremenda erección, *cher*, modestia aparte.

Ella debería haber quitado la mano, era la única cosa segura que podía hacer, pero él la estaba apretando contra el largo y grueso bulto, y a pesar de sí misma, dejó que la restregara arriba y abajo. Él cerró los ojos e inspiró, el placer suavizó las cicatrices grabadas en su mente... unas cicatrices que no habían estado ahí antes de que la llevara al complejo.

Ella tenía que hacer algo para romper su hechizo, de otro modo iba a olvidar su aspecto e iba a saltar sobre él.

—Antes de que te pongas cómodo ahí, hombre cajún, me parece recordar lo que te dije que iba a hacerte si se me caía el pelo.

Le llevó la mano a la boca antes de agacharse para quitarse las botas.

Llama dio un paso atrás y se puso una mano a la garganta mientras se sacaba los vaqueros sin siquiera sonrojarse. Estaba duro, caliente y muy erecto. Le sonrió, sin avergonzarse por su evidente necesidad de satisfacerse.

—Traje el cuchillo, *cher*. No está oxidado, pero servirá.

Sus manos fueron hacia los botones de la camisa y la abrió lentamente.

Llama negó con la cabeza.

—Ni hablar. Va en serio, Raoul. De ninguna manera.

—Solo déjame ver —dijo persuadiéndola—. Tuve más de una fantasía en la que te afeitaba y te dejaba completamente limpia y suave para que así sintieras cada lametazo de mi lengua.

El modo en que lo decía y el modo en que la miraba hacía que sintiera escalofríos en la columna. A pesar de sí misma estaba excitándose.

—Llevo horas vomitando. No estoy como para volverme loca contigo.

Retrocedió hasta que quedó contra la pequeña mesita de noche, con la enorme y amenazante cama delante de ella.

Él estaba cerca. ¿Cómo se había acercado? Ni siquiera recordaba que se hubiera movido, pero allí estaba, con sus manos deslizándose por debajo de su camisa para acoplarlas sobre sus pechos, acariciando suavemente sus pezones.

—No tienes que hacer nada, lo prometo. Simplemente déjame ver.

Podía debilitarla sin necesidad de tocarla, pero en el momento en que sus manos estuvieron sobre su piel, ella entendió que estaba perdida. ¿No la veía? Se sentía muy vulnerable, casi asustada. Sabía que su sexualidad no estaba ligada a su cabello, pero ¿cómo poder sentirse sexi y excitante cuando la mayor parte del tiempo estaba tan enferma que todo lo que podía hacer era abrazar la taza del váter? Tenía una vía en el pecho, y ni un solo cabello en su cuerpo. Estaba calva, *calva*, por Dios. Pero él la estaba mirando, tocándola y respondiendo a ella como si fuera la mujer más bella y más sensual del mundo. ¿Era posible fingir esa mirada en sus ojos? ¿La oscura sensualidad, la intensa excitación y el deseo descarnado? ¿Se podía fingir eso?

El cuerpo de Llama temblaba y parecía tan horriblemente frágil que Raoul se inclinó hacia adelante para besarle su suave boca, deseando tranquilizarla. Los ojos de ella estaban oscuros y llenos de sombras. La besó otra vez porque tenía que hacerlo. A menudo soñaba con su boca, tan suave, tan sexi. Por la noche, cuando estaba solo tumbado en su cama, pensaba en su sabor y su textura. Pero el recuerdo no era tan bueno como la realidad. Gator le lamió el labio inferior, lo chupó y jugueteó con sus dientes hasta que ella hizo ese suave gimoteo que él adoraba...; era su primer signo real de rendición.

Gator cogió el borde de su camisa y se la quitó delicadamente por la cabeza. Pudo ver la vía que Lily usaba para ponerle la medicina directamente en la vena. Estaba cerca de su clavícula. Recorrió suavemente con su dedo ese hueso y después bajó por la curva de sus pechos.

—¿Duele?

Llama negó con la cabeza. No podía apartar la vista, atrapada en el calor de su mirada. Solo podía permanecer ahí temblando, observando su cara atentamente, mientras Gator tiraba de sus pantalones. Tenía miedo de que sintiera la misma repulsión que sentía ella a veces cuando veía su cuerpo desnudo. No iba a ser capaz de soportarlo. Y no sabía si podría soportarlo él tampoco. Se sintió muy expuesta cuando su cuerpo quedó completamente abierto a su inspección.

—*Mon Dieu, cher*, eres tan tremendamente hermosa que me va a dar vergüenza.

Su mano acarició despreocupadamente su erección. No había timidez, ni modestia, y apenas parecía consciente de sus acciones.

Llama podía ver la reluciente humedad en la suave y ancha cabeza que coronaba su grueso miembro. Él no podía fingir eso. La quería con la misma intensidad y el mismo deseo que sentía semanas antes cuando le caía el cabello por la cara y tenía tanta confianza en que era una mujer sensual.

Gator cayó de rodillas, rodeó sus caderas con los brazos, y la atrajo hacia él de modo que ella tuvo que equilibrarse poniendo las manos en sus hombros.

—Eres tan sexi, *cher*.

Su voz se había enronquecido. Sus manos se deslizaron hacia abajo por sus caderas, le separó los muslos y se inclinó hacia adelante para apretar su boca contra la piel desnuda y suave como la seda.

Llama casi saltó fuera de su piel.

—Estoy demasiado sensible. —No había pensado que sentiría diferente cuando su lengua se movió por su piel desnuda, pero así era. Todas sus terminaciones nerviosas parecían intensificadas, más conscientes—. Me van a fallar las piernas.

Él le sopló aire cálido y dio otro beso a sus labios desnudos. La sentía temblar. El cuerpo de Llama respondió con una incitante humedad.

—Agárrate a mí solo otro minuto. No puedo parar, nena, ésta vez no. Eres tan bella y perfecta y necesito esto.

Su lengua se hundió en ella y la acarició lentamente hasta elevar su temperatura. Era tan dulce, podría pasar horas devorándola. Ella le agarró el pelo y todo su cuerpo tembló.

Gator dio un pequeño suspiró, se levantó, la levantó a ella y la sentó en el mismo borde de la cama.

—He esperado mucho tiempo para estar contigo, no creo que me pueda controlar mucho más.

—Y yo no tengo demasiadas energías, así que mejor así.

El deseo descarnado que Gator tenía grabado en la cara la dejó sin aliento.

Se inclinó para besarla de nuevo. Su boca era exigente, incluso salvaje, pero aún así tuvo cuidado de no frotarse contra la vía abierta. La fue besando hasta las puntas de sus pechos, y sus manos exploraron cada centímetro de su cuerpo, reclamándola posesivamente.

—Eres tan maravillosamente suave, *mon amour*. Suave, sedosa y tan caliente. No puedo esperar para estar dentro de ti.

Le apartó suavemente las piernas, puso su trasero en el mismo borde de la cama para poder introducir su palpitante miembro dentro en ella. La poseyó lentamente, viendo cómo su cuerpo se tragaba su verga lentamente, centímetro a centímetro. Era una visión muy erótica ver sus labios desnudos abriéndose alrededor de su miembro, sintiendo los deslizantes y calientes músculos de su canal abriéndose poco a poco para él, aferrándose como un puño apretado, rodeándolo con una fogosa fricción cada vez que se movía.

Llama no podía contener los pequeños gemidos que se le escapaban. Había olvidado lo bien que se sentía teniéndolo dentro de ella. Había olvidado lo que era sentirse como una mujer sexi, excitante y deseada. *Deseada.* Raoul la deseaba de cualquier manera. Podía verlo en sus ojos encendidos que mezclaban amor y lujuria. Podía ver la dura sensualidad grabada en su cara mientras se clavaba profundamente en su cuerpo, adaptándose a su ritmo, introduciéndose dentro de ella, con los dedos clavados en sus caderas, aferrándola a él como si lo que más deseara fuera estar enterrado hasta la empuñadura.

Cada larga caricia la dejaba sin aliento, le ardían los pulmones y su cuerpo se apretaba más y más. Sentía la tensión de sus músculos que lo apretaban con fuerza, aferrándose a su miembro mientras este se volvía imposiblemente grueso, abriéndola aún más. Su calor expulsaba el frío que tenía alojado profundamente en su interior, y lo sustituía por calientes rayos de placer tan intensos que supo que estaba perdida... aunque no le importaba estarlo. Le quitaba el frío y la enfermedad y volvía a hacer que se sintiera entera. Echó la cabeza hacia atrás mientras él explotaba en su interior, haciendo que cada una de sus ardientes embestidas la acercara más y más al clímax.

—Lo siento, cariño, no puedo aguantar más tiempo. Estás tan maravillosamente caliente que voy a estallar en llamas.

Gator apenas podía hablar, su cuerpo se tensó y explotó al vaciar su semilla muy dentro de ella. Los apretados músculos de Llama se aferraron con fuerza a su cuerpo hasta que entró en una espiral de placer fuera de control y él no pudo parar hasta que ella gritó su nombre, y su cuerpo se convulsionó pegado al suyo.

Llama finalmente se desplomó contra él, con la cabeza sobre su hombro, respirando entrecortadamente. Estaba agotada pero muy satisfecha. Sentía que sus músculos latían alrededor de su miembro, y tenía réplicas casi tan fuertes como el terremoto de placer.

—Túmbate. Me voy a meter en la cama contigo.

—No creo que pueda moverme.

Aunque lo hizo. Cayó a un lado hasta que sintió que el cuerpo de Gator se separaba de ella y su cabeza se encontró con la almohada. Se habría puesto una sábana para cubrir su desnudez, pero sentía que su brazo estaba demasiado pesado.

Gator se sentó al borde de la cama y la observó. No podía dejar de mirar su imagen sexi e inocente a la vez. Somnolienta y satisfecha, casi ronroneando, con los dedos enredados con los suyos. Se inclinó y le dio un beso en el ombligo.

—Quiero que te cases conmigo. No digas que no, *cher*. Sé que quieres que me disculpe por lo que hice, pero no voy a mentirte. Lo haría otra vez. Te necesito viva en este mundo, incluso si no puedo tenerte. Debería lamentarlo, pero no me dejaste elección.

Abrió los ojos y lo miró.

—Podías haber estado equivocado. Lily podía haber estado trabajando con Whitney.

—Entonces los hubiera matado a los dos. —La miraba a los ojos—. ¿Por qué no puedes perdonar a Lily? Tu ira hacia mí está relacionada con tu ira hacia ella. Ambos te queremos y ambos nos preocupamos lo suficiente como para poner nuestra relación en peligro para salvarte la vida. Eres una persona lógica, Llama. No cargues con rencor a menos que haya una razón.

Ella intentó sonreír pero no pudo.

—Nunca me permito pensar en eso. No puedo. —Bajó la voz—. Nunca se lo he dicho a nadie.

—No soy cualquiera. Soy el hombre que amas y no importa lo que sea, voy a estar contigo, para que lo superes. Simplemente dejemos que esto acabe para que podamos vivir nuestras vidas.

—¿Qué pasa con Whitney? Se reorganizará y vendrá por nosotros de nuevo.

—Que se joda Whitney. Mientras se está reorganizando, nosotros vamos a estar cazándolo. No será tan fácil la próxima vez. Ahora déjate de andar con rodeos y cuéntame.

Iba a decírselo. Era tan mandón y tan insistente a su manera. Zalamero o mandón, daba lo mismo. Sabía lo que quería, y de un modo u otro, lo iba a conseguir. ¿Podía vivir con eso? ¿Podía vivir con su particular sistema de protección? Apretó los dedos en los suyos. No quería vivir sin Raoul... y eso era lo fundamental. Cuando se fuera sintiendo mejor defendería su posición frente a él, pero por ahora, dejaría que él se hiciera cargo e iba a permitir que la empujara al pasado.

La puerta en su cabeza estaba entreabierta, los recuerdos aparecían sin importar lo mucho que intentara apartarlos de ella. Lily traicionándola. Los hombres arrastrándola de vuelta. Whitney estaba allí, mirándola con fría furia a través del cristal, un escudo insonorizado. Estaba allí con su fría mirada llena de rabia mientras los hombres la abofeteaban, despojaban su habitación de todo lo que tenía, y luego la hacían caminar frente al cristal, agarrándola de su gruesa mata de cabello.

No había querido hacerlo, lanzar ese tono bajo que los dos hombres que tiraban sus cosas ni siquiera habían podido oír. El hombre que la sostenía por el cabello pensaba que estaba indefensa, pensaba que estaba atemorizada por las tres dolorosas bofetadas que le dio. Estaba llorando, pues al fin y al cabo no era más que una niña.

Los dos cayeron detrás ella y se quedaron inmóviles, pero el que la sujetaba estalló y sus órganos se desgarraron. Gritó y gritó, y un río de sangre se derramó sobre ella. Y todo el tiempo Whitney siguió mirando con una extraña y secreta sonrisa en la cara.

Llama se tapó la cara.

—No quería herirlos. No sabía que eso podía pasar. Los maté y él los dejó allí durante horas. Tuve que rogarle que se llevara los cuerpos para que lo hiciera.

De algún modo, compartir el horror de ese momento con él, contarle a alguien sus sentimientos de culpa y vergüenza hizo que el nudo culpabilizador con que atacaba a Lily comenzara a deshacerse.

Gator la rodeó con sus brazos y se aferró a ella luchando contra su propia rabia. La sujetó, la acunó hacia adelante y hacia atrás, y la mantuvo pegada a él dejando que llorara. Le besó un hombro, y la acarició con su barbilla. Ya no tenía elección, tenía que decirle la verdad sobre sus propias culpas. Ella necesitaba saberlo y necesitaba oírlo. Que Dios le ayudara si era una decisión equivocada, pues francamente no sentía que pudiera dejarla marchar.

—Yo hice algo peor, cariño —confesó—. Mucho, mucho peor. Eliminé civiles. Ninguno de nosotros sabía lo que provocaba la onda y estábamos trabajando en ello, haciendo pruebas de campo. Uno de mis amigos murió ese día y cuatro adolescentes que estaban jugando cerca de la colina. No eran más que niños, niños inocentes. —Había lágrimas en su voz—. Tengo que vivir con eso, Llama. Me levanto con sudores fríos pensando en esos niños y sus familias. No tengo ni idea de lo que les dijeron a las familias, o si les entregaron los cuerpos, pero sé que si hubieran sido mis hijos, nunca me recuperaría.

Ella lo abrazó más fuerte. Estaba rígido, tenía los músculos agarrotados, y todo su cuerpo temblaba.

—No ayuda nada decir que no fue culpa tuya, que no sabías, que no pudiste hacer más que lo que hiciste. Somos armas, Raoul. Para eso fuimos creados.

—No lo creo, *cher*. Creo que tú fuiste creada para mí, predestinada, mucho antes de que ninguno de los dos naciera. —Le inclinó la cara hacia arriba para que lo mirara—. Nada de esto ha sido más culpa de Lily que tuya. Tengo que aceptar alguna responsabilidad en esto, ya que permití ser reforzado y no preví lo suficiente sus consecuencias.

—Tal vez no lo hiciste, Raoul, pero francamente eres el mejor hombre que conozco. Nunca he conocido a nadie mejor, y soy una jueza dura. Observo la manera en que te preocupas por todo el mundo, el modo cómo te lo tomas. —Agachó la cabeza—. Debería haberte contado eso antes de que te fueras.

Él le dio un beso en la sien.

—Gracias por decirlo. No importa lo que haya pasado antes, ambos nos merecemos una vida, y la quiero para estar juntos.

—¿Qué pasa si Lily no puede librarme del cáncer?

Gator se encogió de hombros.

—Dijo que podía, pero ¿qué pasaría si no puede? ¿Qué pasaría si salgo mañana a una misión y me disparan en la cabeza?

—No digas eso. —Tragó saliva con dificultad—. Cuando te fuiste, te juro que te llevaste mi corazón y mi alma contigo.

—El trabajo que hago significa un peligro tan real para mí como el cáncer lo es para ti. Es tan real como la amenaza de Whitney lo es para ti. La vida nos da alternativas. Puedes agarrarlas con ambas manos y emprender el camino, o puedes quedarte sentado al margen.

—Así que estás realmente decidido a casarte conmigo.

—Absolutamente. Tengo debilidad por tu cuerpo.

Su mano se paseó por su columna hasta llegar al trasero.

—Entonces, sería mejor que veas como soy en realidad.

Llama se quitó el gorro y se sentó frente a él mientras su corazón latía con fuerza en su pecho. Se obligó a mirarlo a la cara para estudiar su expresión. Quería saber su verdad.

Gator se relamió lentamente y sus ojos se encendieron. Ella pudo percibir la conmoción de su miembro apoyado en su vientre.

—Maldita sea, mujer, eres tan sexi que no creo que mi corazón pueda soportarlo. —Se inclinó hacia ella y su boca le dejó una estela de besos sobre la coronilla—. ¿Cómo haces para que tu piel sea tan suave, *cher*?

—Voy a llevar pelucas, así que no te pongas tan caliente ni te obsesiones pensando en mi calva.

—¿Pelucas? —Gator sonrió—. Se me ocurren un montón de cosas divertidas que podemos hacer con las pelucas. Aunque, para ser honesto, estaba pensando en otros lugares que tienes calvos en este momento.

—Mi cabello va a volver a crecer, pervertido.

—Ay, pero mientras tanto...

www.titania.org

Visite nuestro sitio web y descubra cómo ganar
premios leyendo fabulosas historias.

Además, sin salir de su casa, podrá conocer
las últimas novedades de
Susan King, Jo Beverley o Mary Jo Putney,
entre otras excelentes escritoras.

Escoja, sin compromiso y con tranquilidad,
la historia que más le seduzca
leyendo el primer capítulo de cualquier libro
de Titania.

Vote por su libro preferido y envíe su opinión
para informar a otros lectores.

Y mucho más...